FROID EST L'ENFER

Richard HAWKE

Traduit de l'anglais (américain)
par Magali Pès

City
Poche

© City Editions 2008 pour la traduction française.
© 2007 by Richard Hawke
Cette édition est publiée avec l'accord de The Random House
Publishing Group, une division de Random House, Inc. sous le titre
Cold day in Hell

ISBN : 978-2-35288-525-2
Code Hachette : 50 8491 8

Couverture : Studio City/Shutterstock
Rayon : Thriller
Collection dirigée par Christian English & Frédéric Thibaud.

Catalogue et manuscrits : www.city-editions.com

Dépôt légal : premier semestre 2011
Achevé d'imprimer en janvier 2011
par CPI Brodard & Taupin - La flèche (France)
N° d 'impression : 61846

Pour Powell Harrison...
toujours la faute aux mêmes

Première partie

1

L e dernier jour, elle se rendit à son cours de yoga. Elle portait ce qu'elle portait toujours : un justaucorps académique noir et un t-shirt gris passé trop moulant avec un crabe rouge dessus − un cadeau de son frère cadet, il y avait des années de cela. Habituellement, elle arborait un bandeau bordeaux pour éviter que ses cheveux tombent sur son visage mais, le jour précédent, elle avait demandé à son coiffeur de « tout changer » et il avait fait une coupe courte ébouriffée qu'elle pouvait sécher et coiffer à la main, quelque chose qui avait toujours du style même quand, en réalité, c'était le désordre total. Son professeur de yoga l'avait complimentée à ce sujet alors qu'elle installait son tapis de sol.

C'était une grande perche d'Iranien aux yeux noirs aussi profonds qu'une grotte enchanteresse. Un homme mince. Aussi souple et agile qu'un spaghetti.

Il faisait fantasmer les trois quarts des filles de son cours, si ce n'est plus. Et probablement un ou deux garçons. Ses phrases ronronnaient dans un riche accent britannique.

« C'est incroyable : tu es encore plus belle que d'habitude. C'est très joli. Vraiment très joli. »

Sa frange courte s'échappa des doigts caressants du professeur, et une légère rougeur pas plus grande qu'une pièce de monnaie colora ses joues. Le professeur se dirigea vers le fond de la salle et glissa un CD dans la chaîne portable. D'un orteil, la jeune femme aplanit le coin de son matelas, puis leva le pied et le cala contre l'intérieur de la cuisse opposée, pressa ses paumes l'une contre l'autre et se balança sur une jambe, à la perfection, tel un flamant rose. Elle secoua légèrement la tête et ferma doucement les yeux. Les portes de la sérénité s'ouvrirent.

Il lui restait trois heures à vivre.

* * *

D'après mes calculs, à cet instant-là, j'étais à la barre des témoins. En fait, pour être encore plus précis, j'étais à la barre des témoins et j'avais le four grand ouvert. Je venais de vérifier l'heure à ma montre pendant qu'un très gros bâillement se préparait – quatre heures moins le quart – avant de tourner mon attention vers le visage mince et pâle de l'avocat de la défense qui gigotait, juste devant moi.

Mon bâillement n'était pas une critique volontaire, bien qu'elle fût partagée par la petite dizaine de personnes présentes dans cette salle de tribunal confinée et dépourvue de fenêtre. L'avocat pâlot jeta un regard blessé vers Madame le juge qui, en retour, réussit à garder un visage impassible en m'adressant sa réprimande.

— Monsieur Malone, la cour sait parfaitement qu'à l'extérieur de ce tribunal vous menez la vie la plus trépidante qui soit. Vous voudrez bien, cependant, prendre sur vous et, au moins faire semblant de porter autant d'intérêt au sérieux de ce procès que le reste de l'assistance ?

Adoucir sa requête par une question était, je le comprenais bien, un raccourci signifiant : « *Tu veux bien arrêter de me courir sur le haricot, Fritz ?* »

Je hochais la tête.

— Bien sûr, Madame le juge. Je présente mes excuses à la cour. Je vous assure que mon bâillement n'était en rien lié au procès, c'est seulement que je manque de sommeil.

La juge se tourna ensuite vers l'avocat de la défense.

— Moi aussi, je manque de sommeil, maître. Pourriez-vous passer à la vitesse supérieure ?

— Mais, Madame le juge…

— Reprenez, maître. L'oxygène dans cette pièce est limité. Ne le gâchons pas.

Il reprit. Je penchai la tête et détournai un nouveau bâillement vers le sol. Une fois bien entraîné, c'est fou ce que ce petit jeu est facile. Je tournai mes yeux vitreux vers l'avocat de la défense qui tentait, tant bien que mal, de me soutirer des bribes de déclaration. Sa tentative était vouée à l'échec.

Mon témoignage était en béton. L'automne passé, j'avais été engagé pour arranger un coup contre une organisation commerciale qui portait la notion de contrefaçon à un très haut niveau. Les escrocs avaient mis au point une méthode pour remplacer pas moins d'un quart des commandes régulières réservées à certaines boutiques – plus une marge conséquente sur le prix d'achat – avec leurs contrefaçons.

Ils organisaient ensuite le retour des originaux et dissimulaient la manœuvre au détaillant en pénétrant au bon moment dans sa comptabilité électronique.

Sans le savoir, des dizaines de boutiques des quatre coins de la ville achalandèrent ainsi, dans un beau mélange, les originaux et leurs imitations.

C'est seulement lorsque les rumeurs d'escroquerie arrivèrent jusqu'à un certain niveau hiérarchique que l'on me demanda d'apporter ma loupe de Sherlock Holmes. Il me fallut un mois pour mettre la main sur une poule mouillée parmi les escrocs.

Ensuite, ce fut rapide et facile de lui donner la frousse. Ses jambes devinrent comme du coton, et je réussis à en tirer ce dont j'avais besoin pour organiser le coup monté. De mon côté, mon témoignage était en béton. C'est pourquoi les tentatives de l'avocat au teint terreux pour trouver des failles dans mon histoire m'ennuyaient à mourir.

— Monsieur Malone…

Il serra les mains dans son dos et fit quelques pas, les jambes raides, comme si ses genoux ne fonctionnaient plus.

— … comme vous le savez fort bien, mon client a un souvenir tout à fait différent des événements que vous venez de nous relater au cours de cet après-midi…

Je jetai un regard vers le banc des accusés. Je n'avais pas rêvé : la juge venait de bâiller en regardant vers le sol.

* * *

Elle s'appelait Robin Burrell. C'était une jeune femme de 27 ans, 1,70 m, 58 kilos, yeux noisette, cheveux châtains. Elle avait le teint frais d'une fille de la ferme, avec quelques petites tâches de rousseurs sur le nez. Elle avait été élevée chez les quakers, près de New Hope en Pennsylvanie, et elle assistait au culte tous les dimanches matin à la Maison quaker, sur la 15e rue Est. On m'a raconté que, le dimanche précédent sa mort, Robin s'était levée dans le but de s'adresser à l'assemblée, avait bafouillé quelque chose d'incompréhensible en tentant désespérément d'établir un contact visuel avec ses pairs, puis s'était effondrée sur sa chaise en sanglotant.

Le soutien des Amis avait été sans réserve. Tous savaient que, d'un seul coup, la vie était devenue très difficile pour Robin, surtout durant les mois qui venaient de s'écouler. Et pas seulement les Amis. Tout le monde dans ce satané pays le savait.

Tous décrivirent Robin comme étant gracieuse lors de son dernier jour, bien qu'elle souffrît d'un léger rhume. Elle participait à un cours Vinyasa avancé, dont la pratique, selon ce que m'expliqua Margo, était destinée à un public déjà très averti. Margo, elle, restait fidèle à ce que l'on appelle le Hatha yoga, qui n'est pas non plus pour les nuls ou les rigolos à ce que je peux en juger. Il m'est arrivé de trouver une Margo imitant une forme de bretzel sur le parquet en entrant dans son appartement.

Robin Burrell avait placé son matelas près de l'immense baie vitrée servant de cloison dans cette salle de yoga installée au-dessus d'une quincaillerie de Upper Broadway. Le lendemain de la mort de Robin, je m'étais assis sur un banc, face à la quincaillerie, et je m'étais rendu compte combien les participants au cours de yoga étaient exposés, combien ils étaient visibles de l'extérieur lorsqu'ils étaient près de la grande baie vitrée. Une fille grande et belle comme Robin Burrell, se balançant d'un côté et de l'autre et agitant ses longues jambes comme un casse-noix…

voilà un spectacle qui aurait donné à un passant curieux une bonne raison de s'arrêter.

— C'était l'une de mes élèves les plus assidues, me confia le professeur iranien. Lorsque je demandais aux participants de garder la pause pendant quelques minutes, Robin était comme une statue, avec des lignes toujours parfaites. C'était extraordinaire.

Ce jour-là, devant la grande baie vitrée, Robin exécuta ses lignes parfaites pendant une heure, puis quitta le cours trente minutes avant la fin, après avoir roulé son tapis et mimé de la bouche un « *faut que je parte, excusez-moi* » au professeur qui, à cet instant, faisait le poirier contre le mur de devant et ressemblait à une salamandre immobile.

Le type à l'accueil m'apprit que Robin n'alla pas se changer dans le minuscule vestiaire, mais enfila simplement une paire de bottes fourrées en peau de mouton, et endossa un duffle-coat trop grand pour elle qui retombait sur le haut des chaussures. Son abonnement de dix leçons expirait le jour même. Elle dit au type de l'accueil qu'elle était pressée et qu'elle le renouvellerait à sa prochaine visite. Elle sortit un bonnet en laine couleur olive de sa poche et l'enfonça sur sa nouvelle coupe de cheveux.

À vue de nez, au moment où Robin quittait le bâtiment, j'étais à l'extérieur de la salle d'audience et je discutais avec un copain policier. Il me racontait qu'apparemment il y avait eu du grabuge avec le jury du procès Marshall Fox et que le juge Deveraux avait appelé toute une armée d'avocats. Ce qui expliquait le tsunami de journalistes et de photographes fonçant vers la salle d'audience 512.

Au moment où Robin quittait la salle de yoga et rentrait chez elle, une neige fine et poudreuse s'était mise à tomber. Son appartement se trouvait à sept pâtés de maisons, sur la 71e, à quelques pas de Central Park. Elle retira de l'argent à un guichet automatique sur la 79e, puis s'arrêta à Fairway pour acheter quelques oranges, des kiwis, deux pommes vertes, une pointe de fromage Manchego et une boîte de tisane contre la toux Throat Coat.

Quelques pâtés de maisons plus loin, sur l'avenue Amsterdam, elle s'arrêta dans un magasin coréen et acheta un paquet de mouchoirs en papier, des pastilles contre la toux et une douzaine de boîtes de complément énergétique Emer'gen-C.

Le vendeur fixait un petit écran noir et blanc posé sur le comptoir à côté de la caisse-enregistreuse. À la télé, le flash de dix-sept heures, habituellement sans intérêt, débordait de reportages en direct du tribunal pour relater les derniers épisodes du spectaculaire procès de Marshall Fox qui durait depuis des mois.

Le vendeur saisit le billet de vingt que lui tendait Robin, puis lui rendit la monnaie. Il leva les yeux vers elle tout en comptant les billets.

— Mais c'est vous ! s'exclama-t-il les yeux brillants.

Il indiqua du menton son minuscule poste de télévision.

— Oui, c'est vous !

Plusieurs clients dans le magasin tournèrent la tête. Robin Burrell empoigna sa monnaie et sortit en courant. Quelques minutes plus tard, elle arriva devant son immeuble, une bâtisse en grès brun de quatre étages, et entra dans son appartement de plain-pied situé au rez-de-chaussée. C'est là qu'elle vivait depuis six ans, heureuse propriétaire d'un bien en rente viagère. Tout le mur Est de son appartement était en briques apparentes. La cuisine se trouvait à l'arrière et surplombait le petit bout de cour intérieure que Robin partageait avec le couple gay installé dans l'appartement du sous-sol. Sa chambre était une pièce étroite, sans fenêtre, située à côté de la cuisine, accessible par une lourde porte coulissante en bois dont les roulements grondaient bruyamment. Par jeu, elle l'appelait « la crypte ». Quelle blague ! Le salon était la pièce la plus grande de tout l'appartement, avec de hauts plafonds, une grande cheminée en marbre condamnée et un mur de façade incurvé bénéficiant de fenêtres en saillie de 2,70 m de hauteur.

Habituellement, Robin gardait les rideaux tirés, surtout ces derniers mois. Cependant, une semaine avant Noël, elle avait acheté un gigantesque Douglas vert et avec l'aide de l'un de ses voisins du bas, l'avait installé devant l'une des fenêtres. Énorme. Il prenait toute la place. Elle avait raconté à son amie Michelle que décorer cet arbre surdimensionné aurait un effet thérapeutique. Pendant deux générations, la famille de Robin avait possédé et entretenu une propriété forestière de sapins de Noël, jusqu'à ce que la mort inattendue de son père l'été passé les force à vendre le domaine. C'était le premier Noël de Robin avec un sapin ayant poussé hors de la propriété forestière familiale. D'après Michelle, la jeune femme s'était sentie singulièrement proche de cet arbre acheté dans la rue, affirmant qu'elle avait ressenti un lien entre elle et lui, un lien d'orpheline à orphelin. Ce sapin était aussi haut que large et, pour cette raison, bloquait la vue sur tout ce qu'il se passait dans le salon.

En rentrant de son cours de yoga, Robin alluma les loupiotes blanches de l'arbre de Noël. Dans la cuisine, elle coupa en quartier l'une des oranges achetées à Fairway et les mangea, debout contre le plan de travail. Elle posa les fromages sur une planche, ainsi qu'un couteau et l'une des deux pommes, puis apporta le tout dans le salon.

Dans la salle de bain, elle ôta ses habits de yoga et les jeta dans un coin, puis entra dans la douche. Debout sous le jet d'eau chaude, elle pouvait voir le reflet de sa silhouette dans le miroir fixé sur le mur opposé au pommeau de douche. C'était l'un des détails que le procureur général avait habilement réussi à lui soutirer à la barre des témoins : sur la demande de son amant, elle avait acheté ce miroir et l'avait fixé à l'une des parois de la douche.

Il aimait regarder.

Après la douche, Robin se sécha probablement les cheveux à la main, puis sortit une paire de jean et un sweater vert à col en V. Elle mit de la musique − le *Boléro* de Ravel.

J'ai un ami qui ne supporte pas le *Boléro* » de Ravel − ça le fait grimper aux rideaux. Il dit qu'il souffre de « claustrophobie auditive ». La construction lente et progressive du thème musical le rend marteau. Personnellement, je vois très bien ce qu'il veut dire.

Après avoir mis le *Boléro*, Robin alluma plusieurs bougies, deux chandelles (elle retira le reste des deux précédentes pratiquement consumées et jeta les bouts à la poubelle), trois piliers et quatre bougies chauffe-plats dans des photophores de fêtes. On ne sait pas à quel moment elle alluma la télévision ou écouta les messages de son répondeur. Ce que l'on sait, en revanche, c'est que le *Boléro* commença autour de 18 h 10. Le voisin du sous-sol se souvint avoir entendu la montée en puissance lorsqu'il sortit pour retrouver son ami et des copains pour prendre un verre.

Le médecin légiste situa la mort de Robin Burrell entre 18 h 30 et 20 h. C'est vers huit heures qu'un journaliste indépendant du *Post* se pencha dangereusement au-dessus de la rambarde donnant sur le salon de Robin et vit le corps mutilé et à moitié nu de la jeune femme bizarrement recroquevillé sous le sapin de Noël.

Pas fou, le gars : il prit une photo et appela son contact au *Post*, le chroniqueur Jimmy Puck, et attendit que son pote arrive en trombe avant de filer, son appareil sous le bras, pour aller téléphoner à la police depuis l'un des petits restaurants à proximité des bureaux du journal.

À peu près au même moment, de l'autre côté du parc, la femme de ménage de Rosemary Fox laissa tomber par mégarde un presse-ail sur le répondeur de sa patronne et entendit la même voix râpeuse et le même message – mot pour mot – que la police allait bientôt récupérer sur le répondeur de Robin Burrell.

« J'arrive, espèce de salope. Tu sens déjà le goût du sang ? »

2

Une bagarre avait éclaté dans la salle des jurés. Mon pote flic – Eddie Harris, comme le musicien de jazz – me fit entrer dans la salle 512 afin que je puisse assister au spectacle. Harris faisait partie de l'équipe ayant arrêté Marshall Fox au printemps dernier. Il avait eu son quart d'heure de gloire à la barre, fin novembre, quand il avait décrit aux jurés, ainsi qu'aux milliers de téléspectateurs rivés à leur petit écran, la bonne coopération dont Fox avait fait preuve lorsque la police s'était présentée à son loft de l'East Side avec un mandat d'arrêt. Fox savait que la police viendrait. La moitié de l'Amérique aussi était au courant. Harris avait raconté comment Fox avait proposé du café et des beignets à tous les agents.

— Des *beignets* ? demanda le procureur adjoint interloqué en levant un sourcil. Sergent, avez-vous pensé que le prévenu se moquait de vous et de vos collègues ? Avez-vous eu l'impression que M. Fox prenait à la légère une situation pourtant très sérieuse ?

Le policier haussa les épaules.

— Il est comme ça. C'est un acteur, c'est son métier.

Mais avez-vous trouvé sa plaisanterie sur les beignets particulièrement drôle ? Je veux dire, compte tenu des circonstances ?

La réponse de Harris fut la citation la plus reprise de la journée.

— Le clin d'œil sur les flics fans de beignets, de donuts ? Je ne suis pas un expert, mais ce n'est pas nouveau comme blague. Je m'attendais à quelque chose de mieux venant d'un pro comme lui.

Nous entrâmes ensemble dans la salle d'audience bondée, puis Harris partit de son côté. On comptait surtout ces messieurs et dames des médias, caricatures d'eux-mêmes en train de faire leur numéro. Le procès d'une célébrité accusée de meurtre, c'est comme une piñata gigantesque et irrésistible. Je n'ai malheureusement pas de meilleure image qui me vienne à l'esprit. Et depuis deux mois et demi que durait ce procès, journalistes, chroniqueurs, experts en droit de la radio et de la télévision et hyènes du talk-show avaient lancé des piques avec insouciance pratiquement sans interruption, chacun cherchant à se faire bien voir de l'œil du public lorsqu'un événement croustillant faisait irruption. Les journalistes étaient de très loin bien plus nombreux que ceux assistant au procès pour raisons personnelles – amis et familles des deux victimes, par exemple.

La salle d'audience bruissait.

Peter Elliott, le procureur adjoint, se tenait près de sa table et s'étirait. Je réussis à croiser son regard et il me fit signe d'un hochement de tête. J'avais fait quelques petits trucs pour Peter l'été dernier, avant les débuts officiels du procès. Des vérifications sur le passé de certains jurés potentiels, rien de compliqué. Deux ou trois coups de pieds dans des poubelles et une chasse aux rats. Personne n'est jamais content à cent pour cent des douze membres qui composent le jury, mais Peter s'était résigné sur le choix des sept femmes et des cinq hommes qui y avaient finalement atterri, se disant que cela aurait pu être pire.

Au cours du long procès, il avait eu plus d'une fois l'occasion de revoir son opinion.

Les signaux d'alarme résonnèrent doucement au début, ronchonnements, mauvaise communication évidente entre certains membres du jury, plaintes et agacements signifiés au juge ; mais les vrais problèmes se firent jour une fois que la défense eût terminé et que les conclusions furent confiées au jury. Tout un tas de facteurs justifiaient les nerfs à fleur de peau chez ces douze personnes dont on avait volé la vie depuis près de deux mois et demi.

Mais Peter tenait la pause de Noël responsable du plus grave des dénouements. Au début du procès, personne ne s'attendait à ce que les procédures s'étendent au-delà du mois de novembre et certainement pas plus tard que Noël. Le jury était séquestré depuis le début du procès mais, bien entendu, le juge laissa du temps libre pour que les familles se voient pendant la période de Noël. Peter avait le sentiment que ces quelques jours de liberté avaient fait plus de tort aux délibérations approfondies du jury que de leur permettre de relâcher la pression. Il avait même supposé que la pause n'avait fait qu'attiser la colère de plusieurs jurés impatients. À en juger par les rumeurs tournoyant autour de la salle d'audience 512, il semblait que les craintes de Peter aient été fondées.

Je me laissai porter par le flot et, après quelques minutes de bousculade, fus gentiment poussé contre la version en chair, en os et en direct d'une femme que j'avais plus souvent l'habitude de voir à l'intérieur d'une boîte en plastique. C'était Kelly Cole.

Une blonde platine aux grands yeux chocolat. Elle tapotait le sommet de son stylo contre ses lèvres fines et fixait son carnet de notes, sourcils froncés. Le plissement entre ses sourcils était la seule imperfection sur ce visage au teint lisse et laiteux. Je pointai un doigt sur cette ridule.

— Le premier pli de bébé, dis-je. Trop mignon.

Le tapotement cessa. Le froncement disparut.

— Tiens, tiens. Fritz Malone. Est-ce possible ? Qu'est-ce qui t'amène ici ? Je n'aurais jamais cru que les procès de stars seraient ta tasse de thé !

— Ça ne l'est pas, en effet. J'étais à l'autre bout du couloir en train de serrer la vis à des voleurs. C'est le contre-courant qui m'a poussé jusqu'ici.

Je pointai son carnet.

— Tu cherches une accroche ?

— Il se trouve que oui. Mais je ne pense pas que ça fasse de différence… Tu crois que les téléspectateurs s'intéressent un tant soit peu à ma syntaxe ?

Je chassai une mauvaise blague sur la syntaxe de la séduisante journaliste et, à la place, demandai :

— Eh bien, que disent les sources de Mademoiselle Cole à propos de ce procès ?

Elle me lança un regard du genre « bien tenté, mon gars ».

— Qui dit que Mademoiselle Cole possède ce genre de sources ?

— Le genre de sources qui lâchent de bons ragots sur un jury étanche ? Je ne sais pas moi, je te crois peut-être plus rusée que la moyenne.

— Eh bien, la défense n'attend qu'une chose : que

le procès soit ajourné pour défaut d'unanimité dans le jury, mais tout le monde sait ça. Ce n'est pas un secret. Une querelle entre jurés, c'est leur seule chance. Et ce jury-là, c'est une vraie poudrière.

— Eddie Harris m'a raconté qu'il y avait eu de la bagarre.

— C'est ce qu'on dit, en effet.

— Tu ne connais vraiment pas les détails ?

Elle haussa les épaules.

— On peut toujours spéculer. Soit le chauffeur de bus ne supporte plus les instits, soit la comédienne-serveuse en a marre de se faire draguer par le patron du bar. Voilà ce que j'ai sur ma feuille de notes.

— Et la présidente du jury ? demandai-je.

— La présidente ? Franchement ! Tu plaisantes ? Le politiquement correct, ça se fait plus depuis longtemps.

J'insistai.

— J'ai entendu des rumeurs.

— Madame la présidente du jury a essayé de se retirer ? Possible. D'après ceux qui comptent les points, elle est la plus fragile de tous.

La journaliste sortit quelque chose de la poche de son blazer et l'ouvrit d'une pichenette. Pendant un instant, je crus qu'il s'agissait d'un téléphone portable, mais c'était un miroir de poche. Elle vérifia la marchandise et, avec son ongle, gratta du rouge à lèvres aux commissures.

— Et qu'en dit le bureau des paris ?

— De Fox ?

— Oui.

— Oh, le cow-boy va payer pour ses erreurs, aucun doute là-dessus.

— Aucun doute ? Oggie Simpson a bien réussi à se tirer d'affaire, lui.

Elle glissa le miroir dans sa poche.

— Monsieur Simpson était une erreur. Il n'y a pas de course en jeu, cette fois. Et en plus, ça s'est passé à Hollywood. À New York, on fait les choses différemment, les puissants, on se les mange au petit-déjeuner.

Elle semblait plus que favorable à un verdict de culpabilité. C'est ce que je lui dis.

— Vous bavez, Mademoiselle Cole…

Quelque chose au fond de ses prunelles palpita.

— J'ai le droit d'avoir mon opinion. Du moment que je ne la donne pas à l'antenne.

— Et ton opinion, c'est qu'il l'a tuée.

— Qu'il *les* a tuées. Ce salopard les a tuées toutes les deux. Ça se voit comme le nez au milieu de la figure.

Les portes de la salle des jurés s'ouvrirent ; les douze jurés de Marshall Fox firent leur entrée et traînèrent les pieds jusqu'au box.

— Tout ce qu'il faut, c'est une tête de turc, fis-je remarquer.

— Tu veux parier ?

— Pas avec toi, chérie. Pas avec tous les tuyaux que tu as. Pas avec ta place de choix.

Si ses yeux avaient été des flèches, j'en aurais eu le visage criblé. Son teint de lait s'empourpra.

— Va te faire foutre ! C'est même pas vrai, en plus… Je le crois pas que tu viens de me sortir ça !

— Hé, doucement, m'exclamai-je en levant les mains. C'est bon, tu as raison. Excuse-moi, ce n'était pas malin de ma part.

— Non, c'était vraiment pas malin, tu peux le dire. Lâche-moi la grappe, tu veux ?

Elle secoua la tête. Comment savait-elle que ses cheveux retomberaient parfaitement en place ? C'est un grand mystère pour moi.

— Tu voudras bien m'excuser. Je dois aller gagner mon maigre salaire.

Sur ces belles paroles, une autre ancienne petite amie de Marshall Fox s'élança, jouant des coudes, le sourire accroché aux lèvres, et se fraya un chemin à travers la foule jusqu'à atteindre le troupeau des médias.

Le médecin légiste affirma que les coups à la tête de Robin Burrell, bien que puissants, n'étaient pas responsables de sa mort. Ce qui était sûr, c'est qu'ils la sonnèrent, mais il y a des risques, malheureusement, pour qu'ils ne lui aient même pas fait perdre connaissance. L'agresseur lui menotta les chevilles, puis lui tordit le bras derrière le dos et, à l'aide d'une seconde paire, attacha le poignet à la chaîne de la première paire de menottes. Robin était extrêmement souple, encore plus juste après son cours de yoga, et elle se cambra en arrière avec certainement plus de facilité que n'importe qui d'autres.

Il utilisa alors des tessons du miroir brisé pour la taillader. Et aussi couper une partie de sa paire de jeans. Le plus gros tesson fut celui qui la tua.

Le meurtrier avait probablement fait en sorte, en brisant le miroir, d'obtenir au moins un bout assez gros et irrégulier. C'est celui que l'on retrouva planté dans le cou de Robin Burrell. La partie réfléchissante face à son visage.

Au cas où elle aurait eu envie de regarder.

Le juge Deveraux cita les deux avocats principaux à la barre. Chacun fut suivi de plusieurs larbins, mais le juge fit un geste de la main pour les renvoyer. Cette discussion n'était que pour les grands. Peter Elliott tenta une pirouette pour rester, mais son patron,

Lewis Gottlieb, plaça une main sur son épaule et le repoussa.

Globalement, Sam Deveraux avait reçu de bonnes notes pour la façon dont il avait mené le procès Fox. Physiquement, c'était un personnage imposant : un mètre quatre-vingt-dix pour près de cent dix kilos, cinquante-sept ans, américain d'origine africaine, un visage large et expressif, et une voix dont la résonance profonde semblait capable de faire trembler les murs. Il était en tout cas capable de faire trembler les gens autour de lui, comme on avait pu le constater plusieurs fois au cours de ce procès lorsqu'il avait dû employer sa formidable énergie pour ramener le théâtral, le perçant ou l'incendiaire sur le droit chemin. Dans un procès où figuraient tant d'authentiques célébrités, aussi bien à la barre des témoins que du côté de l'assemblée, Sam Deveraux était apparu comme la personnalité la plus fringante et la plus impressionnante de toutes.

Les deux avocats sautillèrent légèrement sur la pointe des pieds en conversant avec le juge. À la table du prévenu, l'humeur de Marshall Fox paraissait étonnamment guillerette, incongrue, compte tenu des circonstances. Il plaisantait avec ses avocats, avec un gars en particulier qui, comme chacun le savait, avait été ajouté à l'équipe dans le seul but de fournir au prévenu un flagorneur servile, un public conquis destiné à satisfaire le besoin d'attention légendaire de l'animateur-vedette. L'avocat en question, Zachary Riddick, était connu dans les cercles du palais de justice − et même au-delà, pour dire la vérité − comme étant un appât à gros titres, un de ces opportunistes de la profession, totalement imbus de leur personne, et convaincus qu'être provocateur et bruyant pouvait combler un manque de professionnalisme et de compétences juridiques. Il avait de jolis traits et une allure de gamin – un peu trop, d'ailleurs, au goût de Margo – et il avait su placer son nom sur les listes de célébrités aux quatre coins de la ville. Il se montrait à toutes les fêtes de stars et aux dîners de charité organisés par des personnes très en vue, avec habituellement une poule pendue à son bras. Riddick et Fox se connaissaient depuis un moment ; lorsque les rumeurs commencèrent à enfler sur l'arrestation imminente de Marshall dans l'affaire des deux meurtres de Central Park, Riddick avait immédiatement fait irruption, dénonçant vigoureusement le procureur général, le département de police de la ville de New York, les rivalités dans le showbiz, les envieux de Marshall Fox et leurs guéguerres nocturnes, et je ne sais quoi encore.

D'un point de vue professionnel, sa présence dans la brigade de défense de Fox apparaissait comme une plaisanterie. Mais, comme je le disais, ça semblait amuser Marshall Fox de l'avoir près de lui.

Un éclat de rire explosa à la table du prévenu. Marshall Fox faisait semblant de ligoter Zachary Riddick comme un bouvillon terrassé au cours d'une épreuve de rodéo. Le regard cuisant du juge Deveraux balaya la scène et le petit groupe se disloqua.

— La vache ! soupira d'un ton exaspéré un homme assis près de moi sur le banc du fond.

Il se redressa. La cinquantaine. Cheveux bruns clairsemés. Un visage agréable si l'on ne tenait pas compte de ses traits actuellement crispés par l'agacement. Il portait un costume à huit cents dollars qui avait l'air d'en valoir un million. Je le reconnus. C'était Alan Ross, directeur de la programma tion de la chaîne de télévision KBS. C'était lui qui avait découvert Marshall Fox dans un hôtel-ranch du Dakota du Sud et qui l'avait ramené à l'Est pour en faire une vedette. Peu après le décollage de la carrière de Fox, ma chère Margo avait interviewé Ross pour un article destiné au *New York Magazine*.

Un type intelligent. Très candide concernant le rôle ambivalent qu'il avait joué dans la « création » de Marshall Fox. J'avais fait un crochet par le restaurant où Margo menait son interview et c'est comme ça que je l'avais rencontré. Il avait été poli, presque raffiné, et n'avait pas tari d'éloges sur Margo.

Depuis l'arrestation de Fox, sous le coup de plusieurs chefs d'accusations dont meurtre, la présence de Ross avait été régulière dans les médias ; avec autant de mesure que de fermeté, il n'avait cessé de défendre son protégé, et de se féliciter d'avoir été le premier à propulser l'ancien cow-boy sous les feux de la rampe.

Ross grommela quelque chose en passant devant moi pour sortir de la rangée. Il se dirigea vers la balustrade séparant le public de la table du prévenu.

Alan Ross était trop loin pour que je puisse entendre ce qu'il disait à Riddick et à Fox, mais à en juger par les expressions du visage des deux hommes, il semblait bien que le message de Ross était une copie conforme de celui du juge Deveraux. *Fermez vos gueules, nom de Dieu !*

L'entretien entre les magistrats et le juge se termina et les deux avocats retournèrent chacun de leur côté. Le juge appela le greffier d'un signe de la main. Lewis Gottlieb se serra contre Peter Elliott. De là où j'étais assis, je crus déceler une expression assez peu heureuse sur leurs visages. Alan Ross revint s'installer sur le dernier banc. Je me poussai pour le laisser passer et il me sourit en guise de remerciement.

— Bienvenu chez les fous.

Il s'assit lourdement à côté de moi.

— Franklin, n'est-ce pas ?

— Fritz, corrigeai-je. Fritz Malone.

— Oui, oui, bien sûr… Alan Ross.

Il me tendit la main et nous échangeâmes une poignée vigoureuse. Il s'adossa et croisa les bras sur sa poitrine.

— À une époque, ma tension basse était légendaire. C'est fou ce qu'un banal procès pour meurtre, tout ça parce que le prévenu est une célébrité, peut changer la donne.

— Personnellement, je les fuis comme la peste, dis-je.

— Ah bon ? Mais alors, que faites-vous là ? Vous cherchiez la cour des infractions à la circulation et vous avez pris le mauvais virage ?

— J'étais à l'autre bout du couloir pour une autre affaire.

— Vous êtes détective privé, si ma mémoire est bonne, non ?

— C'est exact.

— Vous ne pouviez pas résister à ce spectacle, hein ?

— Je plaide coupable, répondis-je en haussant les épaules.

Le juge Deveraux renvoya le greffier. Il balaya du regard la salle bondée, s'essuya le front en prenant son temps, d'un geste lent, tel un faisceau de phare balayant l'étendue au ralenti. Il saisit son maillet, le souleva à la fois avec solennité et une certaine lassitude, comme si son poids au fil du procès avait augmenté chaque jour un peu plus, atteignant maintenant le maximum absolu que le juge fut capable de supporter.

— Transmettez mes hommages à Mlle Burke, voulez-vous ? lâcha Ross.

— Sans problème, acquiesçai-je.

Le maillet du juge s'écrasa sur le bois en faisant, comme toujours, le bruit d'un os que l'on brise en deux.

— Silence dans la salle !

L'agression sanglante avait eu lieu dans la chambre de Robin Burrell. Les coussins couleur vermillon en étaient à eux seuls la preuve éclatante.

Son radio-réveil faisait partie des nombreux objets retrouvés éparpillés sur le sol près de la table de nuit renversée. L'appareil avait été projeté au loin, la prise arrachée sous le choc et l'affichage était figé sur 18 h 48.

Était-elle déjà morte à cette heure-là ou en train d'agoniser alors que son meurtrier traînait son corps dans le couloir, jusqu'au salon ? J'espère que c'était le cas, c'est tout ce que je peux dire. Son agresseur la déposa sous le gigantesque sapin de Noël, menottée et le corps cambré en arrière, le gros bout de miroir planté dans la gorge.

Ensuite, exactement comme dans le procès des deux meurtres, dont la grande vedette de l'émission *Minuit avec Marshall Fox* était actuellement accusée, la main droite de Robin Burrell avait été posée la paume contre la poitrine, quelques centimètres au-dessus du cœur récemment arrêté et, exactement comme la deuxième victime de Central Park, maintenue en place par un simple clou de dix centimètres enfoncé jusqu'à la tête.

Le juge demanda à tous les membres de la presse, ainsi qu'aux personnes n'étant pas directement impliquées dans le procès de bien vouloir quitter la salle d'audience. Un grognement collectif s'éleva dans les rangs des journalistes qui se dirigèrent vers la sortie. Ross s'excusa et se faufila devant moi.

J'allais quitter ma place lorsque j'entendis mon nom par-dessus le brouhaha ambiant.

— Fritz !

C'était Peter Elliott. Il me fit signe d'approcher.

— Tu peux rester dans le coin ?

— Tu as entendu ce qu'a dit le juge.

Peter balaya l'air de la main.

— Oublie ça. Tu faisais partie du personnel, tu peux rester. Je ne sais pas comment tout ça va finir. Si ce jury est dissous, il faudra que tu sois là pour m'empêcher de me suicider.

Je pris place sur le banc du premier rang désormais vide. De l'autre côté de l'allée était assise Rosemary Fox. Son extraordinaire beauté était aussi froide et sévère en vrai qu'en photo. Pendant que je l'observai, son mari – assis à la table du prévenu – se tourna et articula silencieusement une phrase à son attention. Puis il fit son geste habituel, celui avec lequel il terminait toutes ses émissions depuis trois ans, diffusées pendant une heure et demie, cinq soirs par semaine, jusqu'au jour de son arrestation. Il porta les doigts de sa main droite à ses lèvres comme pour envoyer un baiser et posa sa main doucement sur son cœur.

Rosemary Fox resta aussi immobile qu'une statue. Comment décrire le regard figé de son visage.

Cuisant ? Tout ce que je peux dire, c'est qu'il chassa aussitôt le petit sourire si célèbre de Marshall Fox. Se retrouver nez à nez avec un train fonçant sur lui à toute vitesse lui aurait fait le même effet.

Le juge Deveraux se tourna vers les jurés. Sa voix rappelait un grondement de tonnerre.

— Avant toute chose, je tiens à mettre les points sur les « i » avec vous. Demain matin, à la première heure, vous retournerez dans la salle des jurés et vous continuerez à délibérer. Puis vous communiquerez votre verdict à la cour, même si je dois assister à vos délibérations et vous tenir la main, vous gifler ou dénoncer toutes les crétineries qui se passent ici depuis bien trop longtemps. Est-ce que je me fais bien comprendre ?

Il posa les mains bien à plat et se pencha en avant. Il semblait prêt à bondir de son fauteuil.

— Je veux voir douze têtes acquiescer. *Et que ça saute* !

3

Les chutes de neige n'avaient pas augmenté, mais les flocons qui continuaient de tomber ressemblaient à une pluie de sucre glace. Près d'une dizaine de voitures de police ainsi que deux ambulances bloquaient l'étroite rue.

Leurs gyrophares imprimaient alternativement des tatouages rouges et bleus sur les arbres, les voitures et les curieux maculés de neige.

Ces derniers grandissaient en nombre et en agitation à chaque minute. Une banderole jaune embrassait le devant de cinq bâtisses mitoyennes en grès rose. Mais c'était celle du milieu qui bénéficiait du plus d'attention, celle avec le sapin de Noël démesuré, tout de blanc illuminé, dans la grande baie vitrée.

Je suivis les dizaines de traces de pas jusqu'au bord du groupe de bedeaux. Une rangée de projecteurs avait été installée de façon à éclairer les bâtisses. La partie illuminée rappelait moins la lumière du jour que celle d'une ampoule juste avant de rendre l'âme. Dans l'appartement au sapin de Noël, de vraies lampes s'éteignirent.

Ce n'était pas bon signe.

J'étais arrivé aussi près que possible. Je sortis

mon téléphone portable et composai le code abrégé correspondant au numéro de téléphone de Margo. Elle répondit immédiatement.

— Fritz ! Tu es où ? Tu ne devineras jamais ce qui est arrivé…

— Une de tes voisines a été assassinée.

— Ah… Tu es déjà au courant, dit-elle, déçue.

— Passe la tête à la fenêtre.

Je levai les yeux vers le dernier étage du bâtiment en grès rose, de l'autre côté de la rue grouillante d'activité. Plusieurs secondes s'écoulèrent, puis une silhouette passa devant une fenêtre. La guillotine se releva et Margo Burke passa la tête dans le noir, le téléphone collé à l'oreille. Dans la mienne, j'entendis sa voix :

— Je te vois pas.

— En bas. Ni trop grand, ni trop petit, juste ce qu'il faut.

Je fis un signe de la main.

— Ah, tu es là ! me répondit-elle en agitant le bras.

— Ça fait une heure que je regarde par la fenêtre. C'est un meurtre, non ?

— Je crois bien.

— Bon sang. Et tu vois qui c'est ?

— Je vois l'appartement en question.

— Oh, Fritz, c'est forcément elle.

— Tu tires des conclusions hâtives.

Elle fit passer son téléphone à l'autre oreille.

— Je ne tire pas de conclusions hâtives : c'était l'amante de Marshall Fox ! Qu'est-ce qu'il te faut de plus ?

— Ancienne amante, lui rappelai-je. Et qu'est-ce que ça peut faire ? Depuis quand faut-il entretenir des relations intimes avec une célébrité pour se faire trucider dans cette ville ?

— Trucider ? Tu en as des façons de t'exprimer…

— De plus, continuai-je, on n'est même pas sûr que ce soit elle.

La ligne grésilla. Nous n'étions séparés que par quelques mètres, mais les ondes traversaient sans doute des milliers de kilomètres dans l'espace avant de revenir jusqu'à nous.

— Tu es pote avec les flics. Pourquoi tu ne vas pas te renseigner ?

C'est ce que je fis. Et, bien entendu, Margo avait raison. La première victime officielle de la nouvelle année dans le quartier de Manhattan était bien Robin Jane Burrell. Originaire de New Hope en Pennsylvanie. Ou, comme titra le lendemain l'un des magazines à sensations sous la macabre photo de la jeune femme ligotée sous son sapin de Noël : « No Hope ».

Kelly Cole faisait son compte rendu depuis les marches enneigées du tribunal. Il n'y avait aucune logique là-dedans, mais le service de l'information trouvait sans doute que les marches du palais de justice constituaient la toile de fond la plus appropriée pour raconter les tensions entre les jurés du procès Marshall Fox et le refus du juge

Deveraux de tolérer une impasse. L'autre grande nouvelle, la découverte du cadavre de Robin Burrell dans son appartement d'un quartier chic de New York, rivalisait avec l'histoire des jurés. Je regardai les infos en compagnie de Margo.

— Kelly Cole m'a dit que personne ne faisait attention à sa syntaxe.

La main de Margo se figea à mi-chemin entre sa bouche ouverte et son saladier. Les pop-corn, immobiles, attendirent leur lancement.

— Sa quoi ?

— Sa syntaxe.

— Quand est-ce qu'elle t'a dit ça ?

— Au tribunal, quand on discutait, avant que le juge ne nous foute dehors. Si ça peut te rassurer, c'était le genre de papotage qui ne volait vraiment pas haut.

Le poignet de Margo craqua. Elle mâcha ses pop-corn en même temps que son regard fit l'aller-retour entre le poste de télévision et moi.

— Elle est mignonne.

Je haussai les épaules.

— Bof, seulement si on les aime blondes et pulpeuses.

— Mouais…

Cronch-cronch.

— Sa syntaxe est splendide.

Nous étions dans le salon, en train de tenir compagnie au canapé. Je tenais aussi compagnie, en quelque sorte, à un verre de whisky − plongeant mon bec tel un corbeau dans un abreuvoir − avec la ferme intention de le faire durer le plus possible. Margo entourait de ses deux bras le saladier de pop-corn placé sur le haut de ses cuisses comme si elle comptait lui chanter une berceuse un peu plus tard.

La tranche des centaines de livres de Margo nous fixait du haut des étagères, tout comme le poste de télévision sur la tablette roulante que Margo avait tirée de sa place habituelle dans un coin du salon et rapprochée de nous. Le variateur d'intensité de lumière était en position de veilleuse. À l'extérieur, la neige déroulait son voile sans fin.

Mais il faut avouer que les nouvelles d'assassinats et de disputes entre jurés cassaient plutôt l'ambiance.

— Tu vas voir qu'ils ne vont même pas en parler, lança Margo.

Le reportage passa des marches du tribunal à la façade du bâtiment de Robin Burrell. Le journaliste sur place n'annonça rien de plus que ce qu'il avait déjà dit en début de journal. Un appel anonyme était arrivé au 911 vers 20 h 40 et avait guidé la police vers le théâtre des événements ; là, les agents avaient découvert le cadavre taillardé de Robin sur le parquet du salon. Tout ce que la police disait, c'était que le décès de la jeune femme « ne semblait pas accidentel ». Aucune mention du menottage des pieds de la victime, ni de la traînée rouge de la chambre baignée de sang jusqu'au salon, ni du morceau de miroir planté dans la gorge de la victime. Mais ce à quoi Margo faisait allusion en particulier, c'était le fait que personne ne parle d'un détail troublant.

Le même détail que sur le cadavre des deux autres femmes assassinées pour lesquelles Marshall Fox, le compagnon préféré de l'Amérique à l'heure du coucher depuis trois ans, était accusé de meurtre et passait actuellement devant le tribunal.

Ce n'était pas tellement les menottes, qui n'étaient apparues que sur l'une des victimes présumées de Fox. Ni le bout de miroir, réservé au meurtre de Robin Burrell. Non. Il s'agissait surtout de la main sur le cœur. La signature de Fox à la fin de ses émissions.

Dans le cas de la première victime, l'assassin avait utilisé un stylo à bille, une façon rudimentaire mais efficace de maintenir la main en place. Dix jours plus tard, le meurtrier avait amélioré sa technique en utilisant un clou et un marteau.

— Ils n'en parlent pas, parce que la police ne l'a pas encore révélé, dis-je.

— Sauf qu'on te l'a dit, à toi.

— C'est parce que je suis pote avec les flics.

— Outre le fait que tu ne sois pas le genre à te coller devant une caméra et à raconter tout ce que tu sais.

— Seulement si on me chatouille au bon endroit.

— Je te connais depuis des lustres et, personnellement, je ne sais toujours pas quel est le bon endroit.

— Mais j'applaudis la ténacité de tes efforts.

Avant de monter chez Margo, j'étais allé me tuyauter chez Joseph Gallo, enquêteur de la section homicide de la vingtième circonscription de Manhattan. Gallo était habituellement un gars plutôt cool, pas le genre à se laisser impressionner. Mais cette affaire-ci l'avait complètement ébranlé. Il me décrivit rapidement la scène, le visage aussi blanc que la neige qui tombait. Son regard s'assombrit lorsqu'il me raconta que la main de la victime avait été clouée sur le cœur. Il me fixa d'une façon que je ne lui connaissais pas jusqu'alors. Un mélange de crainte et d'effroi.

— On ne tient peut-être pas encore le coupable. J'aurais parié la ferme de mon père que c'était Fox. Je te jure que je voyais ces deux pauvres femmes dans ses yeux. Mais, bon sang, Fritz, ce n'est peut-être pas lui. Ce qui vient de se passer, c'est la copie conforme des deux autres assassinats. Le tordu qui a fait ça est peut-être encore dehors à l'heure qu'il est. Je ne veux même pas y penser…

Je rejetai la proposition de Margo de me resservir un verre.

Elle me fixa de son regard le plus direct.

— Tu restes ce soir.

Si sa phrase comprenait un point d'interrogation, il devait être silencieux. J'acquiesçai.

— Très bien, répondit-elle. J'espère que je ne baisserai pas dans ton estime si je t'avoue que j'ai quand même un peu les chocottes.

— Absolument pas.

— Tant mieux. Je vais enlever mes lentilles et mettre mes yeux de grenouille.

Ce qu'elle fit, même si je dois avouer que je ne les vis pas beaucoup. Ce n'est pas que la lumière manqua dans la chambre ; c'est surtout qu'elle palpitait encore de rouge et de bleu de l'autre côté de la rue, et que les yeux de Margo restèrent clos pendant tout ce temps-là. Une heure plus tard, alors qu'elle était endormie, recroquevillée sous son duvet, je me glissai hors du lit et, appuyé contre le rebord de la fenêtre, regardai, à travers le rideau de neige, l'appartement au premier étage de l'autre côté de la rue.

L'énorme sapin de Noël était resté illuminé.

Une drôle de sensation me parcourut la colonne vertébrale. Je ne pus m'empêcher d'imaginer le cadavre de Robin Burrell gisant sans vie dans son salon.

C'est une sensation dont j'ai fait l'expérience bien des fois. Les risques du métier. Sentir un courant froid qui me traverse, une terreur glaciale, comme si la température de mon corps perdait soudain un ou deux degrés, peut-être plus, sans réussir à se réchauffer. La sensation que mon sang était remplacé par de la soie froide et malveillante, menaçant de me glacer à tout jamais. Je sais d'où vient cette sensation.

Ce sont les corps meurtris. C'est l'éclatement de la violence, et puis un cœur arrêté, abruptement, et aussi immobile qu'une pierre. La mort. Tout cela me bouleverse plus que je ne le pense, parfois. C'est une vie devenue sans importance.

Debout devant la fenêtre de la chambre de Margo, j'étais agité d'un sentiment particulièrement dérangeant. J'avais ressenti une angoisse similaire la semaine précédente, après avoir passé une heure à discuter avec Robin Burrell dans son appartement.

J'avais trouvé son logement singulièrement surchauffé. Robin m'avait demandé d'ouvrir la fenêtre derrière son sapin qui n'était pas encore décoré. Ce que je fis. Ce n'est qu'à ce moment-là que je fus traversé de frissons.

Cela se reproduisit plus tard, lorsque debout devant la fenêtre de la chambre de Margo — comme cette nuit, les coudes sur le rebord de la fenêtre, les sourcils froncés — j'avais vu Robin perchée dangereusement sur un escabeau, concentrée sur sa tâche, en train de suspendre ses guirlandes sur l'arbre gigantesque.

Je fus alors parcouru d'un courant glacial lorsqu'elle leva les yeux vers moi et vit que je l'observais.

4

Robin Burrell était une jeune femme parfaitement organisée. Elle avait classé les lettres et les courriels imprimés en trois catégories et trois tas distincts sur la table du salon.

— Ici, c'est le courrier général, m'avait-elle expliqué en pointant du doigt la plus grande pile. Ce sont habituellement des lettres d'encouragement. La plupart sont vraiment très gentilles. *« Ne baissez pas les bras. Ne vous laissez pas faire. On est de tout cœur avec vous. »* Ce genre de choses.

Je pris une lettre de cette pile. Elle lui avait été adressée par une certaine Karen, du Texas.

C'est en tout cas ainsi que l'auteur de cette lettre avait signé.

Elle était écrite sur du papier fantaisie spécial Noël, de couleur crème et bordé de silhouettes de rennes rouges. L'écriture de Karen était ronde et appliquée.

Ses « O » et ses « U » étaient grands et lorsqu'ils étaient accolés, ils faisaient penser aux yeux d'une chouette.

Karen aurait tout aussi bien pu avoir onze ans que quatre-vingt.

Impossible de le savoir.

Chère Robin,

Quand je vous ai vue à la télévision, vous m'avez semblé terriblement courageuse. Je regrette la méchanceté des avocats envers vous mais je suppose qu'ils ne font que leur travail. Je voulais seulement vous dire que, lorsque vous regardez droit dans la caméra, on dirait que vous regrettez sincèrement tout ce qui s'est passé. Je vous ajoute à mes prières. Que Dieu vous bénisse.

Karen du Texas

— La plupart des lettres de cette pile ont été écrites par des femmes, dit Robin. Pour ce qui est des courriels, ce n'est pas toujours évident de savoir quand l'expéditeur ne signe pas de son nom. L'adresse e-mail n'est souvent pas explicite.

Les deux autres piles m'intéressaient plus. Il y avait moins de lettres dans ces tas, la plupart étaient des courriels que Robin avait imprimés.

L'une des piles contenait des messages d'hommes qui voulaient soit rencontrer Robin, soit sortir avec elle, la présenter à leurs parents, l'épouser ou encore l'emmener loin, très loin de New York.

Cette catégorie comprenait une proposition d'excursion pédestre de trente jours en Nouvelle-Zélande.

— J'avoue que j'y ai réfléchi à deux fois pour celle-là, dit Robin d'un air amusé. Un mois en Nouvelle-Zélande me semble le paradis en ce moment.

— Que pensez-vous de Gary ? demandai-je en tenant à bout de bras la photographie d'un homme d'une trentaine d'années coiffé d'une casquette de base-ball rouge et qui posait à côté d'une Minnie d'un mètre quatre-vingt. Gary lui avait fait une demande en mariage. Il lui avait écrit qu'il vivait dans la région des grands lacs, au cœur de l'État de New York, qu'il possédait une maison et un petit bateau, et qu'il connaissait quelqu'un dans l'une des entreprises viticoles du coin, ce qui lui permettait d'avoir toujours « du bon pinard » pour pas cher.

— Il dit qu'il est célibataire et qu'il n'a jamais été marié. Franchement, un grand gaillard comme lui, sans enfant, à Disney World et il se fait tirer le portrait à côté de Minnie la souris !

— Ne vous moquez pas, rétorqua Robin. Il doit être terriblement seul. Je crois que c'est le cas du plus grand nombre d'entre eux, dit-elle en balayant d'un geste large les trois piles de messages.

— La pile des obsédés sexuels, c'est laquelle ?

— Avec les lettres d'insultes, répondit-elle en tapotant d'un doigt la troisième pile. Je vous suis infiniment reconnaissante de ce que vous faites pour moi. Vous êtes sûr de ne pas vouloir un thé ou autre chose ? Un petit alcool ?

— C'est bien comme ça.

— J'ai l'impression d'abuser de votre gentillesse.

— Pas du tout. Ne vous en faites pas.

Elle prit la feuille se trouvant sur le dessus de la pile.

— La plupart ne sont que des délires d'allumés, mais ça me donne quand même la chair de poule quand je les reçois. D'autres sont franchement obscènes. Quoi qu'il en soit, jamais je ne voudrais me retrouver nez à nez dans une ruelle sombre avec l'un de ces tarés. Voilà pourquoi j'ai mis toutes ces lettres dans le même tas.

Elle parcourut du regard la lettre qu'elle tenait entre les mains. Les larmes lui montèrent aux yeux. Elle me la tendit.

— Pourquoi ? me demanda-t-elle d'une voix étranglée.

5

Le *Post* arriva dans les rues avant l'aube, avec en première page la photographie macabre du cadavre de Robin sous son arbre de Noël. Compte tenu de l'angle de prise de vue, on ne voyait pas forcément que le corps avait été mis en scène de façon à ressembler aux deux autres victimes du procès Fox, mais cela ne faisait pas vraiment de différence.

Les fuites avaient commencé. Les fuites et les rumeurs. Un magazine à sensations peut alimenter ses pages durant une éternité rien que sur des fuites et des rumeurs. Le *Post* insinua que Robin Burrell n'avait pas été assassinée par un plagiaire, mais que Marshall Fox était en fin de compte innocent des meurtres et que le véritable assassin courait toujours les rues − insinuations reprises en chœur par tous les médias télévisés. *Attention, mesdames, verrouillez bien vos portes !*

Les émissions-débats du matin déblatérèrent sur l'assassinat de l'ancienne petite amie de Marshall Fox. Les mêmes visages qui pendant des mois avaient envahi les studios de *Court TV* et *Larry King Live* avant et pendant le procès avaient maintenant des tas de choses à dire sur les récents événements. Je réussis à voir Alan Ross quelques minutes exprimant ses plus vifs regrets suite à la mort de Robin Burrell et ses sincères condoléances à ses proches, en même temps qu'il jubilait de pouvoir présenter ses arguments et justifier l'innocence de Marshall Fox dans les autres assassinats. J'en profitai pour dire à Margo que j'avais croisé Ross dans la salle d'audience et qu'il lui passait son bonjour.

— Comment va ce cher Henry Higgins ? demanda-t-elle en déformant ses jolis traits dans d'horribles contorsions faciales.

Elle fut terriblement déçue quand je lui dis de changer de disque. Je zappai machinalement d'une chaîne à l'autre en pensant à Joseph Gallo ; il ne devait pas apprécier son café matinal, j'en étais certain. Je m'en voulais un tout petit peu, mais un tout petit peu seulement, d'avoir menti à Gallo le soir précédent.

Lorsque j'avais dit à l'un des flics devant le bâtiment de Robin Burrell que je devais parler à l'enquêteur chargé de l'affaire, il ne s'agissait que d'une manœuvre préventive. Je tenais à expliquer pourquoi le nom de Fritz Malone ne manquerait pas d'apparaître lors de la vérification minutieuse des empreintes dans l'appartement de Robin. J'avais donc expliqué à Gallo que Robin Burrell m'avait demandé de venir chez elle quelques semaines avant le drame afin de jeter un coup d'œil sur le courrier qu'elle recevait suite à sa participation au procès télévisé de Fox.

Je lui expliquai que j'avais emporté quelques-unes de ses lettres et de ses courriels imprimés pour les étudier dans le détail. Pour les e-mails, ce n'était pas très grave : la police pourrait facilement les récupérer dans l'ordinateur de Robin, mais j'avais aussi en ma possession des exemplaires de lettres.

J'avais raconté à Gallo que j'avais apporté les lettres et les courriels dans le Queens, chez Charlie Burke — mon ami, mon ancien patron, mon ancien partenaire, le père de Margo, tout cela à la fois —, afin de pouvoir les étudier avec lui et avoir son avis sur la question.

C'était un mensonge. Si le chef du service des homicides avait su que ces papiers se trouvaient en fait de l'autre côté de la rue, chez Margo, il m'aurait demandé d'aller les chercher illico. Gallo me fit promettre de rapporter les lettres au commissariat de police dès le lendemain matin.

Je pris une douche et partageai un bagel avec Miss Margo. Elle était toujours scotchée à l'écran de télévision. Je me sentais lourd, apathique. Cela ne lui échappa sans doute pas, car elle dit :

— Tu veux retourner te coucher ? C'est l'un des avantages des travailleurs indépendants, tu sais.

— C'est aussi l'un des inconvénients.

La télévision me rendait fou. C'est toujours comme ça. Une photo de Robin Burrell apparut sur l'écran. J'éteignis le poste et jetai la télécommande sur la table basse.

— Hé ! s'exclama Margo en fronçant les sourcils.

— Oh, pardon, chérie, on racontait quelque chose de nouveau ?

Je n'avais pas prévu qu'une telle dose de sarcasme s'infiltre dans ma phrase.

Margo grimaça.

— Tu vas certainement me sortir encore un de tes brillants sermons sur les médias. Attends que j'aille chercher mon calepin : je ne voudrais pas risquer d'en perdre une miette.

— Je m'excuse.

— C'est bien le minimum. Tu traînes ici comme une âme en peine. Retourne te coucher et essaye de te relever du bon pied. Qu'est-ce qu'il t'arrive, bon sang ?

— J'aurais dû lui conseiller de quitter la ville pendant quelque temps.

Margo plissa des yeux. Elle leva sa tasse de café des deux mains, la laissa flotter sous son menton.

— Je vois.

— Qu'est-ce que tu vois ?

— Je vois un peu d'autoflagellation, voilà ce que je vois.

— Sa vie était en danger.

— Bien sûr que sa vie était en danger. La ville est pleine de maniaques, et cette fille était exposée à je ne sais combien de malades. Mais si l'un d'eux s'en est pris à elle, ça ne veut pas dire que c'est ta faute !

— Je le sais bien.

— À te voir, on ne dirait pas.

— J'aurais dû lui dire de faire attention.

— C'est bon, je t'arrête tout de suite.

Elle posa lourdement sa tasse sur la table.

— Regarde-moi. Robin ne t'a pas engagée. D'accord ? Ce n'était pas une de tes clientes, elle n'était pas sous ta responsabilité. Comprendo ? C'était une voisine que tu as gentiment écoutée et à qui tu as proposé de jeter un œil sur ses lettres de fans cinglés.

— L'un de ses fans cinglés, comme tu dis, l'a peut-être ligotée comme un veau, lui a tranché la gorge et enfoncé un clou dans le cœur.

— Peut-être. Merci d'ailleurs pour le rappel des détails et ta description haute en couleurs. Mais peut-être que non. Il y a des centaines d'autres réponses possibles. Tu ne sais pas qui est le coupable. Ce que tu sais, en revanche, c'est ce que dit mon père sur les conclusions hâtives.

Oui, je le savais. Charlie Burke était à lui seul le manuel ambulant du parfait enquêteur. À l'époque où il essayait de me former, j'ai eu plus d'une fois envie de l'étrangler. Il n'arrêtait pas de me saouler avec ses aphorismes.

— Les proverbes du Président Papa, grommelai-je.

— Si tu veux que ça tourne mal, on peut continuer dans cette direction, répondit Margo en baissant le ton.

— Qui s'est levé du mauvais pied, ce matin, hein ?

— Je cherche seulement à t'aider.

Elle agita un bras en direction de la fenêtre.

— Tu as passé une heure dans l'appartement de cette fille. Tu es revenu avec une pile de lettres. Tu es peut-être retourné lui parler une autre fois. Maintenant, elle est morte. Je ne vois vraiment pas quels regrets tu pourrais avoir.

— Je regrette qu'elle soit morte.

Je regrettai autre chose, également. Immédiatement. Je regrettai ce que je venais de dire d'une voix aussi forte.

Et j'étais vraiment à côté de la plaque ; je ne saisissais pas les perches de Margo assez vite. *Tu es peut-être retourné lui parler une autre fois.* Margo croisa les bras et les décroisa aussitôt. Soudain, ils étaient devenus d'étranges appendices.

— Tu ferais mieux d'apporter ces lettres à ton flic.

Je secouai la tête lentement.

— Ne le prends pas comme ça, Margo.

Elle me décocha un regard en biais.

— Je t'ai vu rester à la fenêtre, hier soir. Tu croyais sans doute que je dormais.

— Je ne me suis pas préoccupé de savoir si tu dormais ou non.

— Ah bon, très bien. Merci quand même.

J'inspirai longuement puis expirai lentement.

— Maintenant, je vais m'excuser, mais je ne sais pas vraiment de quoi.

— Alors ne t'excuse pas.

— Écoute, une jeune femme qui m'a demandé de l'aide a été assassinée de l'autre côté de la rue. Je sais bien que ce n'est pas de ma faute. Tu peux me traîner en justice pour ça si tu veux, ça me travaille. Je me suis réveillé, je n'arrivais plus à me rendormir, je suis allé à la fenêtre et je me suis apitoyé sur son sort et sur le mien, à tour de rôle. Voilà, il n'y a pas plus que ça.

Elle laissa mes mots flotter dans les airs.

— J'accepte tes excuses.

— Tu m'as forcé à les faire.

— Je sais, mais je les accepte quand même.

Je jetai un œil à ma montre.

— C'est un peu tôt pour commencer un drame, tu ne trouves pas ? Bon, c'était super fun, cette petite dispute matinale, ma chère, mais là, il faut que je file.

— Tu ne vas pas lâcher le morceau, n'est-ce pas ? demanda-t-elle d'une voix monotone.

— Je vais apporter les lettres à Joseph Gallo. Ça, il faut que je le fasse.

— Mais tu as dit que tu voulais les recopier avant.

— C'est vrai.

— Si tu veux quelque chose à lire, j'ai des tonnes de bouquins, ici.

Je filai dans la chambre, saisis mon manteau sur le dossier de la chaise, sortis de l'armoire un grand sac fourre-tout de chez PBS, retournai dans le salon, rassemblai les lettres et les courriels de Robin Burrell et les glissai dans le sac. Lorsque je passai par la cuisine pour lui dire au revoir, Margo était encore assise à la table et tenait son café sous son menton.

— Est-ce que tu l'as revue une deuxième fois, Fritz ?

Je marquai un temps d'arrêt.

— Est-ce que ça ferait une différence si c'était le cas ?

Elle semblait déjà clouée sur place. Mais j'eus l'impression qu'elle se figea un peu plus. C'était peut-être son regard.

— Ce n'est pas la réponse à ma question.

Je passai les anses du sac par-dessus l'épaule.

— Oui, répondis-je. Elle avait encore besoin de parler. On s'est revu une deuxième fois.

Margo sirota une petite gorgée de café. Ses yeux se plissèrent tels ceux d'un chat.

— Je sais.

* * *

L'enquêteur de la Crime, Joseph Gallo, avait un faible pour les miroirs. Et encore, c'était peu dire. Il passa une main sur sa cravate en soie au moins une centaine de fois au cours des vingt minutes que nous restâmes dans son bureau. Son visage rappelait la beauté froide de Dracula.

Des pommettes saillantes, des yeux noirs ensorcelants logés au cœur d'orbites profondes. Il n'y a pas moins de trois fringants enquêteurs de séries télévisées pour lesquelles Gallo affirme avoir servi de modèle. C'était sans doute vrai. Central Casting pouvait faire bien pire que Joseph Gallo.

L'enquêteur était au téléphone. Il me fit signe de m'asseoir et roula les yeux en réponse à la personne qu'il avait à l'autre bout de la ligne.

Les manches de sa chemise bleu pâle étaient remontées jusqu'aux coudes dans deux rectangles absolument parfaits.

Son bouton de col était défait et son nœud de cravate savamment oblique. Un exemplaire du *Post* était posé sur son bureau. Retourné face contre la tablette.

— Évidemment que je m'en occupe. Qu'est-ce que tu crois ? Moi aussi, je veux savoir autant que… Oui, voilà… Non, j'ai quelqu'un sur le coup… Oui, il est bon.

Une minute plus tard, il raccrocha. Sa mâchoire inférieure était crispée.

— Demande-moi ce que je pense du premier amendement. Non, ne te fatigue pas. Je vais te le dire : on ne peut même pas s'en servir comme papier-toilette.

— Ne laisse personne te citer littéralement.

— Si je n'avais pas juré de respecter la loi, j'en tuerais volontiers quelques-uns au *Post*.

— À cause de la photo ?

— Ce satané cliché. Incroyable. Perso, je peux rien faire pour les empêcher d'imprimer ce qui frôle la pornographie, ils ont leur foutu premier amendement sur la liberté d'expression. Mais tu sais quoi ? Ce cliché a été pris près de quarante minutes *avant* le coup de fil au 911. On a localisé l'appel : il venait du téléphone public d'un petit restaurant près du *Post*. En interrogeant la serveuse, on a réussi à identifier le photographe. Et pendant tout ce temps, ce petit con de Jimmy Puck traînait autour du bâtiment de Burrell, tâtait le terrain, faisait je ne sais quoi sur le lieu du crime. Je me demande encore pourquoi des gens lisent les articles de ce fouineur. Si ça se trouve, la pauvre fille était là en train de perdre tout son sang.

Je posai le sac fourre-tout sur le bureau.

— Elle était effectivement là en train de perdre tout son sang.

— Tu vois très bien ce que je veux dire. Écoute, je sais qu'elle est morte en quelques minutes. Elle avait le cou ouvert grand comme ça. Mais ces crétins de journalistes n'en savaient rien. Tout ce qui les intéressait, c'était d'être plus rapides que les autres. D'être les premiers à mettre cette satanée photo sous presse. Leur super scoop. Voilà à quoi sert le premier amendement : à foutre en l'air les priorités.

— Un flic avec une dent contre la presse ? m'exclamai-je. Je suis outré !

Gallo parut prêt à me bondir dessus et à me mordre, puis se détendit. Il porta une main à sa chevelure et la tapota légèrement.

— C'est ça. Moque-toi. Bon, quoi de neuf sur ta planète ? On a bien le droit de se plaindre de temps en temps, non ?

— On vit dans un pays libre, répondis-je. Premier amendement et tout le tralala compris.

Il fixa du regard le sac fourre-tout posé sur son bureau.

— Bon, raconte-moi encore une fois comment tu as réussi à fourrer ton nez dans cette histoire ? Excuse-moi, mais je dois t'avouer que je n'étais pas très concentré hier soir.

— Pas de soucis. Tu connais le Café La Fortuna ? C'est pas loin du bout de la rue où habitait Robin Burrell.

— Oui, dans la vitrine, il y a une photo de John

51

Lennon et de Yoko Ono dans leur jardin d'arrière-cour.

— Exactement. J'y vais souvent.

— Je ne me souviens pas y avoir vu une photo de toi…

— Moi, je n'ai pas écrit *Sexie Sadie*.

— Hé, John Lennon n'est pas devenu ce qu'il était en écrivant *Sexie Sadie* !

— Tout ce que je veux dire, c'est que je vais souvent dans ce café. Quand j'y suis allé il y a deux semaines, Mme Carella – la patronne – est venue me voir et m'a montré du doigt une jeune femme assise au fond.

— Laisse-moi deviner…

— Si tu dis Yoko Ono, je me casse tout de suite.

— Robin Burrell.

— Tout juste. Je l'ai reconnue immédiatement parce que je l'avais vue à la télévision. Il faudrait vivre dans une grotte encore plus sombre que la mienne pour ne pas reconnaître son visage. Je n'étais pas surpris de la voir. Je savais qu'elle habitait dans le bâtiment situé en face de celui de Margo.

— Tu lui avais déjà parlé avant ?

— Avant de la voir au Fortuna ? Non. Mais c'est exactement ce que Mme Carella m'a dit de faire. Elle m'a dit d'aller lui parler. Elle m'a dit que Robin était arrivée un peu plus tôt, qu'elle avait pris la table du fond et s'était mise à pleurer. Je peux te dire une chose : impossible de pleurer avec Mme Carella dans les parages sans qu'elle rapplique illico. Elle a réussi à convaincre Robin de lui raconter ce qui n'allait pas. Le problème, c'était tous ces courriels et toutes ces lettres que Robin recevait de tordus en tout genre. Et elle flippait. Mme Carella connaît mon boulot et elle s'est dit que je pourrais peut-être aider. C'est une vraie mama italienne. Avec un accent sicilien. « Fritz, je te présente Robin. Robin, voici Fritz. Installez-vous là, prenez quelques biscotti et faites connaissance. »

— Comme c'est touchant… Et après, qu'est-ce qui s'est passé ? Vous avez fait connaissance ?

Je haussai les épaules.

— Robin m'a raconté son histoire. Tu sais ce qu'on dit sur les détectives privés ?

— Le plus important, ce ne sont pas les yeux : ce sont les oreilles.

— Absolument. Je l'ai écoutée. Robin était affolée, déprimée. Elle s'en voulait pour tout ce qui était arrivé. Tu sais… Si elle n'avait pas eu cette liaison avec Fox, etc., etc. Le truc habituel.

— Alors, tu as posé ta main virile sur la sienne et tu lui as dit que les victimes ne sont pas coupables.

— J'ai gardé ma main virile pour moi.

— Mademoiselle Burrell était pourtant une bien jolie jeune femme.

— Ça ne t'a pas échappé, hein ? On recrute vraiment la crème de la crème, ici.

Gallo fit un signe en direction du sac.

— Que te dit ton instinct, Fritz ? Tu crois que le tueur est là-dedans ?

— Possible. Personne n'écrit : « Verrouille bien ta porte petite fille ! J'arriiiiive ! » Robin m'a également raconté qu'elle avait reçu des coups de fils dès que sa photo et son nom avaient été diffusés dans la presse. Elle avait fini par se mettre sur liste rouge.

Gallo s'anima.

— Elle avait reçu des menaces par téléphone ?

— Elle m'a dit que la plupart des appels venaient de pauvres types.

— Mais elle n'a pas reçu de menaces de mort ?

— Elle ne m'en a pas parlé.

— Des appels toujours des mêmes gars ?

— Elle ne m'en a rien dit. Elle s'est mise sur liste rouge assez vite et ça s'est arrêté.

— Pas complètement, rétorqua l'enquêteur. Attends. Je vais te faire écouter quelque chose.

Un lecteur de cassettes miniature que je n'avais pas remarqué était posé sur le bureau. Gallo le plaça au centre, appuya sur le bouton de rembobinage puis sur « lecture ». Quelques parasites comblèrent les premières secondes et une voix grave d'homme retentit.

« J'arrive, espèce de salope. Tu sens déjà le goût du sang ? »

Gallo appuya sur « stop ».

— Ça te ferait pas plaisir d'entendre ça en rentrant chez toi ? Quelqu'un a laissé ce message sur le répondeur de Robin hier soir. Apparemment, le type ne s'est pas laissé impressionner par la liste rouge.

— Ce n'est pas vraiment difficile d'obtenir un numéro si on le veut vraiment.

— Visiblement pas. Bon, c'était le scoop de la journée – et tu l'as entendu, *ici*. Mais, tu sais quoi ? Ce message que tu viens d'écouter… eh bien, un message parfaitement identique a été laissé hier soir sur le répondeur de Rosemary Fox.

— Madame Marshall Fox en personne ?

Gallo acquiesça d'un ample hochement de la tête.

— Je ne dis pas que c'est forcément le même type qui a assassiné Robin Burrell hier soir, mais ça me donne un drôle de sentiment.

— Et quel est le sentiment de Rosemary Fox ?

— J'ai proposé de lui envoyer une dizaine de gars pour la protéger mais elle hésite. Les Fox ne sont pas ce qu'on appelle de grands amis de la police de

New York en ce moment. Leur grande gueule d'avocat clame haut et fort que Fox protégera sa famille en embauchant ses propres gens, merci pour tout, et bien le bonjour chez vous.

— Riddick ?

— En personne. On aimerait bien ne pas ébruiter cette histoire de menaces par téléphone. Mais tu sais comment Riddick fonctionne : il organise une conférence de presse qui se tiendra aujourd'hui à midi. Qu'est-ce que tu paries qu'il aura avec lui un lecteur de cassettes ?

— Ça ne va pas aider son client de rendre publiques les menaces de mort reçues par sa femme, fis-je.

— Tu crois que ça l'intéresse ? Du moment que ça l'aide, *lui*. Tu crois que c'est qui, le plus gros client de Zachary Riddick ?

— Tu ne pourrais pas l'empêcher de faire ça ? Falsification de preuves ? Un truc dans le genre ?

— On peut en faire de la pâtée pour chiens, mais crois-moi : rien ne le retiendra de faire écouter cette cassette si c'est ce qu'il veut.

— Tu crois qu'on a affaire à quoi ?

Gallo leva les mains en tournant les paumes vers le plafond.

— Faudra que tu me reposes la question plus tard.

Je lui demandai de me refaire écouter le message. La voix était clairement déguisée, elle était menaçante mais de façon calculée, me semblait-il.

— À quelle heure il a été laissé, ce message ? Est-ce que le répondeur de Robin a une horloge intégrée ? demandai-je.

— Á dix-huit heures quarante et une.

— C'est à peu près à ce moment que Deveraux rembarrait les jurés…

Gallo ramassa un tas de photographies noir et blanc sur son bureau et commença à les feuilleter.

— Nous n'avons trouvé aucun signe d'effraction.

— Donc, soit Robin connaissait l'assassin, fis-je, ou, disons plutôt, le connaissait et lui faisait assez confiance pour le laisser entrer. Soit, malgré la réception de ce message, elle a fait preuve d'une stupidité sans borne et a ouvert la porte au premier inconnu venu sonner chez elle.

— Exactement. On étudie les deux scénarios.

— Robin Burrell n'était pas une personne d'une stupidité sans borne, dis-je.

— J'en suis certain.

Il jeta l'un des clichés sur son bureau. Je le ramassai. C'était le gros plan d'un plateau sur lequel se trouvait un morceau de fromage encore sous cellophane, ainsi qu'un couteau et une pomme.

— Nous avons refait le parcours de Mlle Burrell depuis son cours de yoga sur l'avenue Broadway. Sur le chemin du retour, elle a acheté du fromage et des fruits. Elle a aussi acheté des pastilles contre la toux, des mouchoirs en papier et d'autres trucs contre le rhume. Son professeur de yoga a confirmé qu'elle avait reniflé et qu'elle avait éternué pendant le cours.

— C'est la saison froide, dis-je.

— Quelqu'un qui gobe des pastilles contre la toux et sirote de la tisane ne mange pas de fromage. Surtout posé aussi joliment sur un plateau. Elle attendait forcément quelqu'un.

— Dans ce cas, pourquoi est-ce que le deuxième scénario tiendrait encore debout ? Tu viens de dire que son assassin ne pouvait pas être un inconnu.

— Parce que je ne veux pas exclure un scénario qui pourrait tout de même tenir la route. On ne rejette pas une hypothèse simplement parce qu'elle paraît idiote. Réfléchis. Quel est le meilleur moyen de s'introduire chez quelqu'un sans forcer sa porte ?

Évidemment.

— Il faut déjà être là quand la personne rentre.

— Exactement. Tu laisses un message capable de faire paniquer n'importe qui. Une femme vivant seule, qui reçoit un message comme ça, alors que son numéro est sur liste rouge, ça doit foutre les jetons. Elle ne se sentira certainement pas en sécurité à rester là toute seule. Alors, tu laisses le message et tu attends qu'elle ressorte de chez elle en courant.

— Et elle te tombe dans les bras.

Gallo acquiesça.

— Ou bien, tu peux mélanger les deux histoires, si tu veux. La personne qui lui a laissé un message est quelqu'un qu'elle connaît, mais il a déguisé sa voix et il l'attend devant chez elle. Quel que soit le moyen, il a réussi à la faire sortir. D'une manière ou d'une autre, elle lui a ouvert la porte.

— Si ça peut t'aider, je peux essayer de résoudre l'énigme du fromage.

— Bien sûr, Fritz. Ne te gêne pas.

— La personne qu'elle attendait, c'était moi.

Gallo cligna des yeux en signe d'étonnement.

— Toi ? Mais qu'est-ce que tu me racontes ? Tu avais un rendez-vous galant avec Robin Burrell le soir où elle a été tuée ?

— Eh, doucement ! Pas la peine de me traîner dans la boue. Je n'avais pas de rendez-vous galant. Elle voulait me parler plus en détail de toutes les choses bizarres qui lui étaient arrivées dernièrement. J'étais témoin dans cette affaire de contrefaçons, et nous avions convenu que je ferai un petit crochet par chez elle une fois que j'aurais terminé.

Gallo posa son menton sur la pointe de ses doigts et m'observa.

— Margo était au courant que tu avais un rendez-vous galant ?

— Je viens de te le dire : ce n'était pas un rendez-vous galant.

— Une soirée fromage, alors ?

— Est-ce que cette question à un rapport avec l'enquête ?

— La réponse est donc qu'elle n'était pas au courant. Qu'est-ce que tu me caches, Fritz ?

— Je ne te cache rien du tout. Je suis payé pour régler les problèmes des autres. Et il se trouve que Robin Burrell avait des problèmes.

— C'était une de tes clientes ?

— À t'entendre, on dirait Margo.

— Ah. Donc, tu as eu cette conversation avec Mlle Burke ?

— Quelque chose d'approchant.

— Et ça ne la dérange pas que tu grignotes du fromage avec une jolie jeune femme de l'autre côté de la rue ?

— Joe, si j'osais, je te dirais que tu te mêles de ce qui ne te regarde pas.

— Tu viens de le faire.

— D'accord. Margo est contrariée, et il va falloir que je rame pour lui rendre son sourire.

— Nous sommes d'accord sur le fait que Robin Burrell était une très jolie jeune femme.

— De mon point de vue, Margo n'est pas un boudin non plus. Robin Burrell était bouleversée. Essayer de la tranquilliser, ce n'est tout de même pas un crime. Vérifie ton code pénal, tu as quelque chose qui ressemble à « soutien illégal à demoiselle en détresse » ?

— D'accord, ça ne me regarde pas, mais j'aurais préféré que tu m'en parles hier soir.

— J'ai peur des flics.

Gallo saisit un des clichés pris sur la scène du crime et secoua tristement la tête. Il laissa retomber la photographie, s'adossa à son fauteuil et croisa les doigts soigneusement derrière la tête.

— L'assassin a vraiment fait un travail de boucher sur ta petite fromagère. Nous avons affaire à un vrai tordu, un enragé. Et quand ça se saura que Mlle Burrell a été retrouvée la main clouée sur la poitrine, comme les deux autres…

Gallo laissa sa phrase en suspend.

— On sait si c'est le même gars qui a tué les femmes de Central Park ou si c'est quelqu'un qui s'en est inspiré ?

— La réponse à ces deux questions est « peut-être ». Mais j'espère bien qu'il s'agit d'un plagiaire.

Il fit un signe en direction du sac à commissions.

— J'aurais aimé que tu me dises que notre gars est là-dedans.

— Désolé de te décevoir, Joe.

Gallo s'avança sur sa chaise et tira l'un des courriels du fourre-tout. Pendant qu'il le lisait, je passai en revue quelques clichés. C'était bien imprudent. Je savais que l'un ou l'autre risquait de me donner la chair de poule. Et ce fut le cas. Le petit malin de policier-photographe avait fait ce qu'il avait dû considérer comme un cliché artistique. La photographie avait été prise en plongée du sommet de la tête de Robin, gisant sur le sol. Son front, ses sourcils et son nez étaient au premier plan, légèrement flous. La mise au point avait été faite sur le morceau de miroir planté dans le cou de Robin, juste au-dessus de la clavicule. Le photographe avait choisi un angle de vue permettant de voir le reflet d'une partie du visage de Robin. Ce n'était pas exactement le dernier souvenir des profonds yeux noisette de la jeune femme que j'aurais aimé garder.

Joe Gallo termina de lire le courriel, puis reposa la feuille, côté face et parfaitement alignée à son bureau.

— Suspect numéro un.

Il fit une moue triste.

— C'est ainsi que commence le côté glamour du travail de la police.

6

Personnellement, je n'ai jamais connu la gloire ; donc, honnêtement, je ne sais pas quel plaisir cela peut procurer. Qui peut dire qu'animer l'émission la mieux placée dans l'audimat dans la case de nuit et gagner des montagnes d'argent équivaut à connaître la gloire ? C'est en tout cas le titre qu'avait choisi le *Times* lorsque le magazine avait mis la gueule tout sourire de Marshall Fox en couverture, à peine trois mois avant que les cadavres de Cynthia Blair et de Nikki Rossman ne soient découverts, à une semaine d'intervalle, dans Central Park.

L'arrivée de Fox dans l'univers du divertissement trois ans plus tôt, sorti de nulle part (« le Dakota du Sud, ce n'est pas nulle part », plaisanta Fox lors de sa première émission. « On préfère penser qu'on vient du Sud de nulle part ») et sa fulgurante ascension vers la célébrité avait donné, en l'espace d'une nuit, un nom à ce jeune beau gars qui n'avait même pas terminé le lycée et avait travaillé comme ouvrier dans un ranch.

L'alliance particulière du charme facile de Fox, de son brin de grivoiserie et de son sens de la répartie avait immédiatement fait vibrer la corde des téléspectateurs. Le *Times* avait titré son article :

Essayez de visualiser l'image saugrenue d'un Lenny Bruce version cow-boy, issu du cœur des États-Unis, et marchant d'un pas nonchalant. Tout comme Bruce, M. Fox ne mâche pas ses mots, une particularité qui le place également dans la grande tradition populiste américaine de Will Rogers ou encore de Mark Twain.

Mais demandez à n'importe quelle fan de Marshall Fox si elle pense que l'un de ces deux vénérables personnages avait ne serait-ce qu'une once de sex-appeal comparé à ce jeune bleu, et elle vous répondra très certainement : « Tu parles, Charles ! »

Après quelques mois, l'audimat de *Minuit avec Marshall Fox* était devenu une véritable mine d'or pour la chaîne. Les yeux de diamant bleu de l'animateur-vedette et son nez légèrement bosselé firent leur apparition dans tous les kiosques à journaux du pays. Ce type était de l'or en barre.

Même Margo, qui n'est pas habituellement le genre à se laisser séduire par les célébrités, fut victime de la fièvre Fox et resta éveillée passé l'heure des citrouilles pour avoir sa dose de Marshall. Lorsque Fox, atterri depuis moins d'un an dans la ville de New York, s'acoquina avec la belle Rosemary Boggs, personnalité en vue de la haute société et briseuse de cœur de célébrités, et que les deux passèrent devant monsieur le maire trois mois plus tard, ils firent couler autant d'encre qu'un couple royal.

Les médias ne s'en lassaient pas.

À ce qu'on dit, *Vanity Fair* paya le couple plus d'un million de dollars pour qu'il pose en tenue légère, déguisé en Antoine et Cléopâtre des temps modernes

(*Cow-boy et Cléopâtre*) pour la couverture de leur magazine, serpents et toge dorée, presque transparente, compris.

On raconte que Rosemary n'était pas très chaude à cette idée et avait fait de la séance photo un enfer. Pourtant, le résultat porta les chiffres de vente de la publication au plus haut de son histoire. Et lorsque Fox réussit à convaincre son épouse de venir sur le plateau de l'émission, une semaine après la parution du magazine, l'audimat déjà époustouflant de l'émission atteignit des records. Les Fox étaient une force, le nouveau couple bionique. Le top du top.

Un peu moins de deux ans après leur mariage, les problèmes commencèrent à filtrer. Rumeurs de disputes. Murmures de drogues. Insinuation d'œil baladeur du côté de Marshall. Lors de très longues vacances en Europe pour Madame, il sembla que Fox était prêt à reprendre le chemin de son Dakota natal. Puis vint une séparation à l'amiable, suivie presque immédiatement de toute une cohorte de femmes pendues au bras de l'animateur.

Des beuveries de luxe. De l'éclate à gogo.

La présence inexpliquée de la police à trois heures du matin à l'extérieur du bungalow de Fox à l'hôtel Château Marmont. Un pistolet non déclaré qui déclenche les alarmes à l'aéroport JFK.

L'incident de la table en verre brisée en mille morceaux et du mannequin péruvien en sang, sept points de suture, à ce qu'il paraît, sur l'omoplate de cette jeune fille de dix-neuf ans.

Et puis, avril.

Les assassinats. Le sang à Central Park.

La semaine de l'arrestation de Fox et de son inculpation pour les meurtres de Cynthia Blair et Nikki

Rossman. Le *Times* titra LA CHUTE en travers de la photo de couverture de la star vêtue d'une combinaison orange et enchaînée comme Houdini, les poignets à la taille, et les chevilles entre elles. L'émission où Rosemary Fox apparaissait fut rediffusée la nuit de l'arrestation de Fox, le résultat d'une décision de programmation peu heureuse, pour le moins.

Deux minutes après le début de la rediffusion, au moment où l'un des serpents s'enroulait autour de son bras et sur le bureau de Marshall Fox, tous les postes de télévision du pays devinrent noirs. On raconte – et c'est sans doute faux, mais tellement délicieux qu'on ne peut s'empêcher de le répéter – que, du loft de Park Avenue jusqu'à Central Park et même West Side, on entendit le cri perçant de Rosemary Fox folle enragée. C'est peu probable.

Cependant, un témoin de l'appel outré de Rosemary Fox à Alan Ross, présent dans le bureau du directeur de la programmation, a affirmé que la ligne de Mme Fox avait grésillé plusieurs fois, quand elle avait raccroché le combiné violemment et de façon répétée sur son poste.

On raconte que Cynthia Blair était une femme de trente-deux ans, toujours tendue. Cela était dû en partie à son caractère – une stressée de nature –, mais aussi et surtout à son travail. Cynthia avait gravi les échelons de KBS à la vitesse grand V, avait impressionné tous ses patrons par sa capacité à évoluer depuis la fonction qui lui avait été attribuée à son arrivée – « tais-toi et apporte-moi un café » – à celle où elle était devenue indispensable.

Elle avait de l'ambition, mais surtout du talent. La chaîne se rendit compte de ses possibilités prometteuses.

Lorsque le projet fut élaboré d'importer le charmant cow-boy et de lui confier une émission, Cynthia avait fait pression, avec succès, pour être la productrice de cette émission risquée et s'était lancée dans l'entreprise avec toute la force de son énergie sauvage. C'était un boulot à s'arracher les cheveux.

Afin d'évacuer le stress du travail, Cynthia s'esquivait aussi souvent que possible du bureau et s'infligeait diverses tortures au club de sport situé à deux pas de là.

Les veines de chaque côté de son cou mince ressortaient comme des câbles chaque fois qu'elle luttait contre les appareils réglés sur un niveau de résistance trop fort pour son corps svelte d'à peine cinquante kilos. Mais Cynthia Blair aimait repousser les limites. Elle attaquait le simulateur d'escalier comme si elle grimpait en haut d'un bâtiment en feu pour sauver des enfants en danger.

Elle faisait des abdos dignes d'un entraînement militaire jusqu'à ce qu'elle soit au bord de la nausée. Elle fichait la frousse à certains de ses partenaires de kick-boxing. C'était son style, et ce dont elle avait besoin pour lutter contre sa tendance naturelle à attaquer la vie avec une intensité fulgurante.

Lorsqu'elle n'arrivait pas à se rendre à son club de sport, elle vidait parfois le contenu de son estomac dans les toilettes de l'autre côté du couloir.

Au cours du procès de Fox, la nature des relations de travail entre Marshall et Cynthia fut disséquée dans le menu en détail. Tout le monde s'accorda à dire que le caractère têtu et contradictoire de ces deux personnalités avait fait passer l'ambiance au bureau de légèrement tonique à combative, limite close-combat ; dans le même temps, une sacrée bonne télévision était née du face à face entre la vedette du petit écran et sa productrice obstinée. Pour une émission qui était, au départ, de divertissement, le succès de *Minuit avec Marshall Fox* dépendait – pour les spectateurs qui suivaient attentivement le procès – en grande partie des piques et des attaques.

« C'est comme ça que Marshall travaille », avait déclaré Alan Ross. Il avait expliqué que, contrairement à la plupart des personnalités du petit écran, Marshall Fox ne cherchait pas du tout à s'entourer de flagorneurs inutiles. Ce n'était pas l'univers dans lequel il avait grandi.

« Avec Marshall, il n'y a pas d'amitié qui tienne. Il aime la bagarre. Tout n'est qu'un jeu de provocation, il est comme ça. Les blagues et les piques que vous entendez chaque soir ? Croyez-moi, une pauvre âme de l'équipe doit souffrir longuement avant que Marshall les accepte. Marshall arrive à sortir le meilleur de lui-même quand il peut se confronter à quelqu'un. C'est une bête. Il aime gratter là où les gens cachent leurs secrets, et c'est là que sont les bonnes histoires. Marshall a un instinct pour ces choses-là.

C'est pour ça que son émission a tant de succès. Vous rigolez comme des baleines en l'écoutant, mais, dans le même temps, ça vous fait un peu peur. Il est brillant, voilà tout. »

Ross raconta que Cynthia Blair avait été la productrice parfaite pour quelqu'un comme Fox. Il décrivit sa « colonne vertébrale solide » et son refus de céder trop facilement au harcèlement de son patron. Instinctivement, elle savait que Marshall s'épanouissait dans le conflit.

« Personnellement, je pensais que le départ de Cynthia était inévitable. Travailler avec quelqu'un comme Marshall est tout simplement épuisant. Croyez-moi, j'en sais quelque chose ! Il n'y a pas de doute que la dynamique entre ces deux-là a permis de faire de la bonne télé. Mais, au bout du compte, l'épuisement était inévitable.

Même avec quelqu'un d'aussi énergique que Cynthia, en tout cas, c'est mon point de vue. Marshall a sans aucun doute été un défi pour Cynthia, mais elle l'a vaincu. Marshall et moi avons eu plusieurs discussions à ce sujet. Il était d'accord avec moi sur le fait que Cynthia était prête à mordre à pleines dents dans quelque chose de frais. Elle avait besoin d'horizons nouveaux. »

La plupart des collègues de Fox qui témoignèrent soulignèrent que le « combat » entre Cynthia et Fox était purement professionnel.

C'était leur façon de travailler. Les avocats de la partie adverse tentèrent par tous les moyens de démolir cet argument mais furent incapables de trouver quelqu'un capable d'affirmer que Fox et Cynthia Blair ne s'aimaient pas. Et pourtant, de tous les témoins, personne ne chercha à dissimuler que la fin de leurs relations professionnelles avait été particulièrement désagréable. Et soudaine.

Vers deux heures de l'après-midi, le 22 mars, on avait entendu des cris et des hurlements − plus que d'habitude − de derrière la porte fermée du bureau de Marshall Fox. Et deux voix. Celle de Marshall Fox et celle de Cynthia Blair. De tous ceux qui ont entendu la bataille assourdie, personne ne réussit à identifier le sujet précis de la dispute, bien que la seule phrase entendue distinctement sur laquelle s'accorde le plus grand nombre de témoins est : « Menteur ! Espèce de sale menteur, hypocrite ! » Cynthia l'aurait répétée à plusieurs reprises. Finalement, elle était sortie du bureau de Fox et était retournée en trombe dans le sien, juste à côté. On avait entendu un grand fracas et un bruit de verre brisé, suivi de coups réguliers qui avaient duré plusieurs secondes. Au bout de quelques minutes d'un silence tendu, la porte du bureau de la productrice s'était ouverte d'un coup sec et Cynthia s'était dirigée d'un pas lourd vers l'ascenseur, un carton sous le bras. Elle était restée debout devant l'ascenseur, les yeux fixés au plafond, appuyant frénétiquement sur le bouton d'appel jusqu'à ce que la porte s'ouvre enfin. Cynthia avait grommelé quelques gros mots dans sa barbe en entrant dans l'ascenseur, mais aucun témoin n'entra dans le détail.

Les coups qui avaient été entendus provenant du bureau de Cynthia avaient eu pour conséquence un énorme trou dans le contreplaqué – c'est-à-dire, dans le mur mitoyen avec celui de Fox. On aurait dit qu'elle avait essayé de lancer un boulet de canon à travers le mur pour toucher son patron.

Le boulet de canon n'était autre que le Emmy Award de Cynthia Blair ainsi qu'une photographie encadrée de Marshall en train d'embrasser Cynthia, avec son Emmy dans les bras, objet qui avait jusque-là tenu une place d'honneur dans la petite vitrine posée sur le bureau de la productrice. Le verre du cadre était brisé et formait une espèce de toile d'araignée se terminant en plein milieu du visage de Marshall Fox. Lors du procès, l'une des secrétaires déclara : « On aurait dit qu'elle lui avait donné un bon coup sur le nez. »

Trois semaines plus tard, quelqu'un qui promenait son chien à une heure très matinale dans Central Park trouva le cadavre d'une jeune femme au pied de L'Aiguille de Cléopâtre, l'obélisque égyptienne de pierre élevée sur une petite bute, derrière le Metropolitan Museum of Art. Une écharpe rouge appartenant à la victime était nouée autour de son cou.

Son visage était couvert de minuscules piqûres que l'on identifia comme étant des pointes de stylo-bille, le même qui avait été utilisé pour maintenir en place la main de la victime sur son cœur.

Le cadavre de Cynthia Blair fut découvert le 16 avril. À cause de la nature macabre du meurtre et de l'endroit de la découverte, l'histoire fit le tour des médias régionaux. Une fois l'identité de la jeune femme révélée, le lendemain, elle atteignit des sommets.

En l'espace d'une nuit, Cynthia Blair accéda au statut de star. Son visage anguleux satura les ondes. L'histoire de cette jolie jeune femme, travailleuse, pleine d'énergie, « femme de l'ombre » suscita une adhésion immédiate.

Depuis les bureaux de *Minuit avec Marshall Fox*, une déclaration présenta les condoléances à toute la famille de Cynthia Blair, et la promesse d'une récompense de 500 000 dollars pour l'arrestation et l'inculpation du meurtrier de Cynthia, dont la moitié était d'ailleurs versée par Marshall Fox en personne.

L'émission fut immédiatement suspendue. Elle reprit la semaine suivante, plusieurs jours après l'enterrement auquel assista tout un tas de célébrités, avec un programme au goût de lendemain de *Titanic*. Fox pleura à chaudes larmes plusieurs fois. Au milieu de l'émission, on passa une vidéo en hommage à l'ancienne productrice de *Minuit avec Marshall Fox*. Ce fut terriblement douloureux.

Au beau milieu de la vidéo, l'orchestre joua un chant funèbre qui parut interminable ; pendant ce temps, Marshall Fox errait de son bureau aux quatre coins de la scène et ne semblait que la moitié de lui-même.

Margo insista pour regarder l'émission. À la place, je fis pression pour un whisky et quelques parties de billard à Dive 75, mais elle gagna à pile ou face. Elle est journaliste indépendante et son job l'oblige d'être aux écoutes de tout ce qui est culturel, frivole et autre. Ainsi, je regardai l'émission avec elle, à la fois fasciné et dégoûté par le culot de Marshall Fox et de ses collaborateurs d'entraîner l'Amérique entière dans un show télévisé aussi macabre.

Un bon point à Margo pour son instinct. À un certain moment, au cours de cette triste cérémonie, Margo se tourna vers moi et demanda :

— Alors, qu'est-ce que tu en penses ? Tu crois que Fox est coupable ?

— De quoi ? D'avoir tué la productrice de son émission ?

— Oui.

— Tu ne parles pas sérieusement, j'espère ?

Elle secoua la tête comme elle avait l'habitude de le faire, les yeux levés vers un coin du plafond.

— Je ne sais pas. Pas vraiment. J'en sais rien. Peut-être.

Cela faisait déjà une semaine que Cynthia Blair avait été assassinée, et la police n'avait toujours pas révélé certains détails, notamment que la main de la jeune femme avait été fixée sur sa poitrine avec un stylo.

Cela changea trois jours plus tard, un dimanche, lorsqu'un deuxième cadavre fut retrouvé dans le parc.

Contrairement à Cynthia Blair, cette victime montra des signes de viol ou, en tout cas, de relations sexuelles au cours des heures précédent sa mort. Dans le cas de Cynthia, la mort avait été causée par strangulation ; la deuxième victime, elle, avait reçu plusieurs coups sauvages à la tête avant d'avoir le cou tranché. Il y avait du sang partout. En outre, une paire de menottes pendait à son poignet gauche. Comme pour Blair, le cadavre avait été déposé près de l'Aiguille de Cléopâtre.

Détail éloquent pour la police, la main droite de la victime était fixée au niveau du cœur, cette fois avec un clou. C'est seulement à ce moment que le public apprit ce dernier détail.

Lentement au début, puis de plus en plus rapidement, les yeux se tournèrent vers l'animateur-vedette. Le pays tout entier commença alors à juger le chagrin du pauvre Marshall Fox d'un tout autre regard.

7

Je quittai le bureau de Gallo pour aller à pied au petit magasin où les photocopies des lettres et les courriels de Robin Burrell m'attendaient dans un sac en papier, derrière le comptoir. J'attrapai un exemplaire du *Times*, pris le métro jusqu'à la 42e rue et filai vers le bâtiment Keppler où se trouvait mon bureau.

Miss Dashpebble était sortie. C'est ma secrétaire-réceptionniste virtuelle. Étant virtuelle, elle est toujours sortie, mais cela ne m'empêche pas de remarquer son absence. Lorsque Margo et moi avons besoin de nous défouler un peu, on s'imagine les dernières escapades de Miss Dashpebble, ce qui nous amuse terriblement. Cette fille mène une vie pas croyable, pas étonnant qu'elle ne trouve pas le temps de lécher mes timbres et de répondre au téléphone.

Je posai les pieds sur ma table de travail. Il n'y avait rien de nouveau dans le *Times* sur l'assassinat de Robin. Les avocats de Marshall Fox — et en particulier Zachary Riddick — racontaient, mais personne ne voulait l'entendre, que l'assassinat de Robin Burrell prouvait que leur client était innocent des meurtres de Cynthia Blair et Nikki Rossman.

Selon lui, le meurtre de Robin prouvait une chose essentielle : le véritable tueur était en liberté. Riddick exigeait non seulement la libération immédiate de Fox, mais également que Sam Deveraux ajourne le procès et demandait, en outre, que le bureau du procureur général des États-Unis fasse des excuses publiques télévisées. Qui sait ce que cet amuseur voulait encore ? Peut-être les clés de la ville pour le pauvre M. Fox, tellement persécuté ?

Je jetai le journal par terre. Les journaux, ça ne vole pas bien. Je fus déçu. Certaines personnes aiment être grincheuses, ou pas dans leur assiette, et se complaisent dans leur état, mais je ne fais pas partie de cette catégorie. Quand je ne suis pas dans mon assiette, ça me déprime encore plus.

Je décrochai le combiné dans le but d'appeler Margo, mais le reposai aussitôt. Un rapide passage en revue de notre prise de bec du matin me dissuada d'essayer une nouvelle tactique. Je comprenais son agacement sachant qu'un meurtre avait eu lieu juste en face de chez elle.

Pas de soucis là-dessus. Le problème, je crois, c'est que l'assassinat de Robin Burrell m'avait également affecté moi, mais différemment. Et Margo ne semblait pas vouloir me laisser le droit d'avoir peur. Charlie Burke et moi avons souvent taillé quelques bavettes à ce sujet, et nous sommes arrivés à la conclusion que, dans notre métier, on ne rapporte pas de travail à la maison. Disons plutôt que l'on rapporte du travail à la maison (où est-ce qu'on pourrait bien le laisser ?) mais qu'on n'en parle pas.

— Il faut que tu ravales tout, disait Charlie. Tu dois garder tes problèmes pour toi. Ta femme, c'est ta femme : c'est pas ta psy.

D'un côté, je me disais qu'il avait raison, mais de l'autre ? Honnêtement, je n'en savais fichtre rien.

Je pivotai mon fauteuil afin de regarder par la fenêtre. Le ciel, au-dessus des hauts bâtiments semblables à un orgue à vapeur, était gris acier. Vingt-trois étages au-dessous, le rectangle enneigé de Bryant Park ressemblait à une grande dalle blanche, une sorte de gigantesque pierre tombale tombée face contre terre. Deux silhouettes pénétrèrent dans le parc du côté ouest et se dirigèrent vers l'est, main dans la main, en traversant le parc exactement en son milieu. À mi-chemin, les silhouettes s'arrêtèrent, se laissèrent tomber sur le dos et se mirent à battre des bras et des jambes pour faire des anges dans la neige.

Je pivotai de nouveau et commençai à trier les photocopies du « courrier des fans » de Robin Burrell. Je les passai en revue en faisant deux piles : « passifs » et « agressifs ». Selon la psychologie de base, la plupart du temps, les rédacteurs « agressifs » sont essentiellement des lâches, des minables à l'esprit méchant qui prennent leur pied en envoyant des lettres obscènes à une jolie jeune femme traînée dans la boue sur une chaîne de télévision nationale.

Le ton de la plupart de ses lettres laissait penser qu'il s'agissait d'admirateurs de Marshall Fox, horripilés par le témoignage de Robin et par le portrait peu reluisant de leur héros qu'elle en avait dressé à la barre des témoins.

Comme on pouvait s'y attendre, on avait droit à la tirade habituelle « Va te faire foutre, salope, connasse et compagnie », ainsi que des propositions agressives et colorées concernant des actes anatomiques que Robin pourrait effectuer sur elle-même ou qu'elle ferait exécuter par une autre personne.

Que dire ? C'est un sous-ensemble humain qui a toujours existé. Il était certainement possible qu'une des personnes ayant rédigé ces messages ait décidé d'agir selon son hostilité misogyne en massacrant Robin Burrell dans son appartement ; pourtant, mon intuition n'éveillait mon attention sur aucun des candidats.

La deuxième pile prit plus de temps. Lorsque je pus clairement distinguer les hommes des femmes, je mis les femmes de côté. Ce qui me laissa une brochette d'individus admirant suffisamment Robin pour prendre le temps de saisir une plume ou une souris afin de lui envoyer un message. Il y avait sans aucun doute de véritables âmes compatissantes dans ce groupe. Je ne suis pas cynique au point de nier l'existence de personnes réellement généreuses. Peut-être même que la majorité des demandes en mariage ou propositions de concubinage avaient été formulées avec les intentions les plus pures.

On peut seulement espérer que le monde compte plus d'anges que de démons. Mais si un véritable tordu se cachait dans ces courriels ou dans ces lettres, mon instinct me disait qu'il ne se trouverait certainement pas dans les missives ouvertement hostiles, dans la pile des « agressifs ». Il se cachait sans doute plutôt parmi les gentils adorables.

De la deuxième pile, je mis de côté les lettres comportant noms et adresses, ainsi que les courriels indiquant clairement leur expéditeur. Ce qui réduit le nombre de sujets passifs, comme on les appelle, à vingt-sept. Maintenant, tout ce qu'il me restait à faire, c'était de demander à une voyante d'imposer ses mains sur les deux piles et de me révéler le nom de l'assassin. Diable, j'avais le boulot le plus facile de la terre !

J'abandonnai mes piles, déverrouillai le tiroir inférieur de mon bureau et sortis mon Beretta 92. Je le démontai et le nettoyai avec un morceau de tissu que je gardais spécialement pour cet usage. L'odeur du solvant est une drogue de pauvre, mais je ne me cherche pas d'excuses.

Je pense mieux et plus clairement lorsque mes mains sont occupées par de menues tâches du quotidien. J'aurais très bien pu démonter, nettoyer et remonter l'un de ces casse-têtes en cube que l'on trouve encore pour un dollar à Chinatown (j'en avais un dans le tiroir de mon bureau, sauf qu'il n'était pas sous clef), mais, à la fin, j'aurais eu le même cube qu'au départ. Alors qu'ici, au moins, lorsque j'aurais fini, mon « assistant personnel » serait tout propre et tout brillant.

Je rangeai le pistolet dans le tiroir que je verrouillai. Je posai la peau de chamois graisseuse que j'avais utilisée pour nettoyer mon pistolet sur Nipper – la mascotte de « la voix de son maître » qui se tient l'oreille tendue au pavillon doré d'un gramophone. Je possède une antiquité grandeur nature de ce chien et du phonographe dans un coin de mon bureau.

Un client me les a donnés au lieu d'honorer sa dette, me disant qu'ils valaient beaucoup plus que ce qu'il me devait. Comme un idiot que je suis, je n'ai pas protesté.

Je fermai le bureau et filai jusqu'à Grand Central, plus précisément au Food Circus, au sous-sol, où j'achetai deux tranches de pizza. Je passai ensuite quelques minutes à tenir un mur, à m'imprégner de l'ambiance sombre et caverneuse de l'endroit et à regarder les gens arpentant le sol de marbre. Il n'en faut pas beaucoup pour me contenter.

Quelques jours auparavant, j'avais appris à la télé qu'une partie des voies ferroviaires, désormais hors service située bien au-dessous du niveau où je me trouvais, avait servi dans les années trente et quarante à transporter Franklin Roosevelt de sa maison de Hyde Park jusqu'au centre de New York. Les voies menaient directement à un monte-charge conçu de telle manière que la voiture du président puisse directement être conduite à l'intérieur et amenée au niveau de la rue, permettant ainsi une sortie discrète sur Park Avenue. Ce qui permettait aussi de cacher au public son incapacité à se déplacer librement, sans l'aide de béquilles ou de soutien à ses côtés. Je pensai à Charlie. Dix ans plus tôt, une balle de la moitié de la taille de l'ongle du pouce lui avait enlevé toute capacité de marcher, pour toujours. Fin de l'histoire. Pas de voies ferroviaires secrètes ou d'aménagements sophistiqués. Charlie était parqué dans son fauteuil roulant, dans le Queens, à la fois révolté et résigné.

La neige menaçait de nouveau de tomber lorsque je remontai jusqu'à la 42ᵉ rue. Le ciel de plomb s'assombrit considérablement. J'entrai au Coliseum Books prendre ce que je dois être le seul désormais à appeler une tasse de café de taille moyenne. Les serveurs discutaient de l'assassinat de Robin Burrell. Celui qui me servit, un grand maigre aux joues criblées de cicatrices acnéiques, fit une blague à ce sujet. Le genre de connerie qu'on entend aujourd'hui, surtout de la part de petits jeunes. Son collègue le rabroua.

— Tu ferais mieux de ne pas dire ce genre de choses. Ça te ferait plaisir que quelqu'un vienne te trancher la gorge ?

Le jeune me tendit ma monnaie. Il s'étranglait encore de sa propre blague.

— Ce sera tout ?

Je sentis une envie de le sermonner remonter dans ma gorge, mais je ravalai mes mots. Qu'est-ce que j'allais faire ? Attraper ce jeunot par le col et lui flanquer une raclée comme un gros bras redresseur de torts ? Nom de Dieu, tout ce que je voulais, c'était siroter mon petit noir.

Je portai ma tasse de café à la taille mystérieuse jusqu'à Bryant Park et, même si la température avoisinait dangereusement zéro, je pêchai un journal dans une poubelle afin de balayer la neige de l'une des chaises à lattes du parc et m'assis devant une table en métal. Le parc gelé, couvert de neige, était là rien que pour moi : personne aux environs. Je me rendis compte que le jeune blagueur derrière le comptoir avait modifié mon rythme cardiaque. J'avais les mâchoires serrées. Je balayai du regard le parc, vide, et tentai de localiser les anges dans la neige. Je savais qu'ils devaient être quelque part.

Pas de chance. Pas d'ange en vue.

J'embrassai la tasse en carton de mes deux mains et observai la vapeur de mon souffle se mélanger à la fumée du café brûlant. Ensemble, ils formaient un nuage poudreux. L'humeur dans laquelle je me trouvais était tout aussi vaporeuse.

8

Robin Burrell avait senti le besoin de justifier auprès de moi ses antécédents avec Marshall Fox. Elle n'était pas obligée de le faire, pas envers moi en tout cas, mais je suppose qu'elle en avait besoin pour elle-même. Ce fut lors de ma deuxième visite à son appartement qu'elle me raconta cette histoire. Un peu de vin, un peu de fromage, et un récit édifiant.

Robin avait rencontré Marshall Fox la nuit où Kelly Cole lui avait jeté le contenu de son verre de martini au visage en lui ordonnant de sortir de sa vie. L'incident s'était déroulé lors d'une douce soirée d'été, sur une grande terrasse carrelée surplombant les yachts de South Fork, la pointe sud-est de Long Island. La fête, bacchanales de fin d'été, était orga-nisée, comme tous les mois de septembre, par Alan Ross et sa femme Gloria, dans leur somptueuse propriété. La réception annuelle chez les Ross comp-tait parmi ses invités la crème du show-biz. Actrices. Directeurs de télévision. Réalisateur. Top-modèles. Écrivains. Directeurs de studios. Mannequins sexy. Gros bonnets et grandes beautés papotaient sous les lanternes chinoises, trinquaient dans les salons en marbres et, occasionnellement, partouzaient dans le hangar à bateaux, confortablement réaménagé, à l'autre bout de la propriété. Les membres de l'agence artistique de Gloria Ross, *Argosy*, représentaient près de la moitié des participants à la soirée ; l'autre moitié ne rêvait que d'une chose : en faire partie.

La réception était officieusement baptisée « l'audition » : tout le monde dans le milieu savait pertinemment que de nombreux appels étaient passés des bureaux Argosy de New York et de Los Angeles dans les jours qui suivaient la fête annuelle chez les Ross. D'autres agences se préparaient aux raids inévitables sur leur liste de clients.

Le seul fait de savoir que l'un de leurs acteurs, actrices ou directeurs les plus en vue avait assisté à la tristement célèbre réception suffisait à faire paniquer les agents concernés. Dans la profession, le surnom de Gloria Ross était « la Commanche », à cause du caractère impitoyable de ses fêtes dévastatrices. Ce surnom ne plaisait guère à la présidente d'Argosy. Souvent, elle surnommait ses nouvelles recrues « scalps ».

Marshall Fox était un client d'Argosy, bien que Gloria Ross n'ait jamais eu besoin de le voler à qui que ce soit.

Lorsque Alan et Gloria Ross rencontrèrent le jeune et fougueux cow-boy et guide touristique pendant leurs vacances dans les Collines Noires du Dakota, la seule organisation à pouvoir revendiquer un droit de propriété sur Marshall Fox était le ranch de Moose River où Fox était employé. L'histoire était devenue légendaire dans le show-business.

Séduits par l'esprit et le sex-appeal de leur volubile guide, les Ross élaborèrent un plan à mi-chemin de leur excursion à cheval de sept jours et firent leur proposition au cow-boy à la fin de la semaine.

Radieux comme un nouveau papa, Alan Ross abattit une main sur l'épaule de Fox.

— J'ai attendu toute ma vie pour dire une phrase aussi nunuche que celle-là : mon petit, qu'est-ce que tu dirais de devenir une super star ?

Robin n'avait pas assisté à la soirée des Ross comme invitée. Elle avait été embauchée en tant qu'aide. Une de ses relations dirigeant une entreprise de traiteur l'avait appelée, paniquée, à la dernière minute :

— Ça te dirait de passer le week-end à Hamptons ?

Deux extras avaient en effet totalement disparu de la circulation et la responsable faisait des pieds et des mains pour trouver des remplaçants.

Robin avait pris sur elle pour ne pas rester bouche bée à longueur de temps. Des stars surgissaient de tous les côtés. Brad. Nicole. Justin. Elle avait dû se retenir de ne pas pleurer en voyant arriver Meryl Streep, sa préférée, dont l'élégance simple et le petit rire diabolique étaient tout simplement irrésistibles. Robin navigua toute la soirée un plateau de boissons sur le bras, versant champagnes et martinis. Elle repéra Marshall Fox peu après son arrivée à la fête. L'animateur de l'émission-débat en vogue était accompagné de sa blonde platine, Kelly Cole, journaliste à Channel 7 News. Dans sa chemise en soie au décolleté plongeant et son pantalon corsaire, Kelly Cole avait l'air de tout sauf de la journaliste professionnelle, cramponnée à son micro devant l'hôtel de ville. Fox, lui, arborait un bronzage éclatant et frais d'une semaine à Maui et était, ce qui n'avait rien d'étonnant, un vrai boute-en-train, charmant avec les arrivants, plaisantant avec tout le monde. Robin avoua qu'elle avait toujours trouvé l'animateur extrêmement séduisant. « Dangereusement irrésistible », avait-elle dit un peu plus tard à la barre des témoins. Le sourire malicieux et communicatif. Le nez légèrement bosselé. Les yeux bleus et pétillants. Le corps à la fois mince et musclé de Fox semblait parfaitement à l'aise dans un pantalon blanc cassé et un sweater gris au col en V tout simple.

Après un contre-interrogatoire vigoureux, Robin admit que, de toute la soirée, elle avait eu du mal à lâcher l'animateur des yeux.

Marshall Fox était alors séparé de sa femme, Rosemary, depuis plusieurs mois. Ce n'était un secret pour personne, tous les médias en avaient parlé. Fox avait déjà eu plusieurs aventures, aussi ambitieuses qu'éphémères, avec des femmes célèbres pour leur éclatante beauté.

On racontait que Fox était un amant passionné et émérite. « Vorace » rapporta tout sourire une actrice d'Hollywood qui était bien connue pour ne pas supporter les manchots dans son lit. Interviewée dans une émission de variétés populaire, l'actrice avait fixé la caméra et déclaré : « Disons que c'est un cow-boy qui sait prendre le taureau par les cornes. »

La première rencontre de Robin avec Fox eut lieu en milieu de soirée, lorsqu'elle se retrouva coincée sur l'immense terrasse par un réalisateur britannique complètement ivre, qui venait de chiper le dernier verre sur son plateau avant de lui agripper le bras et qui la dévisageait de haut en bas de ses yeux troubles et rougis.

— Par Jupiter, si je ne te culbute pas par-dessus la balustrade maintenant… Voilà bien de la chair fraîche qui mérite son label rouge !

En essayant de se dégager, Robin perdit le contrôle de son plateau qui tomba avec fracas sur le sol de la terrasse. Le réalisateur resserra son étreinte sur le bras de la jeune femme. Il approcha son visage et Robin fut gratifiée d'un relent putride de Scotch.

— Roule-moi une pelle, maintenant. Allez !

— Jérémy !

Robin tourna la tête. C'était Marshall. Fox jeta son verre dans un massif d'arbustes tout en traversant la terrasse à grandes enjambées.

« Grands Dieux, pensa Robin. Sauvée par un cow-boy. »

Le Britannique gratifia Fox d'un sourire débordant de sensiblerie.

— Salut Marshall. Sacrée soirée, n'est-ce pas ? Tu n'as certainement pas manqué ces délicieux hors-d'œuvre ?

— Lâche-la, Jérémy, ordonna Fox d'une voix calme teintée de menace.

— Va te faire foutre, Marshall ! répondit le réalisateur sur un ton méprisant. Ne fais pas le prude !

Fox lança un regard vers Robin, puis se tourna vers le réalisateur.

— Jérémy… *mon vieux*. Et si tu faisais semblant, juste une minute, de ne pas être un gros con. Hein ? Je sais que ce n'est pas facile, on essaie tous et on n'y arrive pas toujours. Mais c'est le moment de faire un effort, non ?

Sans crier gare, Fox leva le bras gauche et le frappa en plein milieu de la poitrine. Sous le choc, le Rosbif culbuta une chaise longue. Dans le même temps, Fox attrapa l'autre bras de Robin et la libéra de l'emprise du poivrot.

Elle fut projetée contre lui. Fox sourit et fit galamment un pas en arrière.

— Je vous prie d'excuser Jérémy. Je ne sais pas qui a bien pu lui enlever sa laisse.

Le réalisateur tenta de s'extirper de la chaise longue en marmonnant, mais Fox plaça un pied sur le bras de chaise et réussit à la renverser. Le Britannique roula sur le sol et se tut. Fox se pencha en avant pour ramasser le plateau que Robin avait fait tomber et le lui rendit.

— Les bons invités se font rares ces temps derniers.

Il lui décocha un autre sourire, puis quitta la terrasse par un escalier en colimaçon et rejoignit Kelly Cole qui était pieds nus, dans l'herbe, supportant tant bien que mal les histoires de deux jeunes scénaristes surexcités. Fox savait parfaitement qu'elle l'avait vu : Robin en était persuadée.

Ce fut peu après minuit que Kelly Cole saisit un verre de martini du plateau porté par Robin, ordonna à Fox de sortir de sa vie *immédiatement* et jeta le contenu de son verre sur lui. La journaliste ne rata pas son coup, le liquide atterrit en plein sur le visage de Fox et l'olive rebondit sur l'une de ses joues. Robin n'avait jamais vu un visage plus rouge de colère que celui de Kelly. L'expression de la journaliste était explosive. De son côté, Fox marqua une pause, puis ramassa l'olive tombée à terre et la tendit à sa petite amie furibonde.

— Excuse-moi, chérie : je crois que ça a sauté de ton cul.

La gifle de Cole parut résonner jusqu'au hangar à bateaux. La journaliste s'engouffra dans la maison pendant que Fox sortait un mouchoir en tissu et s'épongeait le visage ainsi que le devant de son sweater. Les conversations s'étaient arrêtées, et Fox échangea un regard stupéfié avec les visages ahuris.

— S'il vous plaît, la prochaine fois que Mlle Cole demande un martini, quelqu'un pourrait-il s'assurer que le barman lui en prépare un très, très, *très* sec ?

Peu de temps après, Robin était descendue sur la pelouse pour se détendre un moment et regarder les flots baignés par la lumière bleutée de la lune, ainsi que les bateaux qui mouillaient tout près de la côte, lorsqu'elle s'aperçut de la présence d'un couple enlacé dans un hamac tout proche. Juste au moment où elle se rendit compte que le couple était exactement en train de faire ce que les bruits suggéraient, quelqu'un lui tapota l'épaule.

— Bonsoir.

Robin se retourna. Marshall Fox. Il lui tendit la main.

— Fox, pour vous servir.

Robin sentit qu'elle rougissait sacrément et espéra que cela ne se voyait pas au clair de lune. Fox fit un jeu de guider sa main dans la sienne et de la serrer légèrement.

— C'est à ce moment-là, normalement, que vous dites votre nom. Mon nom, votre nom. À partir de là, on a établi ce qu'on appelle une communication.

Robin retira sa main.

— Heu… moi, c'est Robin Burrell.

— Enchanté de vous rencontrer, Mlle Burrell. Même si j'ai l'impression que nous sommes déjà de vieux amis, pas vous ?

— Je voulais vous remercier pour tout à l'heure, dit-elle en faisant un signe vers la terrasse.

— Jérémy ? Bon sang, ce n'est rien. D'ici demain, cette éponge à gin ne se souviendra même pas de ce qu'il s'est passé. Il n'aura aucun souvenir de la réception. Maintenant que j'y pense, ce n'est peut-être pas une mauvaise chose. Dites-moi la vérité, cette petite soirée ne vous a-t-elle pas ennuyée au plus haut point ? Je suis sérieux, il y a au moins trois mille endroits où je préférerais être. J'adore Gloria et Alan, et tout le reste, mais ce n'est vraiment pas mon genre d'orgie.

— Je n'ai jamais été à ce genre de soirée, martela Robin.

— Eh bien, vous ne voudrez certainement pas que cela devienne une habitude, faites-moi confiance.

— Certaines personnes semblent y prendre du bon temps…

Comme par hasard, un grognement sourd s'éleva du hamac. Fox leva un sourcil.

— Il faut croire que oui. C'est une véritable lapinière, ici, vous ne trouvez pas ? Et vous ? Vous y prenez du bon temps ?

Robin sentit la chaleur lui empourprer à nouveau les joues.

— Je ne suis pas là pour prendre du bon temps, dit-elle. Je suis là pour travailler.

— Et d'où venez-vous, Mlle Burrell ?

— Je suis originaire de Pennsylvanie, de New Hope. Mais je vis à Manhattan depuis six ans maintenant.

— Dites-moi. Quel quartier ?

— Upper West Side.

— Le quartier des juifs et des rouges. Je le connais bien. Lequel des deux êtes-vous ? Vous êtes communiste ?

— Moi ?

Elle rit.

— Non !

— Juive ?

— Je suis quaker.

— Quaker ? Non, ce n'est pas vrai ? J'adore votre bouillie d'avoine. L'Upper West Side, vous dites ?

Depuis que je suis arrivé à New York, j'habite à Upper East Side, même si je dois avouer que j'ai fui de chez moi il y a quelques mois. Vous en avez peut-être entendu parler. Ma soi-disant vie privée semble avoir élu résidence en « *Page 6* », dernièrement. Maintenant, j'imagine que je suis juif *et* communiste.

— Pardon ?

— Upper West Side. Je me terre dans Central Park West.

— J'habite dans la 70ᵉ rue, dit Robin. Vers le milieu du parc.

— C'est pas vrai ?

Fox lui toucha légèrement le bras. Robin aurait juré avoir senti un mini choc électrique.

— N'est-ce pas magnifique ? On est pratiquement voisins. On devrait se rencontrer de temps en temps et sortir nos chiens ensemble.

— Je n'ai pas de chien.

Fox fit la moue.

— Je croyais que toutes les jolies femmes de Manhattan avaient des chiens. Il faudra que l'on remédie à ça. Je vais vous dire une chose, New Hope. Est-ce que vous permettez que je vous appelle « New Hope ? »

— Si vous voulez, s'esclaffa Robin.

— Je le veux ! Écoutez, New Hope. Je pourrais peut-être venir de temps en temps chez vous et vous pourriez me sortir *moi* ? Qu'est-ce que vous en pensez ? Oubliez le chien. Sortez Fox. Alors, vous en dites quoi ?

— Je n'en sais rien. Je crois que vous…

Fox battit des mains.

— Bien. Parfait. Voilà qui me plaît. C'est très bien. Vous savez, j'ai côtoyé les mauvaises personnes pendant trop longtemps. Alors, quand êtes-vous libre ?

— Je ne suis pas certaine que…

— Mardi ? demanda-t-il en portant une main à son oreille. Vous avez dit mardi ? Bon sang ! Je suis justement libre mardi ! Quel heureux hasard. Je vous en prie, ne vous trouvez pas un autre chien d'ici là, ma chère New Hope. Je suis très bien dressé, mais je mords encore. Quelques fois. Peut-être saurez-vous faire quelque chose pour moi dans ce domaine. Nous verrons bien.

Sur la terrasse, l'un des invités éclata d'un rire aussi tonitruant que celui de la méchante sorcière de l'Ouest. Fox regarda par-dessus son épaule puis se retourna vers Robin. Il baissa le ton. Se calma. S'approcha.

— Je ne sais pas ce que vous avez entendu sur moi, New Hope. Mais tout ce que je peux vous dire, c'est que seulement la moitié est vraie, je le jure devant Dieu.

Au petit matin, Robin roula son oreiller en boule sous le menton et se prépara à sombrer dans les bras de Morphée. Une voix, dans les recoins de son esprit, lui soufflait la bonne question.

— Quelle moitié ?

8

Le café avait refroidi avant que j'aie le temps de le finir. Je versai le dernier quart dans la neige. Un écureuil qui était resté accroché, immobile, au tronc d'un arbre à proximité de là descendit en trombe pour mener son enquête. Il renifla la neige moka puis me lança un regard perçant. Il prit une pose théâtrale. L'écureuil new-yorkais typique.

Une neige fine commença à tomber. J'arrivai au milieu du parc lorsque mon portable sonna.

— Tu es où ?

C'était Charlie Burke.

— Tu ne devineras jamais. Je suis sur une plage à Tahiti. Ça serait tellement bien que les filles de chez nous portent également des jupes en raphia, c'est le top.

— Dans tes rêves. Allez, tu es où ?

Cela paraissait urgent.

— Bryant Park.

— Viens tout de suite à Central Park. Au Boathouse.

— Et pourquoi je ferais ça, Charlie ?

— J'ai parlé avec Margo, ce matin. Elle m'a raconté que tu avais aidé la fille qui a été tuée hier soir.

Il marqua une pause. Je crus un instant que Margo lui avait raconté notre dispute à ce sujet, mais il ne s'aventura pas sur ce terrain.

Elle a ajouté que tu fourrais ton nez dans cette histoire d'assassinat.

— Je n'ai jamais dit ça.

— C'est vrai. Margo me l'a bien précisé, mais elle sent ces choses. Mes gamins ont de l'instinct, Fritz. En plus, tu ne sais pas mentir.

— Certaines personnes trouvent que c'est une qualité, répliquai-je.

— Tu fais quoi dans ce parc ?

— Je surveille la situation.

Depuis qu'il avait perdu l'usage de ses jambes, Charlie avait complètement restructuré et réaménagé son bureau, chez lui, sa femme appelait ça le « Service de veille technologique ». Charlie était plus calé que moi en nouvelles technologies. Il avait également installé deux postes de télévision, l'un réglé en permanence sur NY et l'autre pour zapper. En outre, il surveillait scrupuleusement les fréquences de la police et des pompiers.

— La fille à la gorge tranchée ? On dirait qu'elle a de la compagnie, continua-t-il.

Je stoppai net, coupé dans mon élan.

— Quelqu'un d'autre a été assassiné ?

— Notre meurtrier est un gars très occupé, répondit Charlie d'un ton pince-sans-rire. Et enragé. Ça ne sent pas bon, tout ça, Fritz.

— Qui a dit que cette affaire est liée à celle de Robin Burrell ?

— Le premier agent arrivé sur place a lancé un 30-C et a commencé à hurler : « Pareil qu'hier soir, pareil qu'hier soir ! » complètement surexcité.

30-C est un code de la police pour signaler un homicide à l'arme blanche. Je modifiai ma trajectoire et me dirigeai vers la 6e avenue.

— Tu as dit au Boathouse ?

— C'est ce que j'ai entendu.

— Quand ?

— Ça vient de sortir, mon gars. Il y a moins de deux minutes. Si tu te dépêches, tu risques d'arriver avant l'artillerie lourde.

J'empochai mon téléphone et me mis à courir.

Quand j'arrivai sur place, ils étaient encore en train d'installer les banderoles de sécurité. La neige tombait plus drue. Un photographe de la police, adossé à un fourgon, jouait avec son appareil et l'abritait pour ne pas le mouiller. Le cadavre était sur le bord du sentier allant du petit parking du café-restaurant Boathouse vers ce que l'on appelle la « Promenade ».

Pour ceux qui veulent traverser Central Park par un chemin tortueux, ou observer des rats aussi gros que des chiens nains, ou encore copuler avec un aventurier ou une aventurière du même sexe (chacun son truc), la « Promenade » est l'endroit rêvé.

La personne qui avait découvert le corps et appelé la police était un jeune homme blond au teint cireux ; il arborait une moustache à la gauloise, une casquette de marin délavée et des jambières de cuir. Qui sait, il observait peut-être les rats ?

Joseph Gallo discutait avec l'un des policiers. Son long manteau de couleur fauve tombait impeccablement, bien entendu. Il se tenait, ainsi que ses agents, debout près d'un gros rocher derrière lequel disparaissait ensuite le sentier. Perchés sur le rocher, deux corbeaux picoraient sauvagement la neige. J'attendis à proximité d'un arbuste que Gallo lève les yeux et me voit. Il dit quelque chose au policier en uniforme puis vint vers moi.

— Laisse-moi deviner, tu allais à la patinoire et tu as pris un raccourci par le parc.

— Ce n'est pas le genre de suppositions sur laquelle on fonde une carrière.

— Tu sembles devenu ma nouvelle ombre, Malone. Quoi de neuf ?

— Charlie Burke a capté le 30-C. Pour lui, ça sent l'assassin de Robin à plein nez.

— Ouais, j'étais justement en train de parler de ça avec l'Agent Grande-Gueule là-bas. Je lui ai dit, la prochaine fois, pourquoi ne pas appeler directement les médias ?

Il tira sur ses manchettes et tapota sur sa montre.

— Je leur donne cinq minutes, au grand max.

— Tu pourrais très bien faire fermer le parc, non ?

— Tu n'as jamais entendu parler du précieux Premier amendement ? Tu me prends pour quoi, un sale coco ?

— Excuse-moi, Joe, j'ai dû te confondre avec quelqu'un d'autre.

— Crois-moi, ricana Gallo, après une journée comme aujourd'hui, je vais rêver d'être quelqu'un d'autre. Bon sang, deux d'affilée en l'espace de dix-huit heures… Ce n'est vraiment pas comme ça qu'on devrait entamer la nouvelle année.

— On table sur le même assassin ? demandai-je. Vous avez établi ça ?

— On n'a rien établi du tout. Je t'ai seulement devancé de cinq minutes, je n'ai même pas encore été présenté au cadavre.

L'inspecteur brossa quelques flocons de neige posés sur ses épaules.

— Si tu veux disparaître, n'hésite pas. De toute façon, faut que tu sortes du périmètre. J'aime enquêter sur une scène de crime la plus nette possible.

— Et ce rocher ? dis-je en le pointant du doigt.

— Si l'escalade te tente…

Un autre policier marquait le périmètre en enroulant du ruban jaune autour d'un arbre proche du rocher. Je passai la tête sous le ruban de sécurité et grimpai au sommet de la roche. Les arbres avaient perdu leurs feuilles et j'avais une vue imprenable sur le lac de Central Park au-dessous de moi, les canots à rames retournés, alignés contre la rive sud, et le pont Bow en fonte arqué au-dessus du lac.

La neige tombait toujours plus drue et, en l'espace de quelques minutes, les canots étaient devenus blancs. Le lac était partiellement couvert d'une légère pellicule glacée dont la forme me faisait penser à une pièce de puzzle. Directement en dessous se trouvait le grand rocher plat où la plupart des gens aiment venir prendre un bain de soleil à la belle saison.

Il était actuellement désert, bien entendu, mis à part un trio de colverts désintéressés.

Le cadavre gisait environ à six mètres de la base du rocher. Au début, je ne distinguai presque rien, car deux experts en médecine légale et une silhouette vêtue d'un long manteau noir étaient accroupis de chaque côté. Je ne vis qu'un bas de pantalon et une paire de chaussures de ville masculines de couleur marron. À travers les jambes des experts, je devinai l'imposante plaque de neige et de feuilles tâchées de sang. Gallo s'approcha de la scène et leva les yeux vers moi.

— Comment est la vue ?

— Imprenable. C'est un homme, dis-je.

Gallo se tapota la tempe.

— Il nous en faudrait plus, des gars comme toi. Qu'est-ce que tu vois d'autre de là-haut ?

— Rien. Tes gens ont de meilleures places que moi.

La silhouette vêtue du long manteau noir se retourna et leva les yeux vers moi.

— Quel enquêteur !

C'était une femme ; elle se releva et s'étira le bas du dos. Tout comme les deux autres experts médico-légaux, elle arborait un bonnet de laine NYPD. Ses cheveux courts étaient rentrés afin de ne pas altérer la scène du crime de Gallo. Son petit sourire satisfait voleta jusqu'à moi.

— Bonjour, inspecteur Lamb, dis-je.

Elle plissa les yeux dans ma direction.

— Fritz Malone. Cela faisait longtemps qu'on ne vous avait pas vu.

Elle n'avait pas l'accent de Long Island le plus intense que je connaisse, mais il valait tout de même son pesant d'or.

— On n'a pas dû traîner dans les mêmes bars.

— New York ne manque pas de bars.

Megan Lamb était agent de la police judiciaire sous la coupe de Joe Gallo, dans l'équipe de la Crime de la vingtième circonscription. Je la connaissais depuis des années. Nous avons fait connaissance lorsqu'elle m'a invité dans un petit resto de Greenwich Village, un après-midi, dans le seul but de m'engueuler pour ce qu'elle considérait être de l'ingérence dans une affaire sur laquelle elle enquêtait. Je plaidai non coupable, et nous eûmes une dispute animée à ce sujet. Géné-ralement, je la trouvai plutôt réservée, mais il n'est pas inhabituel que les femmes policiers gardent leur armure juste au cas où. Pourtant, je l'aimais bien.

Elle avait une passion pour son boulot et se donnait à fond dans l'intérêt des victimes. L'hiver précédent, Megan avait fait la « une » des journaux après avoir, en service, blessé mortellement un meurtrier et violeur en série. Le Suédois. Le coéquipier et la meilleure amie de Megan avaient tous deux été assassinés par le Suédois quelques minutes avant qu'elle n'arrive sur la scène du crime. La presse en fit une héroïne et elle fut blanchie par la commission d'enquête du département (procédure habituelle lorsqu'un agent de police décharge mortellement son arme sur quelqu'un), mais un certain trouble subsistait autour des circonstances de la fusillade, et quelques semaines seulement après son retour en service, Megan posa une demande de congé sans solde.

Quelques semaines plus tard, j'entendis des rumeurs disant que Megan passait une sale période et que son style de vie n'était pas le plus sain qui soit. Je décidai de me trouver sur son chemin, un soir, faisant passer cela pour une coïncidence. Elle vit clair dans mon jeu et me dit exactement ce qu'elle pensait de ma « mission charitable ». Personne n'aime avoir un ange gardien tourner au-dessus de sa tête comme un oiseau de proie. En tout cas, moi, je n'aime pas ça. Megan resta hors de mon radar jusqu'au mois de mai dernier. De retour sur le terrain, et elle eut son quart d'heure de gloire lors de l'arrestation de Marshall Fox lorsque ce dernier fut placé en détention pour les meurtres de Cynthia Blair et Nikki Rossman.

Megan fouilla dans l'une des poches de son manteau et en sortit une tablette de chewing-gum, ôta le papier et goba son petit bout de gomme. Megan est une jeune femme de petite stature, son long manteau menaçait de l'engloutir. Après avoir méthodiquement replié le papier et l'avoir rangé dans sa poche, elle loucha de nouveau vers moi.

— Ne viens pas mettre les pieds dans mon enquête encore une fois, Malone, c'est compris ? Ça se dégrade assez vite comme ça. Reste figé comme une statue et ne bouge pas de là-haut.

— C'est toi la chef.

Megan montra Gallo.

— Le chef, c'est lui. Moi, je suis simple ouvrier.

J'aperçus un peu mieux la victime. Une cravate. Un pardessus. Sa tête était tournée vers la gauche et en partie cachée par un tas de neige ensanglantée et des feuilles mortes.

Même du haut de mon rocher, je pouvais voir d'où venait le sang.

Megan se tourna vers Gallo.

— Frais comme une rose.

— Comme une rose fanée.

— Elle a raison. Ce type est mort depuis moins d'une heure, précisa l'un des experts médico-légaux.

De mon perchoir, je vis le camion régie de l'une des chaînes locales se garer dans le parking du Boathouse.

— Tes vautours préférés viennent d'arriver, annonçai-je à Gallo.

Il se tourna vers le flic dont Charlie Burke avait intercepté l'appel radio et l'envoya s'occuper de la presse.

— Tu m'as bien compris, Carr. *Aucun commentaire.* Tu crois que tu peux y arriver ?

De la poche de son manteau, Megan Lamb extirpa un calepin dans lequel elle griffonna quelque chose.

— Il nous faut une bâche, Joe. Dans cinq minutes, ce type va se transformer en bonhomme de neige.

Le vent s'était levé et la neige tombait en diagonale. Megan épousseta ses manches et fit le tour avec précaution jusqu'à l'endroit où l'un des experts dégageait minutieusement du visage de la victime une touffe de feuilles et de la neige. Elle avait l'air d'une gamine dans son manteau trop grand.

Elle se baissa pour regarder de plus près.

— Bon sang !

Tout ce que je vis de mon poste privilégié, ce fut l'expression de Megan lorsqu'elle se releva avec l'air d'avoir reçu une grosse gifle.

— Qu'est-ce qu'il y a ? lui demanda Gallo.

Megan pointa un doigt dans ma direction.

— Il a le droit d'entendre ?

— Ouais, pas de problème. Alors ?

Elle fit la moue. On aurait dit qu'elle essayait d'embrasser la neige en train de tomber. Son souffle gelait autour de sa bouche chaque fois qu'elle expirait.

— C'est l'avocat. La grande gueule de service.

Gallo se rapprocha du cadavre et se pencha pour mieux voir.

— Merde alors ! C'est lui.

Je m'avançai vers le surplomb du rocher, faisant attention de ne pas glisser sur le rebord humide. Là, je vis le corps froid et inhabituellement silencieux de Zachary Riddick.

10

Mis à part dans le taxi qui l'avait conduit à Central Park, Zachary Riddick avait été vu vivant pour la dernière fois vers 12 h 20, lors de la conférence de presse où il réclama à corps et à cris l'ajournement du procès et la libération immédiate de Marshall Fox. Il avait fait du Riddick pur, décriant le « dysfonctionnement grave de la justice », se démenant comme un pauvre diable, Jeanne d'Arc aurait rêvé que ses défenseurs déploient pour elle autant d'énergie. Il réussit même à caser la phrase « mon grand ami Marshall Fox » une douzaine de fois, d'après le commentaire de Jimmy Puck dans le *Post*. Et comme Joseph Gallo l'avait prédit, Riddick avait apporté un lecteur de cassettes pour faire écouter la menace téléphonique enregistrée sur le répondeur de Rosemary Fox.

« J'arrive, espèce de salope. Tu sens déjà le goût du sang ? »

La police fit son possible pour reconstituer l'emploi du temps de Riddick entre la fin de la conférence de presse et la découverte de son cadavre. Rosemary Fox affirma lui avoir parlé brièvement au téléphone quelques minutes après la fin de la conférence de presse. Riddick lui aurait dit qu'il passerait chez elle dans l'après-midi pour faire un point sur la situation. Il ne lui parla pas de ses projets pour les heures à venir.

On peut supposer qu'il alla déjeuner. Mais une fois le cadavre de Riddick examiné par le service médico-légal, le contenu de son estomac révéla que la dernière chose qu'il avait avalée, c'était un sandwich jambon-fromage pris au snack près de chez lui, et où il était un habitué, vers 7 h 45 ce matin-là.

L'une des chaînes régionales avait retrouvé la serveuse : l'Ukrainienne joufflue dit que « homme très bien quand lui parti. On pense que lui revenir demain comme d'habitude. Comment savoir que lui être tué comme ça ? Moi, pas savoir ! »

La police questionna toutes les personnes qu'elle trouva à Central Park à son arrivée sur le lieu du crime. Les agents montrèrent des photographies de Riddick. Quelques personnes déclarèrent l'avoir peut-être aperçu, mais les informations n'apportèrent pas d'éclairage sur l'homicide en lui-même. Riddick était entré dans le parc par le coin sud-est où un taxi l'avait déposé. On avait retrouvé le chauffeur qui avait pris Riddick à quelques pâtés de maisons du tribunal.

Lors du trajet, les deux hommes avaient eu une conversation animée sur la culpabilité ou l'innocence de Marshall Fox. Le chauffeur de taxi était du même avis que Riddick sur le dernier meurtre prouvant que l'assassin de Cynthia Blair et de Nikki Rossman était encore en liberté.

Le chauffeur de taxi précisa qu'il avait reçu un bon pourboire. Il avait vu son client entrer dans le parc par le chemin longeant le zoo, vers la gauche.

On supposa que Riddick allait peut-être déjeuner avec quelqu'un au café-restaurant Boathouse − où on l'y avait vu déjà plus d'une fois −, mais personne ne se plaignit d'avoir fait le pied de grue en attendant en vain l'avocat.

La seule chose dont on était sûr, c'est qu'il avait pris un taxi pour se rendre au parc, avait marché d'un bon pas pendant cinq cents mètres jusqu'au Boathouse et qu'il avait fini sa vie dans une mare de sang, de neige et de feuilles mortes sur une butte surplombant Central Park.

La police ne laissa pas filtrer grand-chose. Je dus faire des pieds et des mains pour obtenir le peu d'informations que je possédais.

Les jours suivants, il fut difficile de se déplacer à Manhattan sans être pris dans une conversation sur Marshall Fox et la série d'assassinats. À dire vrai, il fut difficile de se rendre où que ce soit dans Manhattan en général, à moins d'utiliser le métro.

Vingt centimètres supplémentaires de neige étaient en effet tombés sur la ville en l'espace de vingt-quatre heures ; la circulation allait au pas et, semblables à des cumulus, des monticules de neige alignés les uns derrières les autres encombraient les trottoirs.

Quand la neige s'arrêta de tomber, la température enregistra des records de froid, immobilisant la métropole dans un gel arctique. Une vieille femme de Fort Apache fut retrouvée morte, gelée, dans son appartement non chauffé.

Un touriste de Columbus (Ohio) perdit une jambe sous un taxi dont les roues avaient dérapé. À Sunset Park, deux sœurs âgées de six et neuf ans moururent carbonisées dans leur maison : de la neige s'était infiltrée par le toit de leur chambre, avait fondu et dégouliné sur leur chauffage d'appoint ; un feu s'était déclaré et avait embrasé tout le premier étage de la maison. Le maire appela toutes les entreprises non vitales à rester fermées.

On descendit les rideaux de fer. Les écoles furent fermées et le ramassage des ordures suspendu. En bref, la vie de neuf millions d'habitants habituellement surexcités s'arrêta progressivement.

Deux jours après l'assassinat de Zachary Riddick, j'assistai avec Margo à une conférence sur la Wicca au Musée national d'histoire naturelle.

Le musée se trouve à seulement quelques pâtés de maisons de chez Margo, mais le trajet à lui seul constitua la moitié du plaisir.

Elle glissa sur son joli postérieur à proximité de l'avenue Colombus et put rire à mes dépens quelques minutes plus tard lorsque, tentant de m'agripper à un belvédère mais incapable de rester sur mes pieds, je m'affalai sur le sol tel un poivrot de dessin animé.

Margo avait récemment rédigé un article sur la conférencière et elle était curieuse d'entendre son intervention. Cette femme était elle-même une Wiccane, mais dans la vie de tous les jours, elle dirigeait une petite société de publicité depuis son appartement de Chelsea.

La conférence fut intéressante, plus prenante que je ne l'aurais cru ; et pourtant, au cours de la réception qui suivit, le mot « wicca » ne se fit pratiquement pas entendre dans le brouhaha ambiant.

Les assassinats de Riddick et Robin Burrell avaient eu lieu à quatre cents mètres du musée, et leur influence sur l'assistance était palpable. Même la wiccane, lorsque Margo nous présenta et lui dit ce que je faisais

comme boulot, ignora mes compliments sur sa prestation et demanda mon opinion sur Marshall Fox. Cette
ancienne hippie décatie devait avoir la soixantaine. Elle
portait des lunettes à monture d'acier et un collier plas-
tron en or réfléchissant des éclats de lumière chaque
fois qu'elle bougeait. Une épaisse tresse grisonnante,
presque aussi grosse qu'un bras, serpentait le long de
son dos.

— Innocent jusqu'à ce qu'on prouve sa culpabilité,
dis-je d'un ton neutre.

— Mais votre opinion ? Je vous donne la mienne :
Monsieur Fox ne sert que de pierre de touche, si vous
voulez.

— De pierre de touche…

— On voit ça dans les meurtres rituels. Ce n'est
pas tant un sacrifice qu'une purification ritualisée et
symbolique. Un nettoyage.

— Vous m'excuserez, mais je ne vois pas ce qu'il y
a de pur dans le fait de trancher la gorge à des innocents.

La Wiccane mit ses paumes l'une contre l'autre,
comme en signe de prière. Son petit sourire paraissait
extraordinairement suffisant.

— L'innocence est dans le regard… ou, pour dire
les choses autrement, dans le cœur de l'observateur.
Du point de vue de l'assassin (ou des assassins), ces
sujets sont tout sauf innocents. Je dirais même qu'ils
étaient sans doute considérés comme du poison, ou
qu'ils représentaient le mal ; voilà pourquoi il était
nécessaire de les éliminer de la surface de la terre.

Je jetai un coup d'œil à Margo pour voir comment
elle prenait la chose. Elle avait enfilé son masque
impénétrable.

— Et où se situe Marshall Fox dans tout ça ?

— C'est une pierre de touche. Ou, peut-être, serait-il plus précis de dire « une divinité ».

— Je suis certain qu'il serait flatté d'entendre ça.

— Monsieur Fox occupe une place importante pour des millions de gens. N'oubliez pas Simon & Garfunkel : *Et les gens s'inclinèrent et prièrent devant le Dieu-néon qu'ils avaient créé*. La télévision est l'autel de notre société. Une personnalité aussi forte que celle de M. Fox assume le rôle symbolique de déité.

— Et la religion rend certaines personnes complètement maboules, répondis-je.

Elle acquiesça.

— On a connu l'excès et la folie, c'est vrai.

Excès et folie. Voilà qui me plaisait bien, ça. On aurait pu mettre cette manchette chaque jour de l'année sur la première page des journaux du matin et toujours être dans le vrai.

— Alors, vous ne pensez pas que Fox a tué les deux femmes l'an dernier, c'est ça ? demandai-je.

La Wiccane remonta ses lunettes sur son nez.

— Non, en effet. Je pense que chaque assassinat a été commis par une personne différente.

Le masque de Margo s'effrita.

— Un meurtrier par homicide ? Quatre meurtriers différents ?

— C'est exact.

— Mon Dieu… Mais c'est fou.

— De notre point de vue, vous avez absolument raison. Mais, souvenez-vous de Charles Manson et de la soi-disant famille Manson. Ce groupe était en paix avec ses agissements. Des meurtres ritualisés. Des purges. Des nettoyages. Symboliques. Iconiques. Appelez-les comme vous voudrez.

— Qu'est-ce qu'il y aurait d'iconique dans l'assassinat de Robin Burrell ? Ou dans celui des autres victimes ? lâchai-je.

— Je ne saurais le dire avec certitude. Tous étaient des intimes de M. Fox. Ça, on en est sûr. Peut-être le meurtrier ou les meurtriers ont-ils eu l'impression que les victimes avaient trahi M. Fox ou qu'ils étaient un danger pour lui. Ou alors qu'elles le pervertissaient, d'une manière ou d'une autre.

— C'est une plaisanterie...

— Vous pensez réellement qu'il s'agit là d'une sorte de culte ? demanda Margo. Quatre assassins différents ? L'idée seule me donne la chair de poule.

— Ce n'est qu'une théorie, ma chère.

— Je parie que votre théorie ne ferait pas plaisir à la police, fis-je.

Elle força de nouveau un petit sourire satisfait.

— Les gens ne tuent pas pour faire plaisir à la police.

Le lendemain de la conférence sur la Wicca, Margo et moi eûmes une nouvelle dispute. Cela commença tandis que je me rasai, mais les graines de la discorde avaient été plantées dix minutes avant, lorsque Margo entra dans la douche, et plus précisément lorsque je lui annonçai mon intention d'aller le matin même à la cérémonie en mémoire de Robin Burrell. Ce qui n'était pas totalement vrai.

En fait, je comptais effectivement me rendre au culte hebdomadaire des quakers, mais pas précisément à la messe commémorative.

Un coup de téléphone des responsables du culte m'avait informé que la mort de Robin serait, officieusement, le point fort de la matinée. Margo accueillit la nouvelle par un silence assourdissant et tira le rideau de douche sur elle.

Je faisais glisser la lame le long de ma joue lorsque Margo, vêtue d'un peignoir et les cheveux enturbannés dans une serviette, passa derrière moi pour sortir de la salle de bains.

— Tu te fais beau pour ton rendez-vous ? lança-t-elle en serrant l'écharpe de son peignoir.

La salle de bains était encore chaude, mais la sortie de Margo fit souffler un vent glacé. Je pris une longue inspiration en fixant mon reflet dans le miroir.

— Laisse pisser.

— Je t'ai entendu, aboya Margo dans la pièce d'à côté.

J'aurais dû tourner ma langue sept fois dans ma bouche. Au lieu de cela, j'aboyai à mon tour :

— Si c'est le cas, ça veut dire que tu écoutes aux portes. Ce n'est pas à toi que je parlais.

Le reflet dans le miroir secoua tristement la tête. Pas bon du tout.

Margo répondit quelque chose que je ne compris pas, mais j'en saisis le sens global. Elle alla dans la cuisine. Je finis rapidement de me raser, me rinçai le visage et la suivis. Elle versa de l'eau dans la bouilloire, le regard vide perdu au loin.

— Ça ne te ressemble pas. Je ne te reconnais pas, dis-je. Qu'est-ce qui ne va pas ?

Elle baissa le levier du robinet d'eau.

— Attends voir... C'est à moi que tu parles maintenant ?

Je m'assurai d'adopter un ton neutre.

— C'est à toi que je parle.

— Très bien.

Elle posa la théière sur la cuisinière et alluma le feu. C'est une de ces cuisinières qui font *clic-clic-clic-clic* pendant qu'on active l'allumage. J'eus l'impression que Margo laissa le doigt appuyé plus long-temps que nécessaire.

— Ça ne te ressemble pas non plus. Moi non plus, je ne te reconnais pas, fit-elle.

— Et pourquoi ça ? Assister aux enterrements et aux cérémonies commémoratives des victimes, c'est une des règles d'or du manuel du parfait détective. Tu le sais aussi bien que moi. Si tu ne me crois pas, demande à ton vieux.

— Je le sais.

Elle se retourna vers moi.

— Mais une victime n'est pas forcément un client. Que dit le manuel du parfait détective à ce sujet ? Ou est-ce que ta jolie petite cliente t'envoie des chèques depuis l'au-delà ?

Je ne répondis rien. Margo sait bien reconnaître une pique minable sans que j'aie besoin de lui en faire la remarque. Elle dénoua la serviette de sa tête et la roula en boule. Elle était peut-être en train de tourner sept fois sa langue dans sa bouche.

— Minute, je retire ce que j'ai dit. Revenons quelques secondes en arrière. Je sais que ce qui est arrivé à cette femme te fait de la peine. Évidemment. Moi aussi, ça me fait de la peine. Mais bon sang, ça fait de la peine à tous ceux qui suivent un peu cette histoire ! C'est-à-dire, à peu près la totalité du pays. Mais, que tu lui aies parlé une fois ou des centaines de fois, ce n'est pas ton problème ! Je suis sûre que tu aurais rêvé, au fond de toi, de protéger la jolie demoiselle de l'autre côté de la rue, mais les choses ne se sont pas passées comme ça. Un de ces tordus de psychopathes est allé chez elle et lui a tranché la gorge. Mais on a des policiers dans cette ville, je suis certaine que tu l'auras remarqué, et ils s'en occupent.

C'est leur boulot. Robin Burrell est *leur* cliente. Elle est *leur* responsabilité.

Elle posa la serviette sur le plan de travail. L'un des bords me parut trop près de la cuisinière, mais je ne dis rien.

— Qu'est-ce qui ne te plaît pas exactement dans tout ça ? Ce n'est quand même pas la première fois que je m'occupe d'un cas tout seul. Tu le sais bien.

— Je le sais. Papa le faisait aussi et maman, ça la rendait folle.

— Je ne suis pas ton père. Et tu n'es pas…

Je m'arrêtai. L'un des points sensibles de notre relation, c'était la peur de Margo de reproduire le schéma de sa mère en restant avec moi. À première vue, son inquiétude était absurde. Mais nous avions convenu de ne pas aborder ce sujet. De nombreuses fois.

— Tu sais ce que je veux dire, continuai-je. Il y a un type qui court la ville et qui tranche la gorge à des gens. Et beaucoup trop près de chez toi à mon goût. Je sais bien que la police enquête et fait son boulot. Joe Gallo est un bon flic et il attrapera certainement le coupable. Mais une deuxième paire d'yeux ne peut pas faire de mal. Bon sang, Margo, c'est mon boulot ! Qu'est-ce que tu veux que je fasse, que je joue au bridge ?

La bouilloire se mit à siffler. Elle éteignit la flamme.

— Je n'aime pas être jalouse, dit-elle d'une voix monotone. C'est l'une des émotions les plus pitoyables que je connaisse.

— Tu n'as aucune raison d'être jalouse. Qu'est-ce que tu…

La bouilloire crépita. Les yeux de Margo étaient noirs comme du charbon.

— Tu as fait des secrets au sujet de cette fille ! Tu ne

m'as pas dit que tu l'avais vue plus d'une fois. Tu m'as caché des choses.

— Ce n'est pas vrai.

— Oh, ça va, Fritz ! C'est vrai, et tu le sais aussi bien que moi. Tu ne m'as jamais vraiment raconté vos discussions.

— Faux. Elle m'a montré les lettres et les e-mails qu'elle avait reçus. Je te l'ai dit.

— Et il faut deux rendez-vous pour ça ? Tu as rapporté tous ces trucs ici dès la première fois que tu l'as vue.

— Et toi, tu peux me rappeler la dernière fois que tu es rentrée de l'une de tes interviews en me racontant tout, mot pour mot ?

— C'est pas pareil.

— Pourquoi c'est pas pareil ?

— Parce qu'elle habitait de l'autre côté de la rue. Parce qu'elle était jolie.

— Cette ville est pleine de belles femmes. Celle qui est présente incluse !

Margo joua avec le bout d'une mèche de cheveux humide.

— D'accord, je m'appelle Medusa, ravie de faire ta connaissance.

Elle attrapa sa tasse à thé préférée de l'égouttoir et la posa sur le plan de travail.

— Écoute, Fritz, je ne vais pas te laisser t'en sortir avec ce petit compliment. Je viens de t'avouer que j'étais jalouse et c'est déjà assez humiliant pour moi. On sait tous les deux que je ne le suis pas habituellement, alors je me demande comment ça se fait. Peut-être parce qu'elle est passée à la télé pendant des semaines et que les gens ne parlaient plus que d'elle. Cette fille a couché avec Marshall Fox, bon sang de bonsoir ! Et pas qu'une fois ! Grâce à ce procès débile, j'en sais plus sur la vie sexuelle de cette fille que sur la mienne.

— Je suis là pour te rafraîchir la mémoire si tu veux…

— Tais-toi. Ce que je veux dire, c'est que tous les maniaques lubriques des États-Unis ont dû rêver de cette fille. Et toi, tu passes comme une fleur chez elle pour qu'elle pleure sur ton épaule.

— Qu'est-ce que j'aurais dû faire ? Remonter en courant jusqu'ici et…

— Laisse-moi terminer.

Elle tapa presque du pied. Cela faisait bien longtemps que je ne l'avais pas vue aussi énervée. Elle prit une grande inspiration.

— Je t'ai vu, l'autre nuit quand tu es resté près de la fenêtre. Qu'est-ce que tu veux que je te dise, Fritz, les filles n'aiment pas ça. Je ne suis pas dans ta tête. Quand tu te perds dans tes pensées, tu pars loin, très, très loin. Il n'y a pas de place pour Margo là-bas. Pour personne, d'ailleurs. Je déteste ça. Et maintenant, on est dimanche matin, et tu vas aller à l'enterrement de cette fille ou je sais pas quoi, appelle ça comme tu veux. Je te connais, Fritz, tu vas rentrer dans la tête de cette fille. Parce que c'est comme ça que tu fais ton boulot. Tu vas rentrer dans la tête de cette fille, tu vas rentrer dans sa vie, tu vas te plonger dans sa mort atroce, et inutile. Et j'aurais préféré que tu ne le fasses pas − pas cette fois.

Elle attrapa de nouveau la bouilloire pour verser de l'eau dans sa tasse.

— Tu as oublié le sachet de thé, fis-je doucement.

À la vitesse de l'éclair, elle reposa la bouilloire sur la cuisinière, attrapa sa tasse et la brisa contre le rebord de l'évier. Elle resta là, l'anse cassée à la main. Puis elle jeta le bout de poterie brisée dans l'évier.

— Tu devrais y aller. Pour de bon. Vas-y. Tout ça a l'air tellement débile maintenant, va à cet enterrement à la con. Fais ce que tu as à faire. Mais fais-moi plaisir : essaie de ne pas rentrer à la maison les pieds devant.

11

L'assemblée des Amis dont faisait partie Robin se réunissait dans l'ancienne Maison quaker au bout de Stuyvesant Park, en retrait de la 15e rue. En réalité, le parc ne fut pas nommé en souvenir de Peter Stuyvesant, le premier directeur général de Manhattan, mais de sa femme, Judith.

Cela lui serait resté sur l'estomac, à ce vieux Pete, de voir autre chose qu'une église réformée hollandaise construite sur ce bout de terre faisant à l'origine partie de la propriété des Stuyvesant.

Mais les quakers attendirent sagement 189 années après la mort du Hollandais avant d'y construire leur lieu de culte, ce qui leur épargna la colère légendaire de ce gars coriace à la jambe de bois.

La salle de réunion était un grand rectangle capable de recevoir plusieurs centaines de personnes. Des rangées de bancs étaient disposées de manière à faire face au centre de la pièce. Une photographie de Robin était scotchée sur le milieu de l'un des bancs. Une photo en noir et blanc à la pose solennelle où ressortaient les yeux noirs de Robin Burrell. Douloureux à regarder, difficile de s'en détourner. Je m'assis sur le banc d'en face. Des gens commencèrent à arriver dans la salle, prirent place, croisèrent les mains sur les genoux et fermèrent les yeux. Je tentai de faire de même, mais l'image persistante du visage de Robin grésilla dans le noir, et je dus ouvrir les yeux.

Les cultes quakers sont faits autant de silences que de paroles. À un signal que je ne perçus pas, les pas traînants et les mouvements cessèrent, laissant la place au calme. Le culte commençait. Près d'une centaine de personnes étaient présentes. Certains avaient les yeux fermés, mais tout aussi nombreux étaient les gens assis, yeux grands ouverts, le regard rivé sur le sol ou perdu au loin.

Après environ une dizaine de minutes silencieuses, un homme se leva. Je lui donnai la trentaine. Il portait des lunettes à écailles de tortue, une moustache brune bien taillée et un gilet sans manche écossais. Il avait les mains serrées l'une contre l'autre, devant lui, et bougeait la tête doucement pendant qu'il parlait à l'assistance. Sa voix était apaisante, douce comme du velours.

— Je suis frappé de l'affection que je ressens ce matin, ici même, pour Robin. Une immense affection.

Il marqua une pause afin d'instaurer un contact visuel avec les personnes présentes. Doucement, méthodiquement, une personne après l'autre.

— Je suis frappé, reprit-il, par l'idée que si un autre d'entre nous avait disparu, Robin aurait été là, ce matin, participant au culte. L'affection de Robin, son attention, sa sollicitude, tout cela flotterait ici, dans l'air, de la même façon que nos pensées et notre affection circulent aujourd'hui entre nous. Je suis frappé par cette idée. Je suis moins frappé par l'absence de Robin que par sa présence. Oui, je sens Robin parmi nous, intensément. Nous pensons à elle, car pour nous elle est bien vivante. L'affection et l'attention que Robin nous a témoignées, à chacun, quand elle était parmi nous, c'est cela précisément que je ressens. Je sens que Robin n'est pas morte. Je le suppose, ou du moins, je l'espère : d'une certaine manière, à travers nous, Robin peut continuer de vivre.

Il balaya de nouveau l'assistance du regard puis se rassit et baissa la tête. À côté de lui, une jeune femme d'origine asiatique laissait couler ses larmes sur ses joues. Une minute plus tard, une grosse femme plantureuse aux cheveux roux se leva et s'éclaircit la voix.

— Robin me demandait toujours comme allait Pepper. Certains d'entre vous savent que Pepper a été renversé par un taxi en août. Ça se voit encore quand je sors le promener. Ses hanches ne sont plus comme avant, il marche bizarrement. Ils ont fait de leur mieux à l'hôpital. Enfin, à l'hôpital pour les animaux. Et Robin me demandait toujours comment il allait. C'était vraiment… vraiment très gentil de sa part.

Elle rougit, puis se rassit. Quelques secondes plus tard, une autre personne se leva et marmonna quelques phrases sur Dieu, en disant qu'il en savait plus que nous. D'autres suivirent. La plupart des messages étaient brefs. Une pensée. Un aphorisme. Une prière. Un homme entre deux âges raconta une histoire sur lui et Robin en train de courir tout le quartier pour trouver des beignets, un jour, juste avant le culte. Cette histoire aurait pu sembler sans intérêt, mais au milieu de son récit, l'homme dû s'arrêter, la voix brisée, incapable de continuer, et il se rassit.

Un long silence suivit et je me retrouvai, comme d'autres personnes j'en suis sûr, à fixer une fois de plus la photographie scotchée sur le banc. Je ne voulais pas que cela arrive, mais plus je restais là à regarder cette photo, plus les clichés pris sur la scène du crime, et que j'avais vus dans le bureau de Joe Gallo − sévices cruels, tapageurs, inutiles − miroitèrent dans mon esprit et se firent de plus en plus nets, interférant avec le visage pur et solennel placé devant moi. Parfois, vraiment, je déteste mon boulot.

À la fin du culte, une collation fut offerte dans le petit gymnase à proximité du bâtiment. La femme aux cheveux roux qui avait parlé de son chien se tenait derrière l'une des tables pliantes et approvisionnait les plateaux en plastique en pâtisseries. Je pris une tasse de café en polystyrène expansé ; elle me gratifia d'un sourire doucereux.

— Bonjour. Je ne crois pas qu'on se connaisse. Vous êtes nouveau dans l'assemblée ?

— Je… oui. C'est la première fois.

— C'est la première fois tout court ou la première fois ici ?

— La première fois tout court.

— Vous êtes un ami de Robin ? demanda-t-elle. On pensait bien que certains de ses amis viendraient ce matin.

— Je la connaissais, oui, répondis-je.

Elle secoua la tête tristement.

— C'est terrible, n'est-ce pas ? Je n'arrive pas à croire qu'elle nous a quittés.

Un couple âgé bifurqua vers les pâtisseries. Je me poussai pour leur faire de la place.

— Et vous ? interrogeai-je. Vous connaissiez bien Robin ?

— Pas vraiment. Enfin, pas en dehors des assemblées. Une fois, je me suis retrouvée au même brunch qu'elle. Mais c'était une coïncidence.

— Et les autres ? fis-je en indiquant tout ce monde

qui grouillait. Elle devait avoir des amis proches dans l'assemblée, non ?

La femme aux cheveux roux sourit de nouveau.

— Nous sommes tous des Amis proches.

Je saisis la subtilité.

— Oui, bien entendu. Mais je ne voulais pas parler dans le sens strict du terme tel qu'il est employé chez les quakers.

D'autres personnes s'approchèrent des pâtisseries et du café. Je me glissai derrière la table. La femme aux cheveux roux me tendit une boîte de gâteaux.

— Vous venez de vous porter volontaire. Au fait, moi, c'est Martha.

— Fritz.

À peine commençai-je à ranger quelques pâtisseries sur un plateau en plastique qu'un gros bonhomme maladroit s'approcha. Il se déplaçait tel une coulée de lave, choppa trois beignets en même temps et continua son chemin sans un mot.

— Beaucoup de gens ici avaient énormément d'affection pour Robin, continua Martha. Vous avez dû vous en rendre compte. La communauté s'est vraiment rassemblée autour d'elle quand cet horrible procès a commencé. Sauf qu'à cette période, on n'a pas vu Robin souvent. Elle sortait peu. Ça lui pesait trop, elle était tout le temps harcelée. Mais on avait des nouvelles d'elle par Edward.

— Edward ?

— C'est l'Ancien qui a parlé de Robin pendant le culte.

— Le moustachu ?

— Oui.

Je balayai la foule du regard et repérai le gars en question, debout, en pleine conversation avec la femme d'origine asiatique qui n'avait pas arrêté de pleurer. Un autre type était derrière eux, adossé contre le mur, pouces coincés dans les passants de ceinture de sa paire de jeans délavés, comme s'il espérait qu'on le prenne pour James Dean. Il avait à peu près ma taille et ma carrure, de longs cheveux blonds raides, un nez fin et une bouche minuscule qui ne passait pas inaperçue. Son visage faisait penser à celui d'un rongeur. Il semblait suivre la conversation avec intérêt, bien que je ne puisse savoir s'il en faisait effectivement partie ou s'il écoutait en cachette. L'homme prénommé Edward semblait très animé, et ponctuait ses mots en frappant sans arrêt le dos d'une main dans la paume de l'autre.

— Vous dites que c'est un Ancien ? demandai-je à Martha. Visiblement, vous ne vous référez pas à son âge. Qu'est-ce que ça veut dire, « un Ancien » ? Que c'est un gros bonnet dans la hiérarchie des quakers ?

Elle s'esclaffa.

— Oui, on peut dire ça comme ça. Edward, c'est un de nos chefs. On les appelle des « Anciens ».

— Et vous dites qu'il est resté en contact avec Robin pendant qu'elle traversait cette période particulièrement difficile ?

— Nous sommes une communauté. Nous sommes une famille. C'est le rôle des Anciens d'être là pour les membres de la famille qui sont en détresse.

— Est-ce que Edward à un nom de famille ?

— Bien entendu. C'est Anger.

Je la regardai l'air surpris.

— Ce n'est pas une blague. C'est vraiment son nom.

— Ed *Anger* ?

— Edward Anger. Répétez-le en boucle : au bout d'un moment, ça vous semblera normal.

Je regardai de nouveau dans la direction de Edward Anger. Il avait pris la main de l'Asiatique entre les siennes.

— Et cette femme, qui est-ce ?

— Oh, ça, c'est Michelle, répondit Martha. Michelle Poole. Une amie de Robin.

Edward lâcha les mains de la jeune femme, puis se fraya un passage à travers la foule. Je me tournai vers Martha.

— Je vous demande la permission de me déporter volontaire.

Elle me lança un regard étrange, puis s'esclaffa à nouveau.

— Oh, bien sûr. Merci pour votre aide, ça m'a fait plaisir de vous rencontrer, Fritz.

— Pareil.

Je pivotai de l'autre côté de la table et entrepris de traverser la salle. Le James Dean à la face de rat se dirigeait vers le buffet. Nos épaules se heurtèrent par accident, mais un seul d'entre nous murmura « pardon ». Pas lui.

Je fis un pas vers l'amie de Robin.

— Michelle ?

— Oui ?

— Bonjour ! Je m'appelle Fritz. Je crois savoir que vous étiez une amie de Robin.

Son visage était aussi pur que de la porcelaine. Pas une imperfection. Ses cheveux noirs comme jais étaient coupés dans un style décoiffé éternel – dans le cas de Michelle, c'était du style *on dirait que je viens de me lever et que je suis dans le cirage*. Ses yeux étaient immenses, surtout pour quelqu'un d'origine asiatique. Sa bouche était petite ; ses joues risquaient de créer une émeute chez les femmes aux pommettes moins proéminentes. Elle portait un t-shirt déchiré à la mode, un côté qui laissait voir son épaule, un justaucorps noir, et un jean délavé qui couvrait deux tiges plutôt que deux jambes.

Elle me dévisagea avec prudence.

— Oui.

— Est-ce que je peux vous parler ?

La prudence se changea clairement en méfiance.

— De Robin ?

— Je suis détective privé. Je cherche à savoir ce qui est arrivé à Robin. Je me demandais si…

— Je sais qui vous êtes, interrompit-elle.

— Vous savez qui je suis ?

— Vous êtes le détective. Vous habitez en face de chez Robin.

— Ça n'est pas exactement chez moi.

— Mais c'est vous. Robin m'a beaucoup parlé de vous. Elle me disait que votre présence était apaisante. Ce sont ses propres mots.

— Est-ce qu'on pourrait s'asseoir quelque part ?

— Bien sûr.

Je la suivis jusqu'à un banc, près de la porte, où nous prîmes place. Elle passa d'une tige sur l'autre, et se tourna vers moi.

— Ça, c'est sûr, elle vous aimait bien. C'est vrai, l'an dernier, tout le monde en avait après elle. D'abord ce salaud de Fox, ensuite les magazines, et enfin les gens de la télé. Et aussi ces tarés qui n'arrêtaient pas de l'appeler ou de lui écrire. Qui pouvait lui en vouloir de devenir un peu parano ? Tout ce que Robin voulait, c'était de se glisser sous sa couette et se cacher la tête sous l'oreiller. Mais vous… elle disait que vous étiez différent des autres. Que vous étiez attentionné. Je suis contente d'avoir la chance de vous rencontrer.

Mais j'aurais aimé que ce soit dans d'autres circonstances.

— Je regrette tellement ce qui est arrivé.

— Ça me fiche encore les jetons. Enfin, j'arrive toujours pas à le croire. Il n'y avait pas plus sympa que Robin, réellement. Pour commencer, elle n'aurait jamais dû sortir avec Fox. C'était un gros fantasme. Quand il a été arrêté et accusé du meurtre de ces deux filles, Robin a carrément été malade. Pour de bon. Cela faisait trois mois qu'elle couchait avec ce type… Bon, je ne veux pas dire que c'était une sainte ou quoi que ce soit, non, elle aimait ça.

— Ça ?

— Oui. Le sexe. Mais Robin avait une vie sexuelle normale, pas tordue comme on a essayé de le faire croire pendant le procès. C'était une jeune Américaine normale habitant New York au vingt et unième siècle, vous voyez ? Que je sache, on ne charcute pas une fille de nos jours parce qu'elle n'est plus vierge, non ?

— C'est votre théorie ? Que quelqu'un a tué Robin parce qu'il était révolté par son attitude, parce qu'il considérait qu'elle menait une vie de dépravée ?

— Franchement, j'en sais rien. Je réfléchissais à haute voix. Qui peut entrer dans la tête d'un tordu ? Robin était une fille bien. C'est elle qui m'a introduit chez les quakers. Elle m'a fait venir, un jour, et ça m'a vraiment plu. On n'a pas besoin de signer quoi que ce soit, c'est plutôt cool. Ici, on accepte les gens tels qu'ils sont.

J'aperçus Edward Anger près du buffet.

— Et lui ?

Elle suivit mon regard.

— Edward ? Que voulez-vous savoir ?

— Il paraît qu'il est resté en contact avec Robin pendant qu'elle se terrait dans son appartement.

— Oui, il l'a appelée de temps en temps. Je crois aussi qu'il est passé chez elle une ou deux fois, histoire de voir comment elle allait.

— En tant que quaker, il n'avait aucun problème par rapport au fait que Robin soit mêlée à l'histoire de Fox ?

Michelle s'esclaffa.

— Vous voulez dire, s'il a fait un scandale ? Pas du tout. Je vous l'ai dit : les quakers sont plutôt cool. C'est vrai qu'ils ont le parler franc et tout le tralala, mais honnêtement, vous avez déjà été dans une église catholique ? Je t'en ficherais, moi, des châtiments et des feux de l'enfer !

— M. Anger a quand même fait un sacré discours, dis-je.

— Bien sûr, Edward ne sait pas dire « bonjour » sans y ajouter des fioritures dans tous les sens. Il est comme ça, c'est tout.

Je laissai tomber le sujet.

— Est-ce que Robin vous a déjà parlé de Zachary Riddick ? Je me souviens avoir vu une partie de son témoignage à la télé. Riddick l'avait carrément traînée dans la boue…

Michelle roula des yeux.

— Et pas qu'un peu ! J'étais dans la salle d'audience quand il a fait son sale petit numéro. Robin m'avait demandé si je pouvais être là et la soutenir moralement durant les jours où elle témoignait. Vous avez vu le jour où il l'a carrément draguée à la barre des témoins ? Incroyable ! Et ça, c'est un avocat de la défense ? Ce type est censé diriger un contre-interrogatoire et il lui met pratiquement la main sous la jupe.

Pas vraiment, bien sûr. Mais franchement, ce n'était pas loin. Robin m'a raconté qu'après, elle s'était sentie exactement comme s'il avait fait ça. Souillée. C'était dégoûtant. Expliquez-moi l'intérêt qu'il peut y avoir à étaler la vie privée d'un témoin ! C'était répugnant, ce qu'ils lui ont fait subir. C'est Fox qui l'a séduite et pas l'inverse. C'est lui qui a cette réputation de tombeur, pourtant Riddick a essayé de faire passer Robin pour une provocatrice. Pratiquement pour une pute. Il ne pouvait pas être plus loin de la réalité.

— Je sais, dis-je. Il a ficelé toute sa défense autour du fait que Fox et sa femme se sont remis ensemble une fois qu'il a réussi à se débarrasser de toutes les harpies qui lui suçaient la moelle uniquement parce qu'il était une star en pleine déprime. Riddick voulait trouver un angle favorable à son client, le faire passer pour un type sensationnel.

Michelle explosa.

— Il a tué *deux femmes* ! Sensationnel, mes fesses, oui !

Des têtes se tournèrent vers nous. Des larmes jaillirent des yeux de Michelle et elle les essuya rageusement du dos de la main.

— Excusez-moi. Mais franchement, ce type était un vrai barjo. Je veux dire, Riddick et Fox. Mais surtout Riddick. Vous savez ce qu'il a fait ?

Elle se tapota les yeux avec le dos du poignet.

— Avant de faire appeler Robin à la barre des témoins, il m'a demander de venir dans son bureau. Je ne sais franchement pas pourquoi j'y suis allée. C'était complètement idiot. Mais moi, je ne sais pas comment ça se passe, ces choses. Je me suis dit : « Je ferais n'importe quoi, si ça peut aider Robin. » Et là, il a essayé de me faire dire des trucs pourris sur elle.

Sur Robin. J'arrivais pas à le croire ! Il avait mené sa petite enquête sur *moi*. Il a commencé à me raconter des trucs que j'avais faits, *moi*. Il avait une liste de tous les gars avec qui j'étais sortie, des trucs dans ce genre. Comme si c'était important pour l'affaire ! J'étais sortie avec un type, une ou deux fois, mais on n'était pas vraiment amoureux. Un soir, on est sortis tous les trois et, entre Robin et lui, le courant est passé. Notre histoire à nous ne menait à rien de toute façon et il a appelé Robin pour lui proposer de la voir. Elle m'a demandé ce que j'en pensais. Elle ne serait jamais sortie avec lui si elle avait su que ça me posait un problème, mais moi, je m'en fichais. Et ça s'est terminé comme ça. Rien de plus. La vie dans une métropole.

— Mais Riddick a essayé d'en faire toute une histoire ?

— Des tonnes. Il voulait me faire dire que j'étais secrètement furax contre Robin, que c'était une obsédée de sexe, une mangeuse d'hommes, et encore plein d'autres conneries. Je lui ai dit d'aller se faire voir.

—C'est un truc vieux comme le monde, dis-je. Les avocats tentent ce genre de manœuvres tout le temps.

— C'est pas fini. Quand j'étais dans son bureau, il m'a fait des avances. Et pas qu'un peu. Pareil que ce qu'il a fait avec Robin à la barre. L'enquête sur ma vie privée, ma vie sexuelle, tout ça, je crois que ça l'avait échauffé. Il se croyait sans doute irrésistible. Mais je peux vous dire un truc : moi, je le trouvais tout sauf irrésistible. J'aurais dû contacter l'association des avocats ou quelque chose dans le genre. Ça ne pouvait pas être éthique, ce qu'il m'a sorti. Vous savez ce qu'il m'a fait ? Il a commencé par me parler de moi, me décrire en détail. Comme si je ne me connaissais pas. Il a peut-être cru que c'était un compliment, ou que c'était sexy. Mais pas du tout. Je n'avais qu'une seule envie : me barrer au plus vite. Deux jours après, j'étais à un café, près de chez moi, un endroit où je vais toujours. Et il était assis là, comme s'il m'attendait. Avec un grand sourire.

— Vous voulez dire qu'il vous a harcelée ?

— Je ne sais pas si on peut dire ça. Je l'ai juste vu un autre jour, sur le quai du métro, peut-être une coïncidence… Mais c'était peu de temps après l'épisode du café. Et il avait son petit regard supérieur. Il a commencé à descendre sur le quai, mais la rame est arrivée et je suis montée tout de suite dedans. Je suis sortie à l'arrêt suivant.

— Vous en avez parlé à quelqu'un ?

— Non, pas vraiment. Enfin, je l'ai dit à quelques Amis, mais pas à Robin. Les choses étaient déjà assez difficiles comme ça pour elle. En tout cas, ce type me foutait les jetons. Depuis, je regarde toujours par-dessus mon épaule.

— Vous n'avez plus besoin de faire ça, maintenant.

— Parce que Riddick est mort ? Ouais, c'est ce que vous pensez. Je peux vous confier quelque chose ?

Ses yeux balayèrent la pièce du regard avant de se reposer sur moi. Elle baissa la voix et se rapprocha, un parfum de vanille voletait autour d'elle.

— Même s'il est mort ? Eh bien, j'ai quand même toujours l'impression que quelqu'un me surveille, que quelqu'un me suit. Je suis peut-être complètement marteau, mais c'est l'impression que j'ai. C'est comme… comment dire ? Comme si les yeux de quelqu'un étaient posés sur ma peau. Je ne sais pas comment vous le décrire, mais c'est vraiment flippant.

— Vous avez vu quelqu'un ?

— Vu pour de bon ? Non. Mais je sais que quelqu'un est là. Je le sais. Juste après avoir entendu que Riddick avait été retrouvé mort dans le parc, j'aurais juré que quelqu'un me suivait. Et c'est arrivé au moins deux ou trois fois depuis. Je n'aime pas ça. D'abord, Robin se fait assassiner, puis Riddick. Et ce message sur le répondeur de Robin. Je ne sais pas quoi vous dire… Cette ville commence à me foutre les jetons sérieux. J'ai la trouille.

Je lui tendis ma carte.

— Si ça recommence, appelez-moi. Vous êtes peut-être tout simplement paranoïaque, ce qui serait parfaitement compréhensible. Mais appelez-moi quand même. Allez dans un lieu où il y a beaucoup de monde et appelez-moi.

Michelle frissonna. Des larmes s'accumulèrent de nouveau au bord de ses paupières, mais ne roulèrent pas.

— Je n'arrive pas à croire ce qui est arrivé à Robin. Un jour, elle est vivante, et le lendemain… Je ne peux même pas imaginer combien elle a dû avoir peur. Quel monstre peut faire une chose pareille ?

Je tapotai ma carte de visite.

— Appelez-moi, d'accord ?

— D'accord.

Ses yeux humides clignèrent sur la carte.

— Je peux vous l'assurer. S'il le faut, je crierai à l'assassin… À pleins poumons.

Je priai pour qu'on n'en n'arrive pas jusque-là.

12

À quelques rues de la Maison quaker, je tombai sur Megan Lamb. Elle se cramponnait au volant d'une Ford Crown Victoria de service bloquée en travers du trottoir. Un type pesait de tout son poids sur l'arrière du véhicule et Megan hurlait par la fenêtre ouverte côté conducteur :

— Mets-toi au milieu ! Fais gaffe de pas te coincer la jambe dans la grille !

Elle me lança un regard sans avoir l'air un brin surprise.

— Malone. Tu veux bien te rendre utile ?

Je contournai le véhicule et me plaçai près du gars penché sur le coffre. Jeune. L'air impertinent.

— Attention à la grille, marmonnai-je. Vous risquez de vous coincer la jambe.

La Ford avait pris un virage serré sur la 15ᵉ rue et la roue arrière gauche avait dérapé sur une bande de neige verglacée. Mauvaise adhérence. Une grille en métal était coincée contre la roue.

— Elle va s'emballer, grimaça le type.

Il avait raison. Megan appuya sur l'accélérateur comme si elle s'élançait sur le circuit de Daytona. Le pneu crissa en tournant à toute allure. L'arrière du véhicule s'ébranla mais n'avança pas d'un pouce. La voix de Megan résonna par-dessus le crissement.

— Poussez !

J'échangeai un regard avec le type.

— Dites-lui, me lança-t-il. Moi, elle m'écoute pas.

Je m'approchai de la porte ouverte côté conducteur au moment où Megan relâchait l'accélérateur.

— Tout ce que tu es en train de faire, c'est de polir la glace, lui dis-je. Il faut qu'on te fasse bouger d'arrière en avant. Appuie sur le champignon seulement quand c'est vers l'avant.

Elle marmonna quelque chose qui ressemblait à un acquiescement et je retournai me placer derrière la voiture. On réussit à la faire balancer légèrement, et après quelques mouvements d'arrière en avant, Megan commença à appuyer sur l'accélérateur. La troisième fois, la manœuvre fonctionna à merveille. On s'appuya de toutes nos forces sur le coffre. La Ford se déporta légèrement sur la droite puis cahota sur le bitume. Une masse fusa à hauteur de mon genou. C'était la grille en métal. Elle s'empala dans une congère.

Megan dégagea en douceur la voiture et la gara en double file. Le jeune se tourna vers moi.

— Ryan Pope. Et vous devez être Fritz Malone…

C'est sympa d'avoir quelqu'un qui s'occupe de faire les présentations pour deux.

— Vous êtes le coéquipier de Megan ? demandai-je.

— C'est ça.

— Elle devrait peut-être vous laisser conduire.

— Vous savez ce que le sain d'esprit dit au maniaque perfectionniste ?

— Quoi ?

— Rien, justement.

Megan sortit de la voiture. Ses mains étaient rouges de froid. Elle les mit devant la bouche et souffla dedans.

— Il t'a raconté l'histoire du pneu crevé ?

— En plus, vous avez crevé ?

— Sur l'avenue Lexington, répondit Pope en montrant son pantalon au niveau des genoux, tâché et trempé.

— Et puis vous êtes arrivés ici et vous avez dérapé sur le trottoir…

— Ça sert à rien que j'achète un ticket de loterie aujourd'hui, j'ai l'impression, plaisanta Megan.

— Pas sûr. Puisque j'ai croisé votre chemin, la chance a peut-être tourné.

— Tu reviens de chez les quakers ?

— Tout juste.

— C'est terminé, je suppose.

— Oui.

Megan fronça les sourcils.

— Alors, la chance n'a pas tourné.

Elle leva les yeux et fixa le ciel pur quelques secondes. Ses joues étaient deux ronds d'un rose éclatant.

— Joe m'avait averti que tu risquerais de fourrer ton nez dans l'affaire Burrell.

— Ton patron a vraiment un instinct pas possible.

— Je suppose que ça ne sert à rien que je me rende là-bas, à présent…

— Il reste peut-être encore quelques personnes. Ils servent du café et des gâteaux après le culte.

Megan se tourna vers son coéquipier.

— Ryan, tu veux bien aller voir s'il y a encore quelqu'un à interroger ? Si tu trouves des survivants, garde-les bien au chaud, j'arrive tout de suite. Mais avant, je dois débriefer M. Malone. J'ai l'impression qu'il a raflé toutes les bonnes affaires.

Pope acquiesça sans un mot et se mit en route.

— Un petit nouveau ? demandai-je à Megan.

— Pope ? Non. Il apprend vite. Joe me l'a attribué comme coéquipier quand je suis rentrée, au mois d'avril. Pope n'a pas eu la possibilité de refuser.

— Pourquoi aurait-il refusé ? Parce que tu es une femme ?

— Oh, s'il te plaît… Si ça n'avait été que cela, ça aurait été de la gnognotte. Tu sais très bien pourquoi.

— Madden.

Elle acquiesça.

— Dans le métier, les flics qui perdent leurs coéquipiers n'ont pas bonne presse. Il était facile pour Joe de m'assigner un bleu.

Elle faisait référence à l'inspecteur Christopher Madden, le coéquipier de Megan la nuit où elle a déchargé la totalité du chargeur de son arme de service sur Albert Stenborg, dit « le Suédois ». Megan venait de démasquer le monstre qui, depuis deux mois, brutalisait des jeunes femmes au cœur de New York. Depuis Chinatown, elle avait informé Madden par radio qu'elle se dirigeait vers la péniche de Stenborg, à Sheepshead Bay et lui avait demandé de l'y retrouver. Arrivée sur les lieux, elle vit sa meilleure amie mutilée et morte, aux pieds de Stenborg. Sur le sol de la cuisine, elle découvrit le corps de Chris Madden baignant dans une mare de sang. On lui avait arraché le cœur et fourré dans la bouche.

— Allons ailleurs, dit Megan. Je ne suis pas faite pour ce froid.

Nous entrâmes dans un Joe Junior pour nous

installer dans un box, près de la fenêtre. Megan sortit son téléphone portable.

— Je demande qui, chez les quakers ?

— Tu vas jamais me croire, répondis-je en ôtant mon manteau.

— Balance toujours.

— Edward Anger.

Elle leva un sourcil puis parla dans le combiné.

— Ry ? C'est Megan. Regarde voir si un certain Edward Anger est toujours dans les parages. Si tu le trouves, rappelle-moi.

Elle raccrocha.

La serveuse arriva et nous commandâmes deux cafés.

— Alors, tu as parlé avec cet Anger ?

— Non, mais toi, tu voudras certainement lui poser quelques questions. C'est un gros bonnet à la Maison quaker, ils appellent ça des « Anciens ». Il semblerait que ce gars prenait de temps en temps des nouvelles de Robin et s'assurait de sa santé mentale.

— Intéressant. En personne ?

— Je crois bien. C'est une amie de Robin qui me l'a dit, Michelle Poole.

Megan griffonna les noms dans son carnet.

— Edward Anger a fait un joli discours ce matin, en disant que l'esprit de Robin était toujours parmi nous.

— Charmant. Mais mon problème, ce n'est pas son esprit : c'est ce qu'on a fait subir à son corps.

— Je suppose que tu l'as vu, fis-je. Son corps, je veux dire.

— Oh, je l'ai vu, parfaitement. Quel genre de fou furieux pourrait faire ce truc avec le miroir ? Tu es au courant ? Le meurtrier lui a enfoncé un morceau du miroir de la salle de bain juste ici, dit-elle en plaçant ses doigts au milieu de sa gorge. Comme s'il voulait qu'elle se regarde mourir, c'est monstrueux !

— J'ai vu les photos.

— Essaie en live.

— Non, merci.

Elle ferma son calepin d'un coup sec.

— Je n'arrête pas de penser à elle à la barre des témoins, sachant pertinemment qu'elle avait fait une erreur en se frottant à Fox. Elle regrettait ce qu'il s'était passé. Tu te souviens de ses paroles ? Quand elle a craqué à la barre ?

— J'ai raté ce passage.

— *Tout ce que je veux, c'est retrouver ma vie.* Voilà ce qu'elle a dit. *Tout ce que je veux, c'est retrouver ma vie.* Je sais pas si tu crois en l'au-delà, mais s'il existe quelque chose après la mort, qu'est-ce que tu crois qu'elle pense, là où elle se trouve ? La même chose. *Tout ce que je veux, c'est retrouver ma vie.*

Les cafés arrivèrent. Megan ignora le sien. Son regard se perdait à travers la vitre jusqu'à une bataille de boules de neige qui se déroulait sur le trottoir. Une boule frappa la vitre, tout près du visage de Megan qui n'eut aucune réaction.

La jeune femme se détourna de la fenêtre.

— Joe m'a dit que tu connaissais Robin Burrell.

— Pas vraiment. Je lui ai parlé deux ou trois fois…

— Deux ou trois fois ? Elle a dû te faire une sacré impression. Je suppose qu'il y a mieux que la messe à la Maison quaker pour passer ses dimanches matins…

J'avais l'impression de revivre ma conversation avec Margo. La différence, c'est que Megan Lamb semblait réellement intéressée. Elle posa les coudes sur la table et son menton sur ses mains.

— Raconte.

Je haussai les épaules.

— On ne contrôle pas toujours nos émotions. Robin Burrell était presque une étrangère pour moi, on a eu quelques échanges brefs, rien de plus. Mais peu importe. Je ne supporte pas l'idée que quelqu'un puisse entrer brusquement dans la vie d'une personne et tout lui enlever, ça me fout en rogne.

— Tu prends ça très à cœur, on dirait.

— Ne me colle pas d'étiquette, je suis comme ça, c'est tout. Mon boulot, c'est de dénicher les tordus qui font ce genre de trucs. C'est seulement lorsque je leur mets la main au collet et les refile à la police que j'arrive à dormir sur mes deux oreilles. Si j'étais devenu prêtre, comme ma mère l'espérait, j'aborderais certainement les choses différemment.

— Dormir sur ses deux oreilles… Je crois que j'ai lu un truc là-dessus, un jour.

Megan leva le menton et versa du lait dans son café, puis le remua lentement avec une cuillère, en faisant des huit miniatures.

— J'ai un frère, Josh, qui a quelques années de moins que moi. Tu sais ce qu'il me fait faire, mon petit frère ? Chaque fois que je tombe sur un cadavre, Josh me demande de lui décrire la victime. Il me fait asseoir et il dessine les détails.

— Il aurait pas des tendances morbides, ton petit frère ?

Un éclair traversa son regard et disparut aussi vite. Quelque chose qui ressemblait à de la colère. Elle posa sa cuillère.

— Pas du tout, c'est tout le contraire. Si je n'avais pas Josh, je serais déjà morte depuis longtemps.

— Pourquoi cette curiosité, alors ?

— Ce n'est pas de la curiosité. C'est pour mon bien. Il refuse que ce que je vois pourrisse à l'intérieur de moi. Je suis certaine que ça a l'air bête de dire ça, mais Josh est une personne très intuitive. C'est moche, le corps d'une personne assassinée, très moche. Tu en as vu, tu sais de quoi je parle. Je suis entraînée à ne pas me laisser toucher par cette laideur et à juste faire mon boulot. Mais pour Josh, mon boulot est une sorte de poison, il me pousse à lui décrire ce que je vois, dans le détail, pour me… désintoxiquer. Je ne trouve pas de meilleur terme. Il pense que ça m'aide à sortir ces horreurs de moi.

— Et c'est le cas ?

— J'en sais rien.

— Tu te sens mieux après ?

— Mieux ?

Elle soupesa l'espace vide au-dessus de ses paumes ouvertes et tournées vers le haut.

— Cela fait du bien de savoir que quelqu'un se soucie de moi.

Elle regarda de nouveau par la fenêtre. Il n'était pas difficile de voir que quelque chose la tracassait. Lorsqu'elle se retourna, elle était sortie de ses pensées.

— Dans cette affaire, tu es un cow-boy, Fritz. Tu chevauches ta monture pour des raisons personnelles. Quelles qu'elles soient, elles ne me regardent pas. Tout ce que je veux, c'est attraper le salaud qui a assassiné Robin Burrell et Zachary Riddick. Et, dans mon cas, ça n'a rien à voir avec une histoire de fierté. Je me fiche bien de savoir comment on va lui mettre la main dessus, je ne vais pas perdre ma salive à te dire de ne pas te mêler de cette affaire. Tu n'es pas né de la dernière pluie et on a déjà eu ce genre de conversation. Tu connais la différence entre enquête et interférence. Alors, n'interfère pas, c'est ça mon message. Point final. Pope et moi, on est sur ce coup. Et ne te méprends pas : j'ai Joe Gallo sur le dos tout le temps. On ne peut pas se permettre de laisser cette histoire déraper. New York n'a pas besoin d'un tueur fou courant les rues et baignant de sang notre jolie neige fraîche. En tout cas, je te remercie pour ce Anger. Je vais me renseigner et je vais aussi interroger Mlle Poole. Si je n'avais pas crevé une roue, je serais en train de te lire tes droits. Mais, comme je viens de te le dire, tout ce qui m'intéresse, c'est d'attraper ce salaud. À n'importe quel prix. Je n'aime pas du tout rester assise sur une chaise à décrire des cadavres à mon petit frère, ça me donne l'impression d'être handicapée.

— Handicapée ?

— Ouais. Et je n'aime pas ça.

— Tu lui as déjà décrit Robin ?

— Pas encore.

— Alors la laideur est encore en toi.

Elle ne répondit pas. Ce n'était pas nécessaire.

13

J'attrapai un taxi pour remonter dans le nord de Manhattan. J'avais senti mon téléphone vibrer pendant que je parlais avec Megan, mais je n'avais pas répondu. C'était Margo. Elle avait laissé un message.

« Tu te souviens de la fois où tu étais venu avec moi, quand je retrouvais des copines rédactrices pour prendre un verre avec elles ? On avait parlé fringues, échangé des idées d'articles, débattu pour savoir qui avait le plus gros popotin de toute la rédaction... Tu te souviens ce que tu m'as dit après ? Que tu n'avais pas réussi à trouver ta place, que ce n'était pas ton monde ? Tu... tu devrais peut-être réfléchir à ça de temps en temps, en ce qui nous concerne. Je regrette, Fritz. Ce n'est pas la première fois que ça nous arrive. Je ne connais pas les cadavres qui font partie de ton boulot, et je ne veux pas les connaître. Tu rentres dans la vie de ces macchabées. Mais moi, j'ai pas envie qu'ils rentrent dans la mienne. Ils ne font pas partie de mon monde. Tu comprends ? Je... bon, je sais même plus ce que je raconte. Ce n'est pas grave. Laisse tomber. Je déteste parler à un répondeur. Écoute... ce soir, je vais dîner avec quelques copines à Greenwich Village. Reste plutôt chez toi, ça rendra les choses plus faciles. Je sais que tu seras perdu sans moi, mais tu t'en sortiras… un grand gaillard comme toi. On reparlera de tout ça quand… Et merde ! Laisse tomber. C'est du n'importe quoi. C'était Margo le moulin à parole. Terminé. »

Je rangeai mon téléphone dans la poche et fixai le chauffeur de taxi qui me regardait dans le rétroviseur. *Un grand gaillard comme moi.* On n'en était pas à notre première dissonance, Margo et moi ; mais cela ne nous était pas arrivé depuis un sacré bout de temps. La dernière fois, je m'étais interdit toute réaction instinctive et je ne lui avais pas fait porter le chapeau. Enfin, pas entièrement. Le problème avec mon métier, c'est que mon boulot ne reste pas au bureau.

Je suis un bureau ambulant, je fais un boulot mobile, qui se fait aussi bien avec la tête qu'avec les pieds. Margo a raison, c'est vrai que je me glisse dans la vie de personnes mortes.

Habituellement, elles sont déjà froides lorsque je les rencontre, mais parfois non. Quelques fois, elles sont comme Robin Burrell, et j'ai un petit aperçu de leur vie avant leur fin brutale. Margo n'était pas comme Josh, le frère de Megan.

C'est ce qu'elle me rappelait dans son message. À trois, il y en a toujours un de trop. Et Margo n'était pas du genre à se laisser pousser dehors.

Elle n'avait pas été honnête lors de notre conversation un peu plus tôt : il lui arrive bien d'être jalouse. Et mon attention se tourne vers d'autres personnes lorsque je travaille, peut-être un peu trop. *Un grand gaillard comme moi.*

Je déteste la vue des macchabées, ça me dégoûte et me perturbe, mais ça me pousse aussi à retrouver le coupable, à n'importe quel prix.

Je ne jette pas la pierre à Margo, elle n'a pas envie d'y être mêlée, c'est compréhensible. D'ailleurs, je n'aime pas partager ce genre de choses. « Ravale », me disait toujours Charlie. « Un boucher se lave les mains avant de rentrer chez lui. Tu dois faire pareil. Et si tu n'y arrives pas, attends avant de prendre le chemin de la maison. »

Le taxi me lâcha devant l'église du Sacré-Cœur. La deuxième messe venait de se terminer et les fidèles sortaient. Shirley Malone se tenait devant le grand portail, en haut de l'escalier et testait l'endurance auditive du père Manekin. Au moment où le prêtre me vit monter les marches, j'aurais juré le voir articuler une prière silencieuse.

— Fritz. Comme je suis content de te voir !

— Mon père.

— Tu arrives trop tard, j'en ai peur. J'ai déjà renvoyé la congrégation.

— Dommage. Quel était le thème du jour ?

Ma mère répondit pour lui.

— L'égalité d'âme. Ça veut dire que tu n'es pas plus important qu'un autre.

Elle me lança sa version d'un regard noir, contre lequel j'avais depuis longtemps développé une résistance totale. Le père Manekin trouva là une brèche pour s'esquiver.

— Donne-nous de tes nouvelles, Fritz.

Il serra la main de ma mère.

— Je me souviendrai de vos paroles, Shirley.

— Qu'est-ce que tu lui as dit ? lui demandai-je après le départ du curé.

Shirley me présenta son coude afin que je la conduise majestueusement au bas des marches.

— C'est entre Theo, le Seigneur et moi.

Je me sentis béni par cette exclusion.

Nous nous arrêtâmes chez un fleuriste de la 9e avenue pour acheter une brassée de lys avant de prendre le métro jusqu'au Queens. Il paraît que ma mère ressemble à Maria Callas avec une touche d'Audrey Hepburn, ce qui est une bonne description du côté imprévisible de sa personnalité. Cela renvoie aussi au fait que c'est une femme menue, au long cou, au visage charmeur et à la chevelure noire comme du jais. Elle approche de la soixantaine, mais il ne faut jamais aborder ce sujet, sous peine de voir surgir son petit poing dur et de se retrouver avec un œil au beurre noir. Imaginez une force de la nature dans une robe taille trente-quatre : voilà ma mère. Elle a grandi à Hell's Kitchen – tout comme moi – et y habite toujours, avec les souvenirs de ce quartier tel qu'il était avant que les investisseurs et les loyers bourgeois effacent non seulement la couleur de tout le coin, mais également son nom même.

Il s'appelle désormais Clinton, un nom qui endort avant même d'avoir fini d'être prononcé. Shirley est un fantôme authentique de ce vieux quartier. Il y a beaucoup moins de petits bars qu'avant, mais elle s'y accroche avec son habituelle ténacité.

Nous sortîmes sur la 40e rue pour faire à pied les quelques pâtés de maisons jusqu'au cimetière Calvary. Ma mère se signa avant d'entrer tout en me fusillant du regard.

La neige récemment tombée avait laissé sur le cimetière une délicate couche blanche, percée par les centaines de pierres crayeuses qui surgissaient du sol, telles des dents de longueurs inégales. Nous longeâmes la route sur une centaine de mètres avant de nous frayer un chemin au milieu de la neige jusqu'à une tombe toute simple sur laquelle était inscrit PATRICK MALONE. Shirley soupira.

— Voilà.

Elle ne parlait pas de la tombe. Elle faisait référence au petit bouquet de pâquerettes trônant sur la pierre tombale. Je fis un mouvement en avant mais Shirley posa une main sur ma poitrine.

— N'avance pas.

Elle parcourut le site du regard.

— Merde. Il devrait y avoir des traces de pas.

Elle avait raison. Partant du principe que les fleurs avaient dû être laissées un peu plus tôt dans la journée, date anniversaire où les restes de mon oncle Patrick avaient été identifiés et donc à l'enregistrement officiel de sa mort, il aurait dû y avoir des traces de pas dans la neige. Il n'y en avait aucune.

— Il est trop malin pour ça, siffla Shirley entre ses dents. Il connaissait les prévisions météo et il est venu plus tôt, maudit soit-il.

Elle planta ses lys dans la neige puis ramassa les pâquerettes sur la tombe, se signa, et enfouit son visage dans le bouquet de fleurs.

Un an avant ma naissance, un agent en civil de la police spéciale de lutte contre le crime organisé qui cherchait à infiltrer les gangs de Hell's Kitchen perdit l'un de ses informateurs, Patrick Malone, un jeune homme de dix-neuf ans. Le frère jumeau de ma mère. Le flic en civil avait travaillé Patrick au corps pendant des mois, devinant dans ce jeune dur une veine sous-jacente d'humanité et il s'en occupait assidûment, de la façon dont un bon jardinier s'occupe de ses plantes.

Ce dont le flic avait oublié de s'occuper avec autant de soin, c'était de bâtir des garde-fous afin de protéger Patrick de ses copains dans l'éventualité où leur « relation » éclaterait au grand jour. Ce qui se produisit. Le flic infiltré fut découvert, et dix jours après la disparition de Patrick, un sac à poubelle noir très résistant s'échoua sur le sable de Rockaway Beach à Brooklyn. Cinq jours plus tard, Shirley Malone regarda, la tête baissée, les maigres restes − aucun autre sac ne fut retrouvé − descendre dans un tombeau du cimetière de Calvary. Il paraît que ma mère déboucha sa première bouteille de whisky cet après-midi-là et réussit à la descendre jusqu'à la moitié de l'étiquette avant qu'un flic vienne voir ce qu'elle faisait et y mette un terme.

Une semaine après l'enterrement, le flic en question et Shirley entamèrent une relation. Cela dura quatre mois. Le flic était marié et père d'un enfant avec un deuxième en route. Il n'apprendrait que plusieurs mois après avoir rompu avec Shirley qu'elle était enceinte de moi et qu'elle comptait me garder. Sa relation avec la dive bouteille avait déjà pris son rythme de croisière.

Après ma naissance, le flic mit un point d'honneur à garder un œil sur moi et sur ma mère à chaque fois qu'il le pouvait, passant chez nous de temps à autre. Parfois, j'étais invité à quitter l'appartement pendant une heure afin qu'ils puissent papoter un peu.

Jusqu'à un certain point, malgré sa présence sporadique dans ma vie, mon vieux avait réussi à me modeler, par son immense charisme et le nom qu'il s'était fait en montant lentement mais sûrement les échelons de la police de New York.

Je fis moi-même un tour du côté du Département de la police de New York pendant quelque temps, je passai même un an à l'école de justice pénale John Jay, bien que je fuyai rapidement hors de cette voie. Enfin, mon père fut nommé commissaire divisionnaire de la ville de New York. Commissaire division-naire Harlan Scott. Mais un après-midi d'été, après quatre ans en poste, il démissionna sans préavis, sans explication.

Cinq jours plus tard, il disparut dans la nature sans laisser la moindre trace. Il fallait être particulièrement attentif, ce que j'étais, pour s'apercevoir que la relation que ma mère entretenait avec la bouteille devint plus étroite encore après la disparition de mon vieux.

Quinze ans plus tard, huit ans après que Harlan Scott ait été déclaré mort officiellement, elle ne se lasse pas de me rappeler combien les hommes qui comptent le plus dans sa vie ont une fâcheuse tendance à disparaître.

Le plus troublant avec ces pâquerettes sur la tombe de mon oncle, c'est que Harlan Scott mettait un point d'honneur à venir chaque année à la date anniversaire de la mort déclarée de Patrick Malone, pour y retrouver ma mère, et y déposer un bouquet de pâquerettes.

Depuis quinze ans, à chaque anniversaire de la disparition de Harlan Scott, immanquablement, des pâquerettes sont mises là. Je savais que ce n'était pas mon père qui les y déposait. Le poids que je sentais peser sur mon estomac me disait qu'il était aussi mort que cet oncle que je n'avais jamais connu. Mais ma mère a une autre façon de voir les choses. On pourrait penser que j'exagère, mais non : quelque chose en elle se réjouissait de cette angoisse annuelle et de la découverte des mystérieuses pâquerettes sur la tombe de son frère. Elle se maria (et plus tard divorça), mais aucun autre homme sur terre ne prit jamais la place de mon père. La présence inexpliquée des pâquerettes lui donnait le genre de faux espoir qui alimente un chagrin constant, une douleur avec laquelle ce petit bout de femme forte était malheureusement trop à l'aise.

Après plusieurs minutes silencieuses, nous quittâmes le cimetière. Comme elle le faisait toujours, ma mère fit une pause à la sortie. Elle balaya lentement du regard les bâtiments courant sur la droite et la gauche, en face de nous. Une année, elle avait même apporté des jumelles. Sa tactique était de rester visible pendant une minute ou deux, au cas où quelqu'un nous espionnerait. Les fenêtres des bâtisses nous fixaient sans expression, telles des centaines d'yeux opaques et vides d'expression.

Shirley voulait prendre un verre. Comme je ne suis pas son chaperon, nous plongeâmes dans un bar appelé The Lounge. Sombre. Confiné. J'aurais juré que, sur le comptoir étaient posés les mêmes coudes que l'an dernier, et que l'année précédente. Nous nous assîmes à une table près d'un flipper silencieux ; j'allais chercher un old-fashioned pour la dame et un Irish-coffee pour moi, généreux côté Irish.

Plusieurs mois après la disparition du commissaire divisionnaire Harlan Scott, on me recommanda Charlie Burke, détective privé du Queens, à qui je confiai le soin de mener sa petite enquête et de voir ce qu'il pouvait trouver. Je n'avais jamais eu confiance dans l'enquête officielle. Il est si facile de se faire des ennemis quand on est un flic en pleine ascension, et encore plus lorsqu'on est arrivé au sommet. Une cible facile. Une proie idéale. Charlie réussit à faire la lumière sur un certain nombre de personnes qui auraient été bien heureuses de contribuer à la disparition de Harlan Scott, mais en fin de compte, rien de vraiment solide.

Entre-temps, je reçus mon agrément de détective et me plaçai sous la tutelle de Charlie. Un bien meilleur choix pour moi : essayer de suivre les pas de mon vieux n'avait été qu'une tentative sentimentale de ma part, idiote tout simplement.

Le travail sur une mission définie me correspondait mieux, fouiner en solitaire également. Charlie affirmait que je possédais déjà tous les éléments bruts nécessaires ; ce n'était plus qu'une question d'ajustement et d'apprentissage des astuces du métier, ainsi que de quelques coups et quelques bleus, histoire de forger l'expérience. En outre, Charlie fit quelque chose d'intelligent ou du moins d'extrêmement malin ; c'est comme s'il avait attaché une ceinture de munitions sans fin à une arme. Un soir, il m'invita dans son antre, un bar pas très loin du Lounge.

Je me souviens de ses mots exacts :

— Ton vieux, qu'est-ce qu'on en sait ? Je vais te le dire. On sait deux choses. Soit il a disparu de son plein gré, il n'a donc aucune intention qu'on le retrouve et il ne refera surface que s'il en a envie, soit il a été éliminé. Oublie la première hypothèse, c'est la moins probable. Pour la deuxième ? Quelqu'un de très méchant a tué ton père, quelqu'un dont le poison coule dans les veines. Je vais te donner un conseil. Quelle que soit l'affaire sur laquelle tu acceptes de travailler, garde bien à l'esprit une chose : ce que tu cherches, c'est de coincer la personne dont le poison coule dans les veines. Peu importe si le poison n'est pas puissant. Cela peut être un escroc, un gars qui trompe sa femme, des arnaqueurs, des profiteurs d'assurance... peu importe. C'est le même poison qui coule dans les veines de celui qui a éliminé ton vieux, ils sont cousins, tous des connards. Voilà ce que tu dois avoir en tête, à chaque fois. Tu veux rendre justice à ton vieux ? Voilà ta chance.

Lorsque je rappelai à Shirley qu'elle n'avait pas le droit de fumer dans le bar, elle maudit à mi-voix le maire mais laissa retomber son paquet vert dans son sac.

— J'ai remarqué l'endroit où habitait la fille assassinée l'autre soir, dit-elle. C'est en face de chez ta petite demoiselle, non ?

— Elle s'appelle Margo. Le meurtre a eu lieu dans le bâtiment de l'autre côté de la rue.

— Est-ce qu'elle la connaissait ?

— Est-ce que Margo la connaissait ?

— Je sais bien que ce n'est pas très à la mode de connaître ses voisins quand on habite en ville...

— Elle ne la connaissait pas.

— Si j'avais été l'un des associés de Marshall Fox, j'aurais pris le premier train. Tu sais qui a fait ça, n'est-ce pas ?

— Pourquoi, tu le sais, toi ?

— Bien sûr. Je ne connais pas les détails, mais je pense que c'était un fan. Un fan accro, un fan obsédé. Quelqu'un essayant de faire croire que le véritable tueur court encore les rues, que Marshall Fox est absolument innocent des deux meurtres commis l'an passé. Quelqu'un qui veut semer le doute dans l'esprit des jurés. Tout le monde sait que les jurés de ce procès sont les plus bêtes au monde et qu'ils n'arrivent pas à se décider alors que l'affaire est claire comme de l'eau de roche. Attends un peu et tu verras... Un maboul avec des photos de Marshall Fox placardés partout sur les murs de chez lui. Voilà ton assassin.

— Et son choix des victimes ?

— Ce sont des amies de Fox, comme les deux premières. Ça suit le même schéma.

— Le schéma, comme tu dis, c'est que toutes ces

femmes avaient eu une liaison avec Fox, soulignai-je. Où est-ce que tu places Riddick dans cette histoire ?

— Est-ce que j'ai dit que l'assassin était intelligent ? L'avocat lui a certainement tapé sur les nerfs et il a décidé, tant qu'il y était, de liquider Riddick. Je ne suis pas la police, moi, je n'ai pas toutes les réponses.

Son verre était terminé et elle en voulait un autre. Tant que j'y étais, j'en profitais pour me resservir. Un dimanche gris et froid aurait été parfait devant un bon feu de bois chez ma petite demoiselle… Cette journée ressemblait juste à un prix de consolation.

— Mis à part les roses et les hibiscus, les pâquerettes étaient les seules fleurs que ton père savait identifier. Tu le savais, n'est-ce pas ?

Bien sûr. Elle me le faisait remarquer chaque année.

Elle leva son verre qu'elle sirota bruyamment.

— Il était bouleversé par ce qui était arrivé à mon Patrick. Il avait pris toute la faute sur lui. Le problème, c'est que ton oncle était quelqu'un de brave. Il faisait bande avec tous ces fous, mais le cœur n'y était pas, pas vraiment. Patrick était un gentil gars, Harlan l'avait remarqué. Tu n'as jamais vu un gars ayant plus de remords que lui. J'aurais dû le détester, j'aurais dû lui arracher les yeux. Il avait tué mon frère, mon cher Patrick.

Elle leva de nouveau son verre et le garda près de son menton.

— J'ai essayé d'en vouloir à ton père dès le jour où on a retrouvé Patrick. Ce qui s'est passé entre nous n'avait pas de sens. J'aurais dû être folle de rage et, tu sais… je le suis peut-être. Je me fiche de ce que tu penses, Fritz. Il est quelque part, il est en vie et il nous le fait savoir. Soit il est fou à lier, soit il est mort de trouille, soit il a ses raisons. Ou tous les trois en même temps. Mais, un jour, je vais attraper ce salopard qui dépose des pâquerettes sur la tombe de mon frère ! Tu ne m'as jamais vraiment vue en colère, tu crois que tu m'as déjà vue, mais ce n'est pas le cas. Tu ferais bien d'être là, ton père aura besoin de toi pour le protéger.

Elle ravala une larme et leva son verre.

— À Patrick Malone !

Elle me fixa tout en vidant son verre, ne me lâchant pas des yeux une seconde.

— Tu lui ressembles comme deux gouttes d'eau, tu sais.

Bien sûr que je le savais. Elle me le faisait remarquer chaque année. Et elle ne faisait pas référence à mon oncle Patrick.

14

Le mardi qui suivit le week-end à Hamptons, Robin jura de ne pas rester cloîtrée chez elle après le travail uniquement parce qu'elle avait dit à Fox qu'elle serait libre ce soir-là. Michelle lui avait proposé d'aller prendre un verre, mais elle avait refusé, disant qu'elle était fatiguée et voulait se coucher tôt.

— Ce n'est pas à cause de Fox, j'espère ? avait rétorqué Michelle. Il ne t'a même pas appelée, n'est-ce pas ?

Michelle ne croyait pas un seul instant que Fox avait pu être sérieux et Robin était du même avis. Il avait trop bu, se répétait-elle, et Dieu sait quoi d'autre...

Robin ne connaissait rien des drogues actuelles, mais elle avait été le témoin d'attitudes suffisamment bizarres au cours de la réception à Hamptons pour savoir que d'autres choses avaient été consommées en plus des cocktails qu'elle avait servis.

Elle n'avait pas arrêté de rejouer dans sa tête sa rencontre avec Marshall et était persuadée de s'être fait avoir, ou presque, par le charme prodigieux de la vedette de télévision et par son badinage.

C'est absurde, se dit-elle. Ce type sort avec les plus grands mannequins et les plus belles actrices d'Hollywood. Moi, je n'étais qu'une *extra de service*. Ressaisis-toi !

En fait, Fox n'avait pas appelé. Ni le dimanche après la réception, ni le lundi, ni le mardi. Évidemment.

C'était absurde. Robin se disait qu'il s'était probablement rabiboché avec Kelly Cole, que tous deux avaient dû bien rigoler après coup de cette petite douche au martini, et que ça s'arrêtait là.

Robin était restée éveillée très tard et avait regardé l'émission du lundi soir, juste pour voir si Fox ferait une remarque sur ce qui s'était passé à Hamptons.

Il n'en fut rien, même s'il fit une blague faisant, supposa-t-elle, une référence indirecte à la journaliste blonde platine et à la douche alcoolisée... Ou peut-être pas.

Robin avait aperçu son visage se refléter dans le miroir accroché près du poste de télévision. « Arrête ton cinéma, tout de suite ! »

Au bureau, Robin avait malheureusement parlé de la réception ; elle avait laissé entendre que Fox avait flirté avec elle en lui proposant pratiquement un rendez-vous. Denise, la graphiste, était une fana inconditionnelle de l'animateur.

— Alors, est-ce qu'il t'a appelée ?

La question semblait tomber toutes les demi-heures.

Mardi, Denise bouillait d'impatience.

— Alors, est-ce qu'il t'a appelée ? Tu vérifies ton répondeur, n'est-ce pas ?

Denise avait même proposé à Robin de vérifier son répondeur à sa place.

— Écoute, quand il appellera, n'efface pas le message. Sérieux. Je te jure, je te paierai pour l'enregistrer. Il faut que tu me le promettes… J'y crois pas ! Marshall Fox !

Mais il n'avait pas appelé. À partir de deux heures, Robin avait mis un point d'honneur à ne plus appeler à la maison pour vérifier le répondeur. À la fin de la journée, Denise avait insisté pour que Robin appelle une dernière fois.

— Il commence l'enregistrement de l'émission à cinq heures, il a peut-être appelé juste avant.

Il n'y avait pas de message. « Très bien, pensa Robin. Maintenant, ça suffit. »

Plus tard dans la nuit, menton écrasé contre l'oreiller, Robin paniqua. Qu'était-elle en train de faire ?

Elle tourna la tête et regarda par-dessus son épaule. Son regard tomba en premier sur le poste de télévision posé sur sa commode à l'autre bout de la pièce. Le son était coupé et Marshall prenait congé, main posée sur le cœur.

Robin se redressa et rapprocha ses mains pour former un « T » en signe de « temps mort » et bredouilla « *Arrête… je… t'en… prie.* »

Marshall Fox lui attrapa l'épaule et la serra. « Chhhhhut. Viens, New Hope. Détends-toi, chérie. Laisse-toi aller… »

Et il ne s'arrêta pas. Au contraire. Robin ferma les yeux devant la lumière vacillante sur le mur de sa chambre et fit ce qu'il disait.

Pas la peine de paniquer, se dit-elle. Il a raison, il faut que je me laisse aller. Ce n'est pas si grave que ça. En fait…

Sa joue glissa sur l'oreiller, et l'espace d'une seconde, elle pensa à Denise. Oh mon Dieu, si elle me voyait maintenant. Une autre pensée suivit aussitôt qui la fit sourire : lui, c'est le loup, et moi je suis le poulailler.

Derrière elle, Fox continuait de roucouler. « Voilà, New Hope, c'est ça, ma fille. Tu commences à comprendre… »

15

Peter Elliott m'appela vers dix heures. J'étais assis dans mon fauteuil miteux, en train de grignoter des petits pois au wasabi et de feuilleter *De la bouche du cheval*, recommandé par Margo, en tentant désespérément de rentrer dans le sujet. Cela pouvait sans doute devenir intéressant pour peu que j'arrive à me concentrer, mais mes progrès étaient lents. La sonnerie du téléphone me tira d'affaire. Pour me plonger dans une autre.

— Il y a eu une autre menace téléphonique.

Je posai mon livre et me redressai sur mon fauteuil.

— Tu plaisantes ?

— Exactement comme les autres, mot pour mot. Je viens de recevoir un coup de fil de Joe Gallo, dit Peter.

— Qui est visé ? demandai-je.

— C'est le problème, Fritz. Ça n'a aucun sens, c'est incompréhensible : la fille ne connaît Marshall Fox ni de près, ni de loin. Zéro connexion. Elle ne regarde même pas son émission.

Mon radiateur émit un petit son métallique. Il fait ça quand il est sous pression trop longtemps. On dirait que quelqu'un lui tape dessus avec un marteau.

— Donne-moi tous les détails.

— Il n'y en a pas beaucoup. Il s'agit d'une femme qui habite dans la 18e rue Est. Elle a trente-quatre ans. Célibataire, avec un petit copain. Ils sont partis tous les deux en vacances de ski la semaine dernière, mais ils sont au courant des derniers événements. La femme affirme que son ami est accro aux infos et qu'ils avaient mis CNN en boucle lorsqu'ils n'étaient pas sur les pistes.

— Super romantique, fis-je.

— Ils ont vu plusieurs fois la rediffusion de la conférence de presse au cours de laquelle Riddick a fait écouter son satané enregistrement. CNN l'a repassé un paquet de fois. Si ça continue, on le trouvera bientôt en remix ou en sonnerie de portable. Voilà le monde dans lequel nous vivons...

Remix. J'avais une vague idée de ce dont il me parlait.

Peter continua.

— Bref, cette femme l'a entendu au moins deux ou trois fois pendant qu'ils étaient à Colorado Springs ou je sais plus où. Elle a raconté que le meurtre de Robin lui avait fichu la trouille. Burrell et elle ont le même âge et, d'après Gallo, elles se ressemblent même un peu. Ça n'a pas vraiment d'importance : ma grand-mère de quatre-vingt-trois ans a les chocottes et elle n'est pourtant plus de la première fraîcheur. Mais c'est dans l'air du temps. Tu dois le sentir toi aussi, non ? Les gens sont à cran. Le *Post* n'a pas vraiment arrangé les choses en publiant cette foutue photo.

— Bon sang, ne laisse pas Joe recommencer sa litanie sur le *Post*.

— Recommencer ? s'esclaffa Peter. Ça impliquerait qu'il se soit un jour arrêté.

— Raconte-moi ce qui s'est passé.

— Ils sont rentrés à New York cet après-midi et le gars a déposé sa copine à son appartement, à Chelsea. La femme a raconté à Gallo qu'elle n'appelle jamais son répondeur pour vérifier ses messages lorsqu'elle part en vacances. Bref, elle est rentrée, a écouté ses messages, et voilà : « *Tu sens déjà le goût du sang, salope* ? » Tout le tralala. On dirait presque un message préenregistré. La femme aurait poussé un cri tellement fort qu'on l'aurait entendue jusqu'en bas de la rue.

Je réfléchis pendant une minute, grignotant encore quelques pois au wasabi pour m'aider à stimuler mes neurones.

— Tu as dit que ça ressemblait tellement aux autres messages que ça aurait pu être préenregistré. Peut-être que c'est justement le cas… Peut-être que c'était une blague d'un copain qui se croit drôle.

— Gallo a pensé à ça, lui aussi. Mais le message a été laissé sur son répondeur le jour même de l'assassinat de Robin Burrell. Et Riddick n'a diffusé la cassette de Rosemary Fox que le lendemain de la mort de Robin. Gallo a mit ses gars sur le coup pour faire des tests sur le répondeur. Mais Joe est presque sûr et certain que c'est un appel direct. C'est le même débile qui a laissé un message à Robin Burrell, à Rosemary Fox et à cette femme, le même jour.

— Comment s'appelle-t-elle ?

— Allison Jennings.

Je marquai une nouvelle pause pour réfléchir.

— Pourquoi est-ce que tu m'appelles, Peter ?

— Je me demandai quand tu allais poser la question.

— Maintenant que c'est fait, tu peux répondre.

— Est-ce que tu as du pain sur la planche en ce moment, Fritz ?

— Plutôt des pois au wasabi. Et pas sur une planche, mais dans un bol. Pourquoi ?

— La Miss Jennings est complètement paniquée…

— C'est ce que j'ai cru comprendre. Mais elle a déjà un chevalier servant, non ? Je sais que tu me trouves génial, Peter, mais tu ne m'as tout de même pas appelé pour que j'aille la réconforter ?

— Margo mettrait ma tête coupée sur un plateau, répondit-il.

— S'il y avait encore de la place, marmonnai-je.

— Quoi ? Il y a de l'eau dans le gaz ?

— Ce n'est rien. Comme tu dis, il y a plein de gens qui flippent.

— Tu peux passer voir Allison demain ?

— Pourquoi j'irais ?

— Ça n'a aucun sens qu'une femme totalement étrangère à Fox reçoive la même menace téléphonique que les autres. La police a dû passer à côté de quelque chose. Va lui parler, pose-lui des questions sur sa vie et essaye de trouver le lien. Ça pourrait se révéler important.

— Je suppose que c'est déjà ce que fait la police, répondis-je.

— Bien sûr, mais ça ne veut pas dire que ta contribution ne serait pas utile.

— Qui va payer mon déplacement ? Ce n'est certainement pas monsieur Gallo et les gros bonnets de la ville de New York.

— C'est moi qui t'embauche. En fait, dis-toi seulement que c'est un prolongement de ce boulot de recherche concernant les jurés que tu as fait pour nous au printemps dernier.

— Est-ce que tu as dit à Joe que tu me mettais sur le coup ? Je me suis déjà retrouvé sur le chemin de son enquêteur principal.

Je vis soudain l'image de Megan Lamb assise à l'autre bout de la pièce, se tordant les mains, plongée dans la description de détails sanglants rien que pour moi. Ou plutôt, rien que pour elle.

— Gallo est au courant. Il a dit la même chose que toi. Que tu étais déjà une ombre dans cette affaire. Il m'a passé les consignes : tout ce que tu trouves, tu le lui communiques, etc., etc.

— Une leçon de droit… à ton âge, dis-je en faisant la grimace.

Gallo veut boucler cette affaire au plus vite. Qui ne le voudrait pas, hein ? Je lui ai parlé de ma mamie. Shelly a elle aussi les chocottes. Pour être honnête, cette impression de « à qui le tour, maintenant ? », met tout le monde très mal à l'aise. Riddick et Burrell en l'espace de vingt-quatre heures…

Bon, je sais bien que l'on n'a rien eu depuis trois jours, mais il est peut-être coincé par le sale temps et la neige, comme le reste de la ville.

C'est mon sentiment en tout cas, le type est terré quelque part, n'attendant qu'une chose : sortir de son trou pour finir ce qu'il a commencé.

— Tu penses à Rosemary Fox ?

— J'y pensais. Maintenant, je pense plutôt à Allison Jennings. Je n'en sais rien… Gallo préférerait qu'elle quitte la ville pendant quelque temps, si c'était possible. Mais elle a dit que, après sa semaine au ski, elle est totalement submergée de boulot.

J'entendis des bruits en fond. Le rire d'un enfant et une voix de femme. L'épouse de Peter, Shelly, probablement.

Le procureur adjoint baissa la voix.

— Tu sais quoi, Fritz ? Je ne veux pas effrayer Shelly encore plus, mais j'ai pensé l'envoyer avec les enfants quelque part loin de New York, le temps que cette histoire se tasse. Je suis certain que c'est le procès qui me tape sur les nerfs ; les jurés sont bien prêts à exploser, et j'ai le terrible pressentiment que, même s'ils n'explosent pas, Fox va être libéré. D'un côté comme de l'autre, quand je regarde ma femme, je me dis : ne sois pas bête, un tordu court les rues, qui sait ce qu'il est prêt à faire ? Fais-la partir d'ici.

— J'irai parler à Allison Jennings, fis-je. Il faut qu'on établisse un lien entre ces menaces téléphoniques. Ce serait un bon début de piste.

— Très bien, je te donne son numéro de portable. Elle ne dort pas chez elle ce soir. Sur les conseils de Gallo, elle n'ira pas non plus chez son copain, elle serait trop facile à localiser. Gallo a l'adresse de l'endroit où elle passera la nuit et il lui a promis d'y poster une voiture. Il ne m'a pas dit où c'était. Appelle-la demain matin et vous conviendrez d'un lieu de rencontre. Est-ce que tu pourrais faire un crochet par mon bureau une fois que tu lui auras parlé ? J'aimerais discuter d'un autre truc avec toi.

J'acceptai et raccrochai. Je reversai le reste des pois au wasabi dans le sachet, et le rangeai. Pendant ma conversation avec Peter, le radiateur avait cessé de cogner, mais il reprenait maintenant de plus belle. La pièce était mal aérée : j'ouvris une fenêtre, passai la tête à l'extérieur, histoire de prendre une bouffée d'air frais et restai là une bonne minute, regardant les guirlandes de Noël rouges et vertes chevaucher la rue jusqu'à Mulberry. Les lumières des restaurants italiens clignotaient, mais la rue elle-même était pratiquement déserte. Il me sembla que la ville tout entière s'était terrée.

Avant d'aller me coucher, je griffonnai quelques remarques, en soulignai certaines, dessinai une flèche ici et là, et ajoutai de nombreux points d'interrogations. Je réfléchis à l'idée d'appeler Margo pour lui annoncer que j'étais désormais sur l'affaire de façon officielle, que j'avais un client.

Un client qui payait. Peut-être cela la radouciraitelle. Le radiateur du salon craqua au moment où je soulevai le combiné. Au loin, j'entendis la sirène stridente d'un camion de pompiers.

Le beuglement se fit de plus en plus fort jusqu'à ce que le camion passe à un pâté de maisons de là, puis s'étouffa dans la nuit.

Je reposai le combiné du téléphone avant d'éteindre la lumière.

16

Allison Jennings voulait que l'on se rencontre à Brooklyn Heights. Tôt le matin, je pris donc le métro qui passe sous le fleuve jusqu'à l'arrêt de la rue Clark. Ma légère claustrophobie se réveilla au moment où nous passâmes sous l'East River, mais j'avais heureusement quelques trucs pour ne pas péter les plombs.

Dans le monte-charge bondé menant au niveau de la rue, un chapeau en fourrure de lapin me chatouilla le visage. Je n'avais qu'une envie : l'arracher avec mes dents et le cracher par terre, mais je réussis à garder un calme poli et survécus à la courte ascension.

Le petit ami d'Allison, Jeffrey, était de la partie. Je retrouvai le couple dans la pâtisserie de l'avenue Piermont. Au moment où j'entrai, Jeffrey se leva et me retrouva près de la porte en me demandant ma carte de détective.

Il la saisit d'une main tremblante et la regarda comme s'il fallait la déchiffrer.

— Vous portez une arme ? questionna-t-il.

— Quelques fois.

— Vous en portez une maintenant ?

Je me tapotai la poitrine au niveau du cœur.

— J'aurais volontiers fait les présentations, mais mon associé est timide.

Il me rendit la carte.

— Elle est vraiment paniquée. Si vous pouviez faire quelque chose pour la rassurer, je vous en serais très reconnaissant.

Allison était assise à une petite table à quelques mètres de la porte. Le contrôle de sécurité terminé, Jeffrey me conduisit jusqu'à sa petite amie, une brunette qui affichait un air à la fois plein d'espoir et de peur. Jeffrey lui prit la main.

Je me demandai si je devais lui prendre l'autre mais, après tout, on n'était pas là pour prier en groupe. Je me présentai et demandai à Allison de me raconter son histoire. Je la connaissais déjà, mais on ne sait jamais, certains détails passent parfois à la trappe ou sont ajoutés au grès des récits.

Dans ce cas, les détails étaient rares, et le témoignage d'Allison concorda grosso modo à la version que m'avait donnée Peter Elliott au téléphone le soir précédent.

— Que se passe-t-il ? demanda finalement Allison, la voix tremblante. Je me sens complètement perdue. Pourquoi cet homme me voudrait-il du mal ?

— C'est ce que nous allons essayer de comprendre. Je vais vous poser quelques questions. D'après ce que vous dites, vous n'avez aucun lien avec Marshall Fox ?

— Aucun. Je ne regarde même pas son émission.

— Bon. Sortez-vous Fox de la tête pendant quelques minutes, on cherchera ce lien plus tard. J'aimerais que vous vous concentriez sur autre chose : qui pourrait vous en vouloir en ce moment. Parlez-moi de votre boulot.

Elle travaillait pour l'agence de presse Reuters et je connaissais le bâtiment où elle bossait, au cœur de Manhattan, pas très loin de mon bureau. Allison était directrice des ressources humaines.

— Vous embauchez et vous virez des gens ?

— En quelques mots, oui, c'est ça... Mais je passe la plupart de mon temps à recruter du monde.

— Vous vérifiez les qualifications, les références, vous faites passer des entretiens d'embauche, ce genre de choses ?

— Oui.

— Avez-vous licencié quelqu'un récemment ?

Elle marqua une pause.

— Nous avons annoncé un licenciement important avant Noël.

Elle laissa échapper un petit rire.

— Un timing parfait, non ? Du Dickens pur. Certaines personnes sont parties immédiatement, d'autres ont été informées que leur poste serait supprimé au cours des mois à venir. Nous avons accordé des indemnités de licenciement très importantes, mais en effet j'ai licencié pas mal de gens dernièrement.

— Comment est-ce que cela fonctionne, un licenciement massif de ce genre ?

— Ce sont deux ou trois journées épuisantes. Je reçois chaque personne individuellement, et je leur annonce la nouvelle.

— Ce doit être réjouissant.

— Bizarrement, la plupart des gens ne sont pas choqués, les licenciements de masse sont monnaies courantes aujourd'hui, mais on ne peut quand même pas dire qu'ils sont ravis. En règle générale, la direction m'informe que la société devra faire tant ou tant de coupes dans tel ou tel service. Je discute avec les chefs de service, et on passe en revue leurs équipes. Mis à part quelques rares cas, c'est toujours une question d'ancienneté. Je veux dire que, parfois, l'évaluation négative du travail de l'employé peut faire remonter quelqu'un sur la liste, mais habituellement, le dernier arrivé est le premier licencié. De tous les côtés que l'on regarde, c'est douloureux et je passe forcément pour le bourreau du village.

— Vous dites que la majorité des gens le prennent bien. Est-ce que certains se mettent en colère ? Quelqu'un vous a-t-il déjà menacé, personnellement ?

Jeffrey et elle échangèrent un regard.

— Vas-y, fit Jeffrey. Dis-lui.

Allison se tourna vers moi.

— Ce n'est rien du tout. Mais oui, certaines personnes se fâchent. Bien sûr. Cela peut arriver à tout le monde, n'est-ce pas ? Comme je vous le disais, les derniers licenciements sont arrivés peu avant Noël. Je m'y étais opposée, d'ailleurs. Surtout que le marché du travail est vraiment mauvais en ce moment.

— Vous n'osez pas me donner son nom, c'est ça ?

Elle semblait au bord des larmes. Jeffrey lui serra la main un peu plus fort et répondit à sa place.

— Le boulot d'Ally implique une certaine confidentialité.

— Je fis comme si je ne l'avais pas entendu.

— Mlle Jennings, vous n'avez pas osé donner de nom à la police, hier soir ?

— Je risquerai de perdre mon emploi si l'un de nos anciens employés faisait un procès. Je suis certaine que ce type n'est pas celui qui a laissé le message sur mon répondeur, ça n'a aucun sens. Le pire, serait qu'il découvre que j'ai parlé de lui à la police.

— Très bien, laissons-le de côté, pour le moment. Je suppose que vous avez fait passer des entretiens pour les nouveaux postes à pourvoir. Avez-vous été en relation, au cours des six derniers mois, à des candidats particuliers ?

— Particuliers ?

— Excessifs d'une manière ou d'une autre. Trop enjoués. Trop amicaux. Trop sûrs d'eux-mêmes ou trop anxieux. Quelqu'un qui se serait comporté comme si le poste était dans la poche alors que c'était tout le contraire.

— Oui.

— Oui à quoi ?

— Oui à tout ce que vous venez de dire. C'est exactement le genre de personnes que l'on rencontre dans mon travail.

— Alors, concentrons-nous sur ceux qui n'ont pas eu le job.

— La majorité. Il y a un seul poste pour des dizaines de candidats.

— Je cherche un homme en particulier, quelqu'un qui sortirait du lot. Il n'était peut-être pas agressif, mais il y avait quelque chose de bizarre dans ses gestes. Ou alors il avait une drôle de façon de tourner ses phrases. Avez-vous été draguée par un candidat ? Même de façon subtile ?

— Je ne vois pas bien où vous voulez en venir…

— Je cherche, je pioche au hasard, c'est tout. Si un déséquilibré a cru déceler entre vous et lui un lien invisible et qu'il n'a pas obtenu le poste, à ses yeux vous l'avez rejeté, pas seulement au niveau professionnel, mais aussi personnel. Quelqu'un vous vient-il à l'esprit ?

Elle secoua la tête.

— Non, je ne vois vraiment pas.

Cela ne menait nulle part. C'est le jeu. Généralement, on parcourt des kilomètres de pistes infructueuses, puis on essaye une nouvelle direction.

— Reparlons de ceux que vous avez dû licencier. Est-ce que certains vous ont confié que la perte de leur emploi allait entraîner de grandes difficultés pour eux ou pour leur famille ?

— Je suppose. Ça dépend. Ceux qui sont célibataires ont un peu moins de soucis à se faire, et la plupart…

J'eus une idée.

— Attendez. Videz-vous la tête un instant. Ne cherchez plus un homme. Pensez à une femme, une femme mariée. Je n'attends pas de vous que vous connaissiez la vie privée de chacun, mais je suis certain que la plupart du temps, vous avez une certaine intuition pour ça. Est-ce qu'une femme paraissait particulièrement préoccupée par la façon dont son mari allait prendre la nouvelle ? Une femme, peut-être, qui aurait mentionné que son époux avait justement été licencié peu de temps auparavant, ou qu'il cherchait du travail ou qu'il venait de faire un gros investissement ? D'acheter une maison, par exemple. Ou de payer les frais de scolarité de ses enfants. Une femme qui avait peur de recevoir une correction pour avoir perdu son boulot ? Est-ce que quelqu'un avait l'air anormalement effrayé ?

Jeffrey prit la parole.

— Vous voulez dire, une femme qui aurait peur que son mari lui crie dessus ou la frappe pour avoir perdu son emploi ?

— Exactement. C'est un exemple. L'époux violent. Est-ce que ça vous dit quelque chose, Allison ?

— C'est possible.

Elle se mordilla la lèvre inférieure avant de continuer.

— Je me souviens d'une femme au cours des licenciements de Noël qui m'a dit exactement ce que vous venez de dire. Mais on ne peut pas prendre au sérieux tout ce qu'on entend. Ce sont des figures de style.

— Quelle figure de style ?

— Genre : « Mon mari va me tuer. »

Je sortis mon calepin, le fis glisser sur la table et lui tendis un stylo.

— Il est temps de donner des noms, Allison. Je veux le nom de cette femme. Et aussi celui du type qui s'est fâché quand vous l'avez viré. Ce n'est pas le moment de protéger qui que ce soit. Vous vous souvenez de leurs noms ?

Elle acquiesça. J'avançai ma main jusqu'au calepin et tapotai dessus avec impatience.

— Écrivez !

Elle griffonna deux noms.

— Je ne vais pas au bureau, aujourd'hui. J'ai trop peur. Mais si vous voulez, je peux appeler mon assistante pour qu'elle vous sorte les dossiers de ces deux personnes.

— Ce serait vraiment parfait. Je sais où se trouve l'immeuble. Dites à votre assistante que je passerai un peu plus tard dans l'après-midi.

Allison sortit une carte de visite professionnelle et me la tendit.

Je la glissai dans mon calepin et la remerciai pour le temps qu'elle m'avait consacré.

Jeffrey me raccompagna jusqu'à la porte. Un peu d'air frais ne lui aurait pas fait de mal, au contraire.

— Je ne comprends pas. Pourquoi quelqu'un

voudrait-il tuer Allison ? Vous pensez vraiment que c'est à cause de son boulot ?

— C'est ce que je compte bien découvrir.

— J'ai peur de la laisser seule.

Je jetai un regard vers Allison qui fixait le vide entre ses deux mains. Je me retournai vers Jeffrey.

— Si j'étais vous, voilà exactement ce que je ferai : je ne la quitterai pas d'une semelle.

17

Peter Elliott coinça les pouces dans ses bretelles et posa les pieds sur son bureau. Je m'installai dans un fauteuil en cuir marron qui sentait vaguement la chaussure neuve.

— Il ne vous manque plus qu'un havane planté dans la bouche, maître.

Peter s'esclaffa.

— Shelley déteste quand je fume des cigares.

— Shelley est une femme civilisée.

— Je ne te contredirai pas sur ce point. Alors, tu as rencontré Mlle Jennings ?

Je lui racontai notre entrevue. Il m'écouta sans m'interrompre, les yeux rivés au plafond. Lorsque j'eus terminé, il descendit ses pieds sur la terre ferme et tambourina du bout des doigts sur son bureau.

— Bon, ça m'a tout l'air de pistes assez tièdes.

— C'est aussi mon impression. Mais il faut quand même les suivre.

— File ça à la police. Ce qui nous intéresse, c'est le lien avec Fox.

— Il n'y en a pas, répondis-je.

— Une ressemblance, même toute petite, entre Allison Jennings et Robin Burrell ?

— Je n'ai rien remarqué de tel, fis-je. Bon, elle ressemble plus à Robin qu'à toi ou à moi, c'est sûr, mais qui sait ? Tu as peut-être une paire de jambes hyper sexy. Je n'ai jamais eu le privilège...

— Mlle Burrell avait une belle paire de guiboles, n'est-ce pas ?

— Elle ne manquait pas de charme...

Peter toussota.

— Allons, Fritz. Ce brin de fille était tout simplement splendide.

— Mais ce n'était pas une prédatrice sexuelle.

Le procureur adjoint leva une main.

— S'il te plaît, si je pouvais ne plus jamais entendre ces mots-là ! On peut dire que Riddick a frappé fort sur ce coup. Il n'a pas arrêté de bourrer le mou des jurés, du pur lavage de cerveau. Qu'est-ce que j'aurais dû faire ? Demander au témoin d'expliquer au jury dans quelle mesure elle n'était pas une prédatrice sexuelle ? Cela n'aurait fait qu'alourdir un peu plus la situation.

— Tu ne dépeignais pas non plus Robin Burrell comme une sainte.

— C'est un sale boulot. On devait faire ressortir la totalité des perversions sexuelles de Fox, c'était la clé. Il aimait ses jouets, surtout les menottes. Burrell était notre meilleur témoin des jeux sexuels de Fox. Je ne dis pas que cela m'a fait plaisir de la traîner dans la boue.

— L'Amérique tout entière s'en est délecté.

— Oui, bon... l'Amérique se délecte de beaucoup de choses.

Nikki Rossman, la deuxième victime, avait été retrouvée avec une paire de menottes autour du poignet gauche. Lors de l'interrogatoire mené par

Peter Elliott, Robin Burrell avait révélé que, très tôt dans leur relation qui avait duré cinq mois, elle avait cédé aux demandes de son partenaire de s'adonner à des jeux sadomasochistes. Surtout ceux impliquant l'utilisation de menottes. Ce témoignage avait été dévastateur pour Fox. Ce que Peter n'avait pas anticipé, c'était que la défense de Fox relèverait le défi et dépeindrait Robin Burrell comme une dominatrice, affirmant que c'est elle qui avait poussé le pauvre gars de la campagne à se lâcher pour essayer de nouveaux trucs. Malheureusement, leur défense fut appuyée à la barre par un type qui témoigna de « relations sexuelles foutrement créatives » avec Robin Burrell à l'époque où ils étaient tous deux étudiants à l'université de Pennsylvanie.

L'homme décrivit comment il attachait les chevilles et les poignets de Robin avec des chaussettes afin de la rendre pratiquement immobile pendant leurs ébats. Accusation plus grave encore, l'homme avait précisé que les idées sadomasochistes n'étaient pas venues de lui mais de Robin. Peter Elliott récusa le témoignage et tenta de le faire rayer des débats, mais le juge refusa. À partir de là, l'équipe de défense de Fox ne manqua pas une occasion de dépeindre Robin, non seulement comme une partenaire consentante et avide de sexe fantasque, mais surtout comme l'initiatrice de leurs excès.

Cette idée s'enracina et bientôt Robin apparut très rarement dans les médias sans au moins une allusion, l'air de rien, à son fougueux passé sexuel. Riddick avait également réussi à découvrir le fait que Robin, alors étudiante, était tombée enceinte non pas une, mais deux fois, et qu'elle avait à chaque fois avorté. Le juge Deveraux ordonna que cet élément hors de propos soit rayé des comptes rendus, mais la solidité de Robin en tant que témoin de l'accusation en avait pris un sacré coup.

Le téléphone de Peter sonna. L'appel fut court.

— C'était Lewis, dit-il en raccrochant. Il voudrait que l'on aille dans son bureau.

Autant j'avais trouvé que le fauteuil du procureur adjoint sentait la chaussure neuve, autant le bureau du procureur général empestait carrément la tannerie. Lewis Gottlieb était le procureur général dans le procès de Marshall Fox. Pour un homme qui s'approchait de son soixante-quinzième anniversaire, il affichait une forme physique étonnamment bonne.

Il était grand, pas voûté du tout, et on disait qu'il courait cinq kilomètres chaque matin avant de prendre le train de Westchester.

Plusieurs rumeurs affirmaient que Gottlieb était sur le point d'annoncer son départ à la retraite peu de temps avant l'inculpation de Fox et que Peter avait convaincu son mentor de rester et de couronner sa carrière par ce qui, sans aucun doute, resterait dans les annales comme l'un des procès les plus célèbres de Manhattan.

Peter m'avait avoué, dans le couloir à la moquette somptueuse menant au bureau de Gottlieb, que le très respecté procureur était particulièrement inquiet de constater l'instabilité toujours grandissante des jurés.

— Un jury sans majorité est le cadet de ses soucis. Lewis a la promesse – officieuse – de Deveraux de faire tout ce qui est en son pouvoir pour arriver à la conclusion de cette dispute. Ce n'est pas un ajournement de procès pour défaut d'unanimité dans le jury qui l'énerve, c'est la perspective que le jury laisse Fox partir en homme libre. Si les choses devaient se terminer comme ça... je ne veux même pas y penser !

Lewis Gottlieb fut cordial avec moi, mais sans plus. Il se leva de derrière son imposant bureau en me tendant une grande main couverte de tâches de vieillesse.

— Monsieur Malone... Il paraît que vous avez repris du service.

— Il paraît, oui.

Je m'assis et Gottlieb s'adressa à son collègue.

— Qu'est-ce qu'il sait ?

— Fritz ne sait rien, répondit Peter.

Je crus détecter un léger sourire narquois, mais je me trompai peut-être. Gottlieb me fixa quelques secondes.

— La présidente du jury, dit-il enfin.

— Nancy Spicer ? Qu'est-ce qu'elle a ?

Gottlieb rapprocha ses mains l'une contre l'autre pour former un clocher et posa son menton sur la pointe de ses doigts.

— Vous avez mené pour nous une enquête approfondie sur elle...

— Comme je l'ai fait pour tous les jurés. Pourquoi ?

Gottlieb leva un sourcil glacial. Ses yeux marron humides se tournèrent vers Peter, qui se racla la gorge.

— Madame Spicer a fait une dépression nerveuse. Pas depuis qu'elle fait partie du jury, même si elle semble tout de même aller lentement mais sûrement dans cette direction... C'était il y a six ans. Elle a complètement perdu les pédales, Fritz. Elle a fait un grand piqué et a passé un mois en hôpital psychiatrique.

J'émis un léger sifflement.

— C'est pas joli joli, ça.

Lewis Gottlieb acquiesça.

— En effet, M. Malone. Ce n'est pas joli du tout.

— Est-ce que la défense est au courant ? demandai-je.

— Pas encore.

— Comment avez-vous découvert ça ?

— C'est compliqué, dit Gottlieb. Et pas très important. On pourra parler des détails plus tard.

— Je regrette. Je ne sais pas quoi vous dire… J'ai mené mon enquête le plus minutieusement possible et ce n'est pas le genre de choses qui passe habituellement inaperçu. Je ne vois vraiment pas comment j'ai pu passer à côté d'un truc aussi gros.

— Le mari de Mme Spicer avait fait disparaître cette information, répondit Peter. Tu aurais été forcé de creuser bien profond pour la découvrir.

— Vous m'aviez payé pour ça…

— Ce n'est pas important, maintenant, interrompit Gottlieb. On ne vous a pas fait venir ici pour vous réprimander.

— Lewis n'aime pas M. Spicer, dit Peter. Bruce Spicer.

Je me souvenais du mari. Vaguement. Il travaillait comme vendeur dans une quincaillerie de la 3e avenue. Je me souvenais être passé là-bas et lui avoir parlé. Il portait une veste couleur cerise qui m'avait fait plus impression que l'homme lui-même.

— Pourquoi ne l'aimez-vous pas ?

— C'est un « nouveau croyant », un excité de la Bible.

— Un nouveau croyant, dis-je. Ça suffit comme base pour ne pas aimer quelqu'un ? Enfin, dans le cadre professionnel, je veux dire.

— Je ne suis pas antichrétien, dit Gottlieb d'une voix blanche. Ce que je veux dire, c'est que cet homme est instable, ajouta-t-il en posant les mains à plat sur son bureau.

— Il y a un instant vous parliez de l'instabilité de sa femme plutôt.

— Les deux, M. Malone. Notre présidente de jury a été internée et soignée avec des antidépresseurs, et son mari a jeté une poignée de foies de poulets sur un médecin au moment où celui-ci entrait dans son bureau.

Il se cala dans son fauteuil et, au cas où je me serais assoupi au cours des dix dernières secondes, il répéta lentement :

— Des foies de poulets, M. Malone.

Peter intervint.

— Bruce Spicer a été arrêté il y a dix ans : il faisait partie d'un groupe de manifestants anti-avortement posté devant une clinique, à Livingston dans le New Jersey. L'année où sa femme a été internée. Une année à marquer d'une pierre blanche pour les Spicer. L'arrestation de Spicer a été effacée de son casier, dans le cadre d'un arrangement.

— Monsieur Malone n'a pas besoin de connaître les détails de cette affaire, lança Gottlieb. Ce qu'il faut savoir, c'est que Spicer est un lunatique. Et que sa femme veut quitter le jury.

— Et en grande pompe, ajouta Peter.

— Avec onze de ses pairs, d'après ce que je comprends, fis-je.

Gottlieb secoua une main d'un geste désinvolte.

— Quand toute cette histoire sera terminée, nos douze jurés pourront aller se pendre en haut du Brooklyn Bridge si ça leur chante, je m'en fiche royalement. Ce qui m'importe, en revanche, c'est que tout soit réglé avant qu'ils ne se jettent dans le vide. Mme Spicer veut quitter le jury, mais Sam Deveraux ne l'entend pas de cette oreille. Nos jurés sont de véritables moutons de panurge et je laisse Deveraux s'en charger. Notre problème ici, M. Malone, c'est une question à la fois liée et indépendante de ce qui nous préoccupe.

Il marqua une pause.

— Peter ? Je vous en laisse l'honneur…

Peter prit une grande inspiration.

— Lewis voudrait que l'on examine l'éventualité que Bruce Spicer soit responsable de l'assassinat de Robin Burrell et de Zack Riddick.

— Spicer ?

— C'est seulement une théorie. Mais tu te souviens de tout le tralala qu'il y a eu lorsque Zack a révélé les avortements de Robin Burrell. Cette théorie semble un peu tirée par les cheveux, je sais, mais réfléchis-y une minute. Nancy Spicer braille tout ce qu'elle peut pour quitter le jury. Bruce Spicer n'est pas un grand fan des femmes qui se font avorter ; il est connu pour avoir été plutôt agressif concernant ces questions-là. Difficile d'appeler ça un mobile de meurtre, mais il y a aussi Zachary. La réputation de play-boy de Riddick n'est pas exactement le genre de choses qu'apprécient les nouveaux croyants. Tout ce que Lewis veut dire, c'est que l'on est devant une situation où quelqu'un comme Bruce Spicer aurait très bien pu chercher une méthode originale pour planter le procès, libérer sa femme, et rayer de la carte aux moins deux infidèles.

— Des infidèles ?

— Lewis voudrait qu'on réfléchisse sérieusement à cette hypothèse. Regarde les choses en face : quelqu'un est bel et bien responsable de ces meurtres, non ? Quelqu'un est vraiment très en colère. Alors, par où est-ce qu'on commence ?

Je sortis mon calepin.

— Qu'est-ce que vous avez là ? demanda Gottlieb.

— Une liste de gens à qui j'aimerais bien toucher deux mots de Robin Burrell et Zack Riddick.

Le procureur pointa un doigt épais dans ma direction.

— Mettez Bruce Spicer tout en haut de cette liste, vous m'entendez ? Un salopard qui balance des foies de poulets à la tête des gens, non mais franchement ! Occupez-vous-en en premier. Nouveau croyant mes fesses ! Des salauds comme lui devraient s'étouffer avec leur propre salive. Je n'ai pas de temps à perdre avec des vermines de son espèce. Mettez-lui la main dessus.

Peter me raccompagna à la sortie. Il y avait plusieurs personnes dans l'ascenseur et on resta silencieux. Dehors, Peter parla avec empressement.

— On est en terrain miné, Fritz. En terrain miné. J'espère que tu comprends ça. C'est un vrai numéro d'équilibre que l'on fait. Lewis est catégorique : il ne veut pas que cette hypothèse arrive aux oreilles de la police. Ce n'est pas l'attitude la plus éthique qui soit, mais c'est comme ça. Il faut empêcher les fuites. On ne veut pas ébruiter la santé mentale de Nancy Spicer, ni l'arrestation de son mari. Nancy ne devrait pas faire partie du jury, rien que cet élément donnerait à la défense assez de matière pour faire ajourner le procès. Voilà pourquoi cela doit rester entre nous. Mais il y a encore une chose… Si quelqu'un interroge Bruce Spicer, que ce soit toi ou la police, le gars risque de tout foutre en l'air. Il suffirait qu'il dise à la presse qu'il est suspecté de meurtre, et toute cette histoire nous éclaterait en pleine poire. Le mari de la présidente du jury ? Même Sam Deveraux ne pourrait rien y faire si on en arrivait là. Le procès serait officiellement hors contrôle, tout s'écroulerait.

— Mais si Spicer est véritablement le tueur, il ne va certainement pas aller raconter son histoire à la presse.

— On n'a aucune idée de ce qu'il risque de faire. On est peut-être au milieu d'un cercle vicieux, ou peut-être pas. Le truc, c'est que, de quelque côté que tu regardes, la situation est compliquée. Il est probable que Spicer ne soit pas le tueur, je l'admets, ça me paraîtrait un peu gros. Mais, en même temps, Lewis Gottlieb n'est pas devenu ce qu'il est aujourd'hui grâce à des intuitions erronées. Ce vieux bourru est sacrément fortiche, crois-moi.

Peter regarda autour de lui comme s'il avait peur que quelqu'un écoute.

— Je sais bien que tout à l'heure Lewis t'a donné une marche à suivre et je ne cherche pas à contredire ses ordres. Mais si tu découvres d'autres pistes concernant ces meurtres, des pistes qui te semblent valables, ça ne me dérangerait pas que tu les suives en premier. Je n'essaie pas de t'éloigner de Spicer, comme je te l'ai déjà dit, il a un instinct phénoménal.

— Et il a aussi une dent phénoménale contre les nouveaux croyants.

— Ce n'est pas le vrai problème. Tu te souviens de ce médecin d'Albany pratiquant des avortements et qui a été tué par balles il y a quelques années de ça ? Il avait reçu des menaces et avait même été calomnié sur plusieurs sites internet prônant le droit à la vie. Tu te souviens de cette histoire ?

Je m'en souvenais. Le médecin en question avait

été tué à bout portant au moment où il quittait la clinique. Le tueur n'avait même pas cherché à s'enfuir. Un passant l'avait attrapé sans qu'il oppose de résistance, il était resté planté là, sa satanée pancarte à la main, attendant sagement l'arrivée de la police.

Peter leva deux doigts.

— Deux choses. Le type qui a tiré était un membre du groupe avec lequel fricote Bruce Spicer. C'est l'un des gars qui avait été embarqué avec Bruce Spicer lors de l'incident des foies de poulets. Lewis a mené sa petite enquête de son côté et c'est comme ça qu'il a tout découvert.

— Je n'ai pas fait du bon boulot pour toi, Peter. Excuse-moi.

— Oublie. Deuxièmement, et c'est un gros deuxièmement, le médecin tué par le gars était un ami proche de Lewis. Ils se connaissaient depuis plus de trente ans.

Je laissai décanter l'information.

— Alors, on ne peut plus parler d'« instinct phénoménal » ici, Peter. On devrait plutôt parler de quelqu'un guidé par sa colère. Ce que tu es en train de me dire, c'est que ton patron ne serait pas contre une vengeance.

Peter laissa échapper une longue expiration.

— Je ne sais pas ce que je suis en train de te dire. C'est ça le problème. Je sais juste une chose : ce n'est pas la peine de te rappeler combien cette affaire est importante.

— Je sais, maître. J'espère seulement que tu es prêt à lâcher du lest si la situation ne tourne pas comme vous l'attendez. Écoute, je sais bien que Gottlieb et toi, vous avez passé le plus clair des dix derniers mois à essayer de coincer Marshall Fox pour les meurtres de Blair et Rossman.

— Mais… ?

— Mais Robin Burrell et Zachary Riddick ont été assassinés de la même manière que les deux autres victimes. Tout ce que je veux, c'est retrouver le coupable de ces deux derniers assassinats. Et pour ça, je ne peux pas travailler correctement avec une idée arrêtée en tête concernant la culpabilité ou l'innocence de Marshall Fox. Si je…

Peter explosa.

— *L'innocence* ! L'innocence de Marshall Fox ! Bon sang, Fritz, je n'y crois pas ! Non, mais c'est pas vrai ?

Il implora tous les saints.

— Ce salopard a assassiné sa… oh et puis, laisse tomber. On le tient de toute façon. Je m'en fous si ce jury se casse la gueule, on tient le saligaud qui a tué ces deux femmes. On a des arguments en béton. Dans cette histoire, quelqu'un essaie juste de brouiller les pistes, voilà la vérité. Et si ce n'est pas Bruce Spicer, c'est quelqu'un d'autre.

— Tout ce que je voulais dire…

Mais il n'avait pas terminé.

— Ces meurtres ne sont que l'œuvre d'un petit con de plagiaire. Allez, ne te laisse pas embobiner, c'est exactement ce que veut le tueur. J'ai besoin que tu gardes les idées claires.

Il pointa un doigt sur moi.

— On tient le meurtrier. On tient Fox. Il n'y a pas d'enquête à mener de ce côté-là. Nada. On t'a embauché pour quelque chose de précis : concentre-toi là-dessus. C'est compris ?

Il n'attendit pas ma réponse, fit volte-face et poussa violemment la porte à tambour. C'était l'une de ces portes à tambour qui tournent tout en douceur. Elle absorba le choc et continua de tourner longtemps après que Peter ait pénétré dans le bâtiment. Je restai là un instant à observer mon reflet intermittent dans les panneaux vitrés de la porte.

* * *

Je fis un crochet par l'immeuble de Reuters. Un dossier m'attendait. De retour à mon bureau, je parcourus les deux curriculum vitae qu'il contenait. J'étais sur le point d'appeler Megan Lamb lorsque mon portable sonna.

— Monsieur Malone ? C'est…

Le signal brouillé avala le reste de la phrase. C'était une voix de femme.

— Excusez-moi, je n'ai rien compris.

— C'est Michelle Poole à l'appareil. De la Maison quaker. Il est là !

— Comment ça, « il est là » ? Qui ça ?

Je me redressai dans mon fauteuil.

— Vous êtes où ?

— Je suis chez moi. Vous vous souvenez, quand je vous ai dit que j'avais l'impression d'être suivie tout le temps ? J'ai eu le même sentiment en rentrant chez moi tout à l'heure. Et puis, je l'ai vu. Il est là, pour de bon. Il m'a suivie. J'ai regardé par la fenêtre il y a une minute et il est toujours… Oh mon Dieu.

— Donnez-moi votre adresse !

Je saisis un stylo et gribouillai.

— Donnez-moi vos numéros de téléphone. Le fixe et le portable.

Je notai ces deux informations.

— J'arrive tout de suite. Écoutez-moi bien, vous

allez m'appeler sur mon portable toutes les cinq minutes. C'est compris ?

— Mais si…

— Appelez-moi ! Si vous tombez sur la messagerie, dites simplement « bonjour » puis raccrochez. Quoi qu'il arrive, ne restez pas près de la fenêtre, mais ne bougez pas de chez vous.

— J'ai peur. Dépêchez-vous. Je vous en prie. Je ne…

Je faillis renverser le conseiller fiscal qui travaille à deux portes plus loin de mon bureau. Il se dirigeait d'un pas traînant vers les toilettes pour hommes, une clef attachée à son porte-bloc à pince. Je l'évitai de quelques centimètres.

18

Il me fallut cinq minutes pour arriver jusqu'à la rue. Dont quatre passées dans l'ascenseur entre mon bureau et le rez-de-chaussée. C'était l'heure de la pause déjeuner. L'ascenseur s'arrêta pratiquement à tous les étages.

Douze.

Onze.

Neuf.

Huit.

Quatre.

Trois.

Je hélai un taxi, jetai une poignée de billets sur le siège avant en disant au chauffeur de foncer.

Huit minutes plus tard, il se gara à un pâté de maisons du bâtiment de Michelle Poole.

Michelle habitait dans la 27ᵉ rue, assez près de chez Zachary Riddick, qu'elle avait aperçu plusieurs fois. En sortant du taxi, je rangeai cette anecdote dans un coin de mon cerveau.

Riddick n'avait pas forcément harcelé l'amie de Robin. La jeune femme était tout simplement stressée. Cette fois, en tout cas…

Puis, je le vis.

Devant une église en pierre située au milieu du pâté de maisons, il se tenait debout, adossé à un battant du grand porche rouge et fumait une cigarette. Mon cœur s'emballa.

C'était Face de Rat. Le type que j'avais remarqué à la Maison quaker. Mise à part une casquette de baseball, il était habillé comme avant. Pendant que je l'observai, il extirpa une cigarette du paquet rangé dans la poche intérieure de son manteau, l'alluma avec son mégot qu'il jeta ensuite d'une pichenette sur le trottoir, manquant de justesse un passant.

Le type dû lui faire une remarque, car Face de Rat le gratifia d'un doigt d'honneur.

Puis il tira une bouffée de sa cigarette et fixa de nouveau son regard sur l'autre côté de la rue. Au moment où je tournai le coin, il m'aperçut. Les portes rouges derrière lui s'ouvrirent et une vieille femme sortit de l'église. Face de Rat jeta sa cigarette et se précipita à l'intérieur de l'église. J'accélérai le pas, puis, je me mis à courir.

Mis à part l'autel, l'église était plongée dans la pénombre. Dans les rangées de bancs, je distinguai une dizaine de personnes assises silencieusement. Les bas-côtés semblaient vides.

Face de Rat ne pouvait pas avoir parcouru toute la longueur de la nef pour disparaître dans une autre partie de l'église. Il était là, quelque part, tapi dans le noir. J'esquissai un mouvement pour sortir mon arme, puis me ravisai.

Pas ici. Pas maintenant. En tout cas, pas encore.

Je descendis lentement la nef centrale et dévisageai les fidèles. Je ne pouvais pas imaginer que Face de Rat ait eu l'audace de se glisser parmi ces gens pour se fondre dans la masse. Une image surgit dans mon esprit.

Un homme rétrécissant à une vitesse incroyable, ses habits tombant sur le sol comme s'il disparaissait, et un rat noir ébouriffé surgissant sous les vêtements et détalant dans le noir.

Je n'étais pas loin de la vérité.

— Hé !

Vers le milieu du banc dont je m'approchai, un homme sauta sur ses pieds.

— Qu'est-ce que…

Face de Rat se précipita vers l'autre bout du banc. En entrant dans l'église, il avait dû se jeter par terre et ramper sous les bancs, progressant sur les coudes et les genoux. Il partit en courant et passa la porte située au bout de la nef centrale avant même que j'aie eu le temps d'arriver au milieu de l'étroite allée.

Je descendis la nef latérale à fond de train et fonçai jusqu'à la petite porte. Derrière, un escalier en colimaçon menait au sous-sol. J'entendis un fracas métallique provenant de là et dévalai les escaliers.

En bas, un couloir courait sous l'autel. Une kitchenette. Deux toilettes. Une grande pièce ouverte avec un piano et des chaises pliantes. Et une porte directement à ma gauche.

Je tentai de l'ouvrir. Elle était verrouillée. Ou peut-être quelqu'un la bloquait-il ? Je tournai doucement la poignée. Il me sembla que la porte cédait un peu.

Erreur.

J'entendis un bruit derrière moi et me retournai juste à temps pour voir s'ouvrir la porte des toilettes pour femmes. Je reçus la porte en pleine mâchoire. Des étincelles me brouillèrent la vue Au même moment, je sentis quelque chose sur mon côté gauche.

Face de Rat me plaqua au sol, sauta par-dessus moi et se mit à courir le long du couloir. Je baissai les yeux et vis un long bout de plastique noir sortir de mon flanc. Je tirai dessus d'un coup sec. C'était un couteau de cuisine. La lame me sembla froide au contact de ma chair. Dès qu'elle fut entièrement sortie, du sang jaillit sur mes doigts.

Immédiatement, ma bouche se dessécha. Dans le couloir sombre, le sang ressemblait à du pétrole. Je me relevai en chancelant. Je supposai que l'autre bout du couloir menait à un escalier remontant vers l'intérieur de l'église. Je fis un rapide calcul puis, la main sur les côtes, traversai un brouillard d'étincelles et remontai les escaliers en colimaçon.

Arrivé en haut, je basculai de l'autre côté de la balustrade et atterris dans le chœur. À l'autre bout, au milieu des bancs, des silhouettes se déplacèrent furtivement. Quelqu'un cria :

— Le voilà !

Mais il parlait peut-être de moi.

Au moment où je traversai le chœur, j'aperçus Face de Rat en train de remonter en courant la nef latérale menant au portail de l'église. Je virai de bord et me dirigeai vers la nef centrale mais trébuchai sur les marches en marbre et m'étalai de tout mon long devant l'autel.

Face de Rat était déjà en train d'ouvrir la porte d'un mouvement sec lorsque je me remis sur mes pieds. En baissant les yeux, je vis une mare de sang sur le marbre. Quelque part dans la pénombre de l'église, une femme poussa un cri.

Je bondis en avant, titubant.

Dehors.

Il était déjà facilement à deux pâtés de maisons, vers l'est. Je me jetai à sa poursuite. Sur la 3e avenue, il évita des voitures plus agilement que je ne le pus.

Heureusement, à un moment, il glissa sur une plaque de verglas, ce qui me permit de rattraper un peu mon retard. Je haletai comme un cheval de course boiteux. La vapeur de mon souffle sortait par à-coups, en même temps que mes halètements rauques.

La blessure au flanc me donnait l'impression d'être remplie de clous.

Face de Rat creusait la distance. J'évitai de justesse une femme et sa poussette. Mon téléphone vibra. Pas le temps pour ça. J'accélérai le pas. Il ne restait plus que deux pâtés de maisons avant la FDR Drive et, derrière, l'East River. S'il tentait de traverser la route, l'affaire était pliée, il n'avait aucune chance de franchir la voie rapide.

Alors que je m'approchai de la 2e avenue, il passa en trombe à côté d'une Asiatique qui s'effondra sur le trottoir. Quelques instants plus tard, je grommelai « pardon » et sautai au-dessus d'elle dans une magnifique foulée, mais mes poumons m'avertirent qu'ils étaient au bord de l'explosion.

Il prit à droite sur la 1re avenue. Salopard. Au croisement de la 25e rue et de la FDR, il y a une résidence, le Waterside Plaza. Un passage pour piétons passe au-dessus de la voie rapide et mène aux immeubles d'habitations. Face de Rat attaqua le pont à toute vitesse. J'étais en train de le perdre.

La peur est un carburant puissant et le gars le brûlait bien. D'un pas lourd, je traversai le pont qui débouchait sur la grande place. Ma proie enjamba quelques marches jusqu'à l'étroit sentier bordant le fleuve qui menait à l'une des tours d'habitation.

Je sortis mon pistolet et fonçai aussi vite que je le pus dans sa direction, risquant pratiquement de tomber dans les escaliers donnant sur une petite place en contrebas. Ma vue commençait à me jouer des tours.

J'aperçus la grande entrée vitrée d'un immeuble. Il me sembla que c'était le seul endroit où il avait pu s'engouffrer, et je virai dans cette direction.

Je n'arrivai pas jusque-là.

Ce salopard s'était caché derrière un pilier en pierre en face de l'entrée. Je vis son reflet dans la vitre au moment même où il bondit de sa cachette et me tomba dessus de tout son poids. Son épaule me rentra dans les côtes et il m'entraîna sur le côté, jusqu'à un muret en ciment surplombant la rivière. Je fus violemment projeté contre le mur. Mon pistolet cliqueta sur le bitume et le peu d'oxygène qui me restait s'échappa de mes poumons.

Face de Rat était toujours là, au raz du sol. Des étincelles brouillèrent de nouveau ma vue et mes bras retombèrent sur la tête et le cou de mon agresseur aussi mollement et aussi inutilement que s'ils avaient appartenu à une poupée de chiffons. Lorsque je sentis une prise me serrer les chevilles, je sus exactement ce que Face de Rat avait en tête.

Il se releva en me tirant par les jambes. L'espace d'un instant, je vis son visage. Ses joues étaient rouge feu. De la salive moussait aux commissures de ses lèvres. Mes bras firent un moulinet et ma tête frappa le sol. J'aperçus l'enseigne des enveloppes Huxley tête-bêche de l'autre côté du fleuve.

Au-dessous de moi se détachaient les fines couches de glace couleur pétrole bordant la rive. Face de Rat laissa échapper un puissant grognement.

Je vis mes pieds. D'abord au-dessus de moi. Puis, au-dessous. Dans les airs. J'étais en train de tomber. Je sentis à nouveau une brûlure dans mes poumons, conséquence de mon hurlement au moment où la croûte glacée craqua sous le choc.

La dernière chose dont je me souvienne – bizarrement – ce fut mon téléphone portable qui vibrait. L'univers devint tout noir avant même que j'aie le temps d'appuyer sur « stop ».

Deuxième
partie

19

Nikki Rossman s'enfonça un peu plus dans son bain, jusqu'à ce que le menton touche la surface de l'eau. Elle leva son pied droit et glissa délicatement son orteil dans l'embouchure du robinet, bien à l'abri, bien au chaud. Elle prit une courte inspiration et retint son souffle. Elle voulait que l'eau s'immobilise complètement. Sous l'eau, son corps lui semblait être en plastique, tel un objet fabriqué en usine. Nikki se souvint d'un film vu quelques années auparavant, une histoire de Pinocchio des temps modernes : dans un immense atelier, des milliers de torses en plastique blanc, suspendus à des crochets, défilaient sur un tapis roulant surélevé. Ces torses asexués, aussi blancs que du marbre, avaient produit sur Nikki une inexplicable sensation érotique. Sur certains, les seins seraient rajoutés plus tard, sur les autres ce serait de subtiles tablettes de chocolat ainsi qu'un petit paquet en plastique dur entre les jambes. Nikki s'était demandée à l'époque pourquoi elle avait trouvé ces torses si troublants, si attirants. Elle avait imaginé en descendre un de son crochet et le serrer contre sa poitrine, le serrer dans ses bras de toutes ses forces. Dans son esprit, ce torse artificiel serait malléable, en plastique souple et, en réponse à la chaleur de son corps, épouserait ses contours, se loverait autour d'elle alors qu'elle le serrait, le serrait…

Nikki regarda son corps pâle ondoyer sous l'eau. Elle s'émerveillait toujours des progrès de la science moderne. Ou était-ce la médecine moderne ? Les deux. Sous l'eau, ses longues jambes minces zigzaguaient telle une interprétation cubiste. Sa taille fine apparaissait grossie et liquide. Son ventre plat était ondulé. Des calories brûlées. Des calories évitées. Une histoire d'amour avec sa salle de gym.

Et aujourd'hui, le sentiment encore tellement nouveau, même après six mois, de la rondeur si belle, si parfaite presque, de ces magnifiques seins aussi blancs que du marbre.

Elle toucha l'un d'eux. Souple, comme on le lui avait promis. Elle le pinça, le caressa puis le soutint dans le creux de sa main. Et encore une fois. Elle le pinça, le caressa, le soutint dans le creux de sa main. Ses cheveux brillants flottaient à la surface de l'eau telle une île de sable doré. Avec son autre main, elle descendit plus bas. L'orteil était toujours confortablement logé dans le tuyau du robinet. Il semblait presque coincé ; elle pouvait en tout cas s'imaginer que c'était le cas. Elle leva son autre pied et le posa contre le mur carrelé, aussi haut que possible. Elle étira ses doigts de pied, et arrêta lorsqu'elle sentit un léger tiraillement dans le mollet, presque une crampe. Son gros pouce semblait maintenant réellement coincé.

Il aime ça, quand je ne peux plus bouger. Il adore ça.

Elle cambra le dos, renversa la tête en arrière au point où l'eau lécha la naissance de son front. Sa poitrine se souleva pendant que sa main se promenait et caressait. L'eau du bain battait en cadence contre les parois de la baignoire.

Une demi-heure plus tard, Nikki sortit du bain. La pluie battait contre la vitre. Elle se sécha, se massa les bras, les cuisses et les seins avec du lait corporel. Elle détacha l'étiquette de sa nouvelle jupe écossaise et ferma le rabat avec une énorme épingle. Elle admira son dernier achat dans le miroir, replia les bras sur sa poitrine et tournoya d'un côté puis de l'autre pour faire virevolter les plis de fine laine. Les écolières d'aujourd'hui portent-elles encore ce genre de choses ? s'interrogea-t-elle. Lorsqu'il lui avait demandé d'acheter ce type de jupe, en lui décrivant les détails et en insistant pour lui donner l'argent nécessaire, il lui avait bien précisé ce qu'il avait en tête pour leur prochaine rencontre.

Et il lui avait dit de ne pas oublier un vêtement de rechange. Nikki plia une jupe ample en coton et la rangea dans son sac. Elle choisit aussi un pull au col en V qu'elle avait finalement décidé de ne pas jeter après l'opération. C'était l'un de ses préférés. À la clinique, l'infirmière l'avait mise en garde :

— Ne jetez pas encore vos vieilles affaires, ma petite. Elles auront peut-être une seconde vie !

L'infirmière avait raison, le pull noir au col en V était élégant et près du corps et elle l'adorait encore plus.

« Petite coquine », murmura-t-elle devant le miroir. Elle se maquilla d'une main experte, ébouriffa ses cheveux humides, elle voulait les laisser sécher à l'air libre pour obtenir une coupe décontractée, et attacha autour de son cou une chaîne et un pendentif spécialement choisis pour l'occasion.

— Espèce de coquine, répéta-t-elle.

Et elle partit vers la mort.

Megan Lamb jeta un flanchet d'un kilo sur une planche à découper et l'attaqua avec un grand couteau de cuisine. Elle se souvint de la fameuse campagne antidrogue : « Ça, c'est votre cerveau. Et voilà votre cerveau sous l'emprise de la drogue. »

Pendant qu'elle coupait la viande avec son couteau mal aiguisé, elle réinventa le slogan. « Ça, c'est votre cerveau. Et ça, c'est le cerveau de Brian McKinney… sur ma planche à découper ! »

Megan dut scier un tendon bleu avant de pouvoir séparer la viande en deux morceaux. Avec un geste digne de *Psychose*, elle planta le couteau dans l'un des morceaux et l'y laissa. Elle plaça l'autre dans un récipient en métal contenant une marinade à la moutarde et au teriyaki. Ce geste fit remonter à la surface une image datant de quelques mois, mais dont Megan se serait bien passée. C'était celle du cerveau de Albert Stenborg que l'on sortait du crâne pour le poser sur un plateau en métal afin de le peser. Joe Gallo, parmi d'autres (Josh, très certainement), avait vivement conseillé à Megan de ne pas assister à l'autopsie du Suédois, mais elle l'avait ignoré. Elle avait besoin, en tout cas c'est ce qu'elle avait cru à l'époque, de voir le monstre désassemblé. Elle avait espéré trouver une sorte de catharsis en entendant le rapport dépourvu de passion du légiste et la litanie des dégâts causés par la pluie de balles que Megan avait déchargées avec son arme de service. Au moment d'extraire le cerveau, Megan s'était rapprochée de la table, bien décidée à observer très attentivement toute l'opération. Plusieurs heures après, assise dans un recoin sombre du Klube, elle prit enfin conscience que les réponses à ses questions – « Pourquoi Albert Stenborg avait-il été l'homme qu'il avait été ? », « Pourquoi avait-il fait ce qu'il avait fait » – ne se trouvaient pas cachée dans cette masse grise et spongieuse d'un kilo et demi. Les réponses se trouvaient plutôt dans le cœur du monstre et dans ce que la vie avait détruit à l'intérieur de ce si tendre organe. Et ces réponses-là ne viendraient jamais.

Megan jeta un regard par la fenêtre de sa petite cuisine donnant sur une portion du fleuve. La météo annonçait de fortes pluies, un grand classique du mois d'avril, mais rien n'avait encore commencé. Les nuages bas amoncelés au-dessus du fleuve étaient gris et laiteux, et leurs gros ventres étaient éclairés par la production électrique de Manhattan. De l'autre côté du Hudson, une série d'éclairs silencieux illuminaient la silhouette vaporeuse de Hoboken. Les grondements saccadés donnaient l'impression que la petite ville croulait sous les bombardements.

Megan ouvrit une bouteille de pinot gris et en versa un demi-verre. Il y a moins d'un mois, elle aurait rempli deux verres qu'elle aurait posés sur la table basse, face à l'endroit où s'asseyait habituellement Helen. Megan ne savait pas qu'elle possédait cette veine larmoyante, mais la vie est faite de découvertes, n'est-ce pas ? Chère Helen. Megan alla dans le salon et regarda le cadre posé sur l'étagère. Sa dernière photographie. Helen faisant un discours, dans cette même pièce, le soir du réveillon, en brandissant sa flûte de champagne et sa liste de résolutions, faisant vœu d'une année « parfaite ». Après l'assassinat de Helen – maudit soit Albert Stenborg –, Megan avait fait encadrer le cliché et cherché une dizaine d'endroits dans l'appartement où le poser. Aucun ne l'avait complètement satisfaite et elle avait sérieusement envisagé la possibilité d'en faire des copies au magasin de photos de l'avenue Greenwich afin d'exposer le rire contagieux d'Helen dans tout l'appartement. Le psychiatre qu'elle voyait par l'intermédiaire de son boulot n'avait pas trouvé que c'était une très bonne idée… Megan avait fait l'erreur – elle pensait en tout cas que c'en était une – de raconter au psy qu'elle avait pour habitude de verser un deuxième verre de vin et de le placer là où Helen avait l'habitude de s'asseoir. Là non plus, le psy n'avait pas trouvé que c'était une bonne idée.

Aujourd'hui aurait été l'anniversaire d'Helen. Ce soir. Maintenant. Josh avait promis de venir directement de l'aéroport, même si Megan l'avait assuré qu'elle allait bien. Il avait finalement appelé, plusieurs heures auparavant, depuis l'aéroport de Memphis. Il y avait de la friture sur la ligne. *Fortes pluies. Retards. Pas sûr. Te rappelle.*

La pluie commença à tomber pendant que Megan sirotait son deuxième verre de vin. Cette fois, c'était un verre plein. Le dossier sur l'assassinat de Cynthia Blair était posé sur la table basse. Triste fin pour un meurtre vieux d'à peine dix jours. Cynthia avait été vue vivante pour la dernière fois le 15 avril, vers quatre heures et demie de l'après-midi chez la Coréenne à qui Cynthia confiait habituellement sa lessive. Puis elle était retournée à son appartement avec deux paquets de linge propre et repassé, rangé dans un cabas ; elle avait ouvert l'un des deux en passant en revue son contenu et laissant l'autre tel quel. Des détails. Megan avait demandé une analyse chimique des vêtements que portait Cynthia au moment du meurtre, afin de déterminer quels habits fraîchement lavés et repassés elle s'était décidée à mettre pour sortir dans la soirée. S'agissait-il des pantalons ? De la chemise ?

Des dessous ? Des chaussettes ? Ou – moins proba- blement – de l'écharpe qui avait été utilisée pour lui serrer la gorge pendant les longues minutes néces- saires pour lui donner la mort ? Il s'était avéré qu'elle avait choisi les dessous rayés bleu et blanc. Conclu- sion à tirer ? Rien. Nada. Ou, du moins, rien qui puisse être utile à Megan. Elle se sentait engourdie, comme si son instinct était endormi. Son esprit était lourd et elle regrettait que Joe Gallo lui ait confié cet homicide. Cela faisait maintenant une semaine que Cynthia reposait dans sa tombe et le dossier de l'en- quête était toujours aussi maigre.

Et Brian McKinney était un connard.

— Il paraît que ta victime a enfilé une culotte propre avant de crever, l'avait taquinée ce matin McKinney, une main posée lourdement sur son bureau comme pour l'empêcher de s'envoler. C'est du bon boulot, ça, Meg. Est-ce que tu as découvert où elle l'avait achetée, sa culotte ? Ça pourrait être la clef de toute cette affaire.

Il paraît que tout le monde est aimé de quelqu'un. Pour Megan cela voulait simplement dire que dans le cas de McKinney quelqu'un aimait un connard. Elle connaissait au moins l'une des raisons qui le poussait à se comporter comme un imbécile avec elle.

Mais il est *tellement con* qu'elle se dit qu'il devait y avoir bien d'autres raisons encore. Cette fois-ci, il était allé trop loin. Megan avait eu un tuyau. Le *Post* du lendemain devait publier un scoop sous la plume de Jimmy Puck. « *Des sources secrètes confirment que Mlle Blair était enceinte de trois mois au moment de son assassinat.* »

Génial. Parfait. Encore un gars qui a vendu la mèche. Nom d'une pipe. Oh, qu'ils aillent tous au diable ! Megan termina son verre et s'en versa un autre. Elle pouvait s'estimer heureuse d'avoir pu mener son enquête pendant dix jours sans que s'ébruite la grossesse de Cynthia Blair. Ce n'était pas l'affaire de McKinney, il n'avait rien à perdre, lui, en servant sur un plateau à ce débile de Jimmy l'information tenue secrète de la grossesse de la victime. Megan savait qu'un méchant petit rictus serait vissé sur le visage de McKinney le lendemain matin, lorsqu'elle entrerait au poste. Et elle savait aussi que Joe Gallo lui dirait : « Ne le prends pas personnellement. »

Non, elle ne le prenait pas personnellement, pas cette fois. C'était aux parents de Cynthia Blair que Megan pensait. C'est eux qui le prendraient personnellement. Megan était dans le bureau de Joe lorsque les parents de Cynthia arrivèrent directement de l'aéroport. Ils n'avaient presque plus la force de parler. Des larmes plein les yeux, ils implorèrent Joseph Gallo de les tirer de ce cauchemar et de leur montrer tout de suite leur fille saine et sauve.

Quand les Blair apprirent la grossesse de leur fille, ils en restèrent pétrifiés, impossible pour eux d'intégrer la nouvelle. Ils firent répéter l'information à Joe Gallo pas moins de trois fois. Quatre fois, en réalité. Mais à ce moment-là, Joe avait déjà passé le flambeau à Megan. Peut-être avait-il pensé que ce serait plus facile dans la bouche d'une femme. Megan avait eu la chair de poule en comprenant que les Blair allaient s'accrocher à elle comme à une bouée de sauvetage. Elle avait seulement un an de plus que Cynthia, elle paraissait compétente, et s'en sortait bien dans cet environnement stressant qu'est la métropole grouillante de New York. Tout comme Cynthia. Sauf que Megan, elle, était toujours vivante. Megan pensa que Mme Blair en particulier était à deux doigts de craquer et, tout tranquillement, de la prendre par le bras et de lui dire : « Range tes affaires, ma chérie. On rentre à la maison. »

Megan conduisit l'interrogatoire sur la vie privée de Cynthia : leur fille voyait-elle quelqu'un en particulier ? Étaient-ils au courant de ses fréquentations ? Megan et Gallo savaient pertinemment que c'était un exercice vain. Des gens qui connaissaient Cynthia bien mieux que ce couple pâle de Tucson, des amis proches ainsi que des collègues de travail récents, avaient déjà répondu à des questions similaires et cela n'avait rien donné, mis à part que tous pensaient que Cynthia était trop ambitieuse pour avoir une vie privée. C'était généralement la critique qui lui était faite. Sa vie, c'était sa carrière. Ou vice versa. Les Blair n'apportèrent rien de plus que leur étonnement, leur consternation, et leur incapacité à comprendre ce cauchemar surréaliste et comment ils allaient pouvoir en sortir. Joe Gallo promit que la grossesse de Cynthia ne serait pas divulguée.

— Cela fait partie de l'enquête et ne regarde personne d'autre.

Les Blair avaient échangé un regard. Ce fut la mère de Cynthia qui résuma leur pensée commune.

— Je suppose que cela ne nous regarde pas non plus… C'est en tout cas ce que semblait penser notre fille.

La viande resta à mariner sur le plan de travail de la cuisine. Une blatte intrépide qui avait quitté son nid préféré situé dans la prise électrique derrière le réfrigérateur, remonté le long du placard puis traversé le plan de travail dégagé, flottait maintenant sur le dos à la surface de la marinade. Ses pattes microscopiques battaient inutilement l'air. Sa carapace n'était d'aucun secours contre les jus acides. D'ici minuit, elle serait morte.

La pluie tombait, régulière, dans un faible crépitement, un *flic, flac, floc* doux et incessant. Des gouttes rebondissaient sur le rebord de la fenêtre ouverte de Megan, éclaboussant le grille-pain avec la régularité d'un ventilateur. Des miettes se déplaçaient par à-coups dans la flaque grandissante.

Le tonnerre gronda, les lumières de l'appartement vacillèrent puis s'éteignirent pour se rallumer une minute plus tard. Les réveils de l'appartement – celui de la cuisine et de la chambre – se réinitialisèrent et clignotèrent 12:00... 12:00... 12:00...

Megan était assise sur l'un des bancs en pierre de la jetée de l'Hudson, les jambes repliées contre la poitrine et les bras serrés tout autour. La pluie gouttait du rebord de sa casquette de base-ball NYPD jusqu'au dos de ses petites mains. Elle était trempée jusqu'aux os. Elle n'avait mis qu'un coupe-vent sur un sweater épais gris et ses pieds étaient glacés dans sa paire détrempée de Converse. La tête baissée, elle chantait doucement dans le creux de sa poitrine, à l'abri de la pluie. Elle détestait cette chanson. Tellement insipide, tellement bête, tellement ridicule. Dépourvue de toute signification, infantile, banale. Et même, vaguement insultante. Mais elle était possédée par cet air. Elle ne pouvait pas lutter. Les mots sortaient de sa bouche comme aspirés par un parasite.

Joyeux anniversaire... Joyeux anniversaire...

20

C'était une rumeur qui avait circulé. Et, à l'ère de la communication instantanée, c'est le genre de chose qui se propage aussi vite que des virus galopants.

Marshall Fox squatte l'Internet.

Le bruit avait couru que, comme des milliers de ses concitoyens, Fox aimait déguiser son identité, surfer dans le cyberespace et parler cochon. *Très* cochon. Des sites entiers avaient surgi, révélant de soi-disant connexions, et donnant des listes d'adresses de courriels anonymes censés émaner de la vedette de l'émission nocturne. Des échanges étaient postés entre « ceux qui se prenaient pour Fox » et « ceux qui, soi-disant, n'étaient autre que Fox en personne ». Certains messages pouvaient passer pour plausibles. Ils semblaient porter la patte de Marshall Fox, reprenant son humour, son style, ses phrases clés.

Bien entendu, n'importe qui ayant un certain talent d'écriture et d'imitation pouvait en être l'auteur. La majorité des gens savait fort bien que c'était une sorte de jeu, un substitut de célébrité. Un bavardage en ligne avec un personnage virtuel. Sexe en ligne avec un imposteur bien sous tout rapport…

Pendant un temps, cela fit fureur et on créa même l'expression Fox-Trotteur pour parler de ceux qui se faisaient passer pour Marshall Fox.

L'animateur-vedette lui-même avait encouragé cette mode. Plusieurs soirs par semaine, il lançait une blague sur quelques-uns des messages les plus scabreux qu'on lui attribuait. Pendant qu'il passait en revue des poignées de messages, ses sourcils se levaient dans un air de surprise feinte et un sourire complice s'étirait sur son visage.

— Eh bien, apparemment, j'ai discuté hier avec une certaine Ingrid et une Olga… Visiblement, elles étaient toutes deux prêtes à me raconter tout ce que je voulais savoir sans jamais avoir osé le demander sur les boulettes de viandes à la suédoise.

Il laissa traîner un rire forcé, invitant le public à le suivre, puis brandit un autre message.

— Regardez ! Voilà le message d'un type qui s'appelle Sven.

Il continua d'une voix de fausset avec un accent suédois totalement massacré :

— Bon-chour, M. Fox. Quoi qué vous fézé ? Né touché pas à Innnngrid et à Oooolgaaa !

Nikki Rossman adorait l'Internet. Un jour, elle avait entendu qu'on le comparait à un portail de la dépravation instantanée, et elle était totalement d'accord avec cette définition. L'Internet avait ouvert chez Nikki une nouvelle page dans son emploi du temps. Il s'agissait de la matinée, bien que, pour Nikki, ce soit une extension de la nuit précédente. Nikki habitait Tribeca, dans la partie basse de Manhattan, un quartier qui ne manquait ni de bars, ni de clubs. Et elle aimait danser. Elle adorait plus particulièrement se défoncer et danser. C'était une excellente danseuse.

Sur la piste, elle n'était plus que mouvements fluides, soit rapides et endiablés partant dans toutes les directions en même temps, soit lents, rêveurs, ondulants. Elle adorait le voile de sa transpiration. Elle adorait le bruit. Plus la musique était assourdissante, mieux c'était. Dans un club bondé, martelé par la musique tonitruante, on pouvait se laisser aller à toutes sortes de cris gutturaux et de hurlements. N'importe où en ville, ce genre de comportement inviterait à décrocher le téléphone et à faire le 911. Nikki adorait pousser des cris sur la piste de danse. C'était son excitant à elle. Elle avait lu quelque part un article sur les chakras ; tout avait trouvé un écho en elle.

Nikki s'élança sur la piste de danse telle une furie, criant à pleins poumons. Bientôt, elle sentit une décharge profonde dans le bassin. Cela lui donna une envie de sexe, ce qui n'était pas un problème dans la plupart des clubs. Il y avait des endroits pour ça, des coins sombres, des toilettes. Si la nuit touchait presque à sa fin et si le gars était mignon, il y avait toujours son appartement à elle ou à lui, ou un autre endroit prêt à les accueillir. Le seul risque, c'est que la baise ne soit pas à la hauteur de la soirée ; après la musique, la danse, les chakras et les cris, le gars avait intérêt à assurer, c'est tout. Elle avait même trouvé un nom pour le genre de baise dont elle avait envie : cataclysmique. C'était du quitte ou double, elle le savait. Mais mince, quand ça marchait, ça arrachait…

Un type qu'elle avait rencontré au Cat Club lui avait donné le surnom de « petit paquet serré ». Nikki avait adoré cette description. Elle y pensait chaque soir, quand elle se préparait à sortir, en se glissant dans ses dessous, remontant la fermeture éclair de sa petite jupe de lolita. « Petit paquet serré ». Ouvre-moi d'abord. Elle se parfumait les poignets, derrière les oreilles et entre les seins avec l'un des parfums qu'elle chipait régulièrement à son boulot, chez Bloomie's, imaginant que la chaleur générée sur la piste de danse activerait les senteurs et les enverraient dans toutes les directions. Du sang chaud pour les loups.

Que du plaisir.

Et puis arriva l'Internet. Ce n'était rien de cataclysmique ; c'était impossible. Il suffisait de cliquer sur *silence* et ça devenait aussi calme que la mort. Pas de basses assourdissantes. Pas de stroboscopes. Pas de machines à transpirer, palpitantes, en train de se trémousser sur la piste de danse bondée.

C'était complètement différent. Moins sauvage, aucun doute là-dessus. Et la plupart du temps, lamentablement puéril.

Et pourtant, le réseau était là, toujours constant. Le portail ouvert sur la dépravation instantanée. Les chakras n'étaient que partiellement satisfaits.

Nikki trouvait cela étrange, tous ces accros assis devant leur écran d'ordinateur, Dieu sait où, prêt sur un clic de souris à se glisser dans ses pantalons virtuels. Quelle émeute ! Des centaines d'entre eux, invisibles à l'œil nu. Le cyberespace grouillait de foutre, elle ne voyait pas comment le dire autrement. Quel cirque ! Elle adorait ça. Oui, il fallait se frayer un chemin parmi les crétins – ou, comme disait Tina, une amie à elle, les gros lourdauds – mais, c'était comme partout, avec un peu de pratique et de jugeote, on arrivait toujours à trouver chaussure à son pied. Ils étaient là, les gars qui savaient y faire. Sans doute, derrière certains se cachaient des femmes, mais qu'est-ce que ça pouvait bien faire ? On ne pouvait pas trouver de baise plus clean que ça… C'était un moyen inoffensif de passer quelques minutes tapageuses avant de se mettre au lit, avant de se laisser aller dans les bras de Morphée.

Et certains de ces gars étaient bons. Nikki aimait penser qu'elle aussi était bonne, qu'elle pouvait donner aussi bien qu'elle recevait. Comme dans la soi-disant *vraie vie*.

Dieu sait que quatre-vingt-dix pour cent des gens avec qui elle chattait auraient généré un gros zéro sur son radar si elle les avait rencontrés en chair et en os. Mais dans son appartement, illuminé par la lueur blafarde de son écran d'ordinateur, quelle différence cela faisait-il ? Aucune. L'annonce de Nikki était toujours la même : « *Je tape avec un seul doigt. Dis-moi ce que je dois faire de l'autre.* »

Très bête. Très immature. Mais il suffisait de recevoir une réponse intelligente à l'autre bout de la ligne, quelqu'un avec du doigté, justement. Ce n'était pas la pire des façons de terminer la soirée, avant de se brosser les dents et de se passer une couche de lait hydratant pour le visage.

Et parfois, bien sûr, elle continuait après s'être déconnectée.

Nikki alla sur certains de ces sites soi-disant fréquentés par Marshall Fox. Pas une seule seconde elle ne crut être en relation directe avec le *vrai* Fox, mais quand même, c'était drôle. Certains prétendants étaient extrêmement créatifs et ludiques, et plus d'un montrèrent un goût certain pour l'érotisme, ce qui plaisait beaucoup à Nikki.

Un matin, elle se connecta avec deux plagiaires. L'un d'eux était plus doué que l'autre. Il avait du matos. Il n'était pas aussi intelligent que le vrai animateur, mais Fox avait toute une flopée d'auteurs pour lui écrire ses répliques. Le gars s'en sortait pas mal du tout. Il était drôle.

Et l'autre ? Elle aurait aimé qu'il aille au diable. Elle se demandait si ce n'était pas un petit boutonneux de douze ans en train de jouer à touche-pipi. Sa copine Tina aimait bien flirter en ligne avec des gamins, mais Nikki trouvait ça dégoûtant, ce n'était pas du tout son truc.

Le mec venait de lui envoyer un message bourré de fautes d'orthographe avec une blague interminable que Nikki avait déjà lue sur Internet la semaine précédente. L'histoire d'un chien qui parle et d'un concours de beauté et… c'était complètement idiot. Elle aurait préféré que l'autre faux Marshall Fox lui envoie quelque chose. Cela faisait déjà dix minutes qu'il ne lui avait rien écrit. Il s'était peut-être déconnecté. C'est aussi ce que je devrais faire, se dit Nikki. Son coude heurta la souris alors qu'elle faisait pivoter son fauteuil pour voir si l'aube pointait déjà.

Pas encore. Dieu merci.

Nikki revint sur la blague du chien qui parle. Ses ongles au vernis orange cliquetèrent sur le clavier.

Les chiens savent quand j'ai un orgasme.

Qu'est-ce que ça peut bien faire. Elle cliqua sur « envoyer ». Une minute plus tard, un message apparut sur son écran. Il ne venait pas du gamin, mais de l'autre faux Marshall Fox. Le bon.

Les chiens ont bien de la chance.

Elle répondit, *Si vous le dites.*

L'écran resta inchangé pendant presque une minute. Nikki pensa qu'elle l'avait peut-être perdu. Et puis :

Je voudrais tant être un chien pour avoir cette chance.

Nikki s'esclaffa à haute voix en tapant sa réponse :

*le chien qui a la chance de savoir que j'ai eu un
orgasme ou le chien avec qui je viens de l'avoir ?*

Oh la la. Il faut que j'arrête ça et que j'aille dormir.
Elle cliqua sur « envoyer ».

La réponse arriva instantanément.

Les deux.

Le flirt virtuel dura près de deux mois. Il adopta
une nouvelle identité, rien que pour elle. *Chien chanceux.* Pour lui, Nikki laissa tomber *Petit Paquet
d'Amour* et choisit *Chienne en chaleur* à la place. Il
répondit qu'elle était intelligente.

*Je parie que vous savez également faire des tours
d'adresse.*

Lui aussi préférait quatre heures du matin pour son
badinage virtuel. Il écrivit qu'il était toujours réveillé
à cette heure-là et qu'il aimait correspondre pendant
que le reste du monde dormait. Nikki déduit de son
commentaire qu'il devait se trouver quelque part sur la
côte Est. Lorsqu'elle lui posa la question, il répondit :

*Je suis Marshall Fox, vous vous souvenez ? D'où
pourrais-je bien vous écrire ?*

Oui. Évidemment.

Ils prirent le rythme. À quatre heures piles, Nikki
ouvrait le feu qui consistait toujours en un seul mot.

Parle.

En quelques secondes, la réponse arrivait.

Ouaf !

Et c'était parti. Chien chanceux était un rigolo. Tant
qu'ils plaisantaient, ses messages étaient courts. Il
savait la faire rire, il était rapide. Il saisissait au bond
chaque chose qu'elle écrivait et les lui renvoyait subti-
lement détournées. C'était comme s'ils discutaient
dans un bar. Plus d'une fois, elle se dit qu'elle aurait
bien aimé que ce fût le cas.

Il était doué. C'était presque inquiétant, comme s'il était tapi derrière elle, assise devant son ordinateur, et qu'il lui chuchotait des choses à l'oreille, qu'il guidait délicatement sa main, qu'il guidait ses pensées. Parfois, c'était exactement ce qu'il écrivait : *Je suis là avec vous. En cet instant, je suis dans la cuisine et je vais chercher un verre d'eau chaude. Ne bougez pas. Je reviens tout de suite. Je veux le poser sur votre cou.*

Et quelques secondes plus tard : *Voilà, je suis de retour. Vous le sentez, n'est-ce pas ? Ce n'est pas brûlant mais agréablement chaud, n'est-ce pas ? Pourquoi ne pas prendre mon autre main et la poser délicatement sur vos seins adorables. Vous savez où. Nous aimons tous les deux cet endroit.*

Et bon sang, qu'est-ce qu'elle le sentait ! La douce chaleur dans sa nuque, comme un souffle. Et des doigts qui frôlaient ses…

Elle voulait le rencontrer. Oui, c'était une idée idiote, certainement, cela gâcherait tout, probablement. Mais c'est ce qu'elle voulait. Ce serait peut-être même drôle. Qui sait, ce pourrait même être cataclysmique.

Elle aborda le sujet.

Est-ce que Chien chanceux veut sortir batifoler un peu ?

La soirée avait été frustrante. Nikki et Tina avaient fait la tournée des boîtes de nuit et s'étaient disputées. À cause d'un gars qu'elles voulaient toutes les deux, rien que ça. Une armoire à glace originaire du Honduras répondant au nom de Victor. Elles l'avaient rencontré au night-club The Vault. Rectification. Nikki l'avait rencontré au night-club. Ils étaient déjà tous deux sur la piste de danse quand Tina était revenue dans la discothèque. Elle était sortie passer un coup de fil. Victor était chaud, chaud, chaud. Il bougeait bien et faisait tournoyer Nikki comme une toupie. Un bras solide autour de sa taille menue, il la détachait du sol avec une facilité étonnante. Il avait de longs cils noirs, une peau couleur chocolat et une bouche presque féminine. Il avait Nikki dans la peau, ça se voyait. Mais la situation foira. Nikki s'esquiva aux toilettes pour rafraîchir son maquillage et lorsqu'elle revint Tina et Victor était pratiquement en train de forniquer sur la piste. Vingt minutes plus tard, ils étaient dans le couloir obscur menant aux toilettes. Nikki donna exprès un coup de hanche à Tina quand elle passa à côté d'eux. Tina la suivit dans les toilettes, bien décidée à lui arracher les yeux. Nikki quitta le club et termina la soirée au Sugar. Le serveur super mignon était là. Sa copine aussi. Leur soi-disant séparation ne parut à Nikki pas aussi claire que ça. Le barman posa un Cosmopolitan devant elle. « Six dollars. » Elle laissa le verre plein sur le comptoir.

Chien chanceux ne répondit pas pendant près de cinq minutes. Super, pensa Nikki. Trois coups et je suis hors de combat, je l'ai fait fuir. Elle était à deux doigts d'écrire pour lui dire qu'elle n'avait pas vraiment voulu dire ça, lorsque apparut la réponse : *Est-ce que j'ai bien lu ? Vous voulez me faire faire un tour ?*

Son cœur s'arrêta de battre pendant quelques instants. Elle tapa : *Seulement si vous me promettez de faire le beau.*

Une minute plus tard : *Tirez bien sur la laisse, ma maîtresse, et je ferai tout ce que vous voudrez.*

Nikki fixa l'écran pendant une longue minute. Le curseur clignotait urgemment. Il attendait. Elle essaya de l'imaginer, mais aucun visage ne lui vint à l'esprit. Elle n'avait jamais mis ne serait-ce qu'une image fantasmée sur le nom de Chien chanceux. Il était secret, irréel. Il suffisait qu'elle éteigne maintenant son ordinateur et il resterait ainsi. Ils pourraient continuer leur petit jeu virtuel, leurs bêtises. Ses mains pourraient continuer à la toucher seulement par le biais de ses mains à elle. Elle pourrait rester totalement maîtresse de la situation. Dans son appartement sombre. Seule.

Elle pensa à Tina et à Victor. Au barman super mignon et à sa copine. Elle passa une main sur son ventre lisse et plat.

Allez, qu'est-ce que j'en ai à faire ?

Elle tapa : *Votre ville ou ma ville ?*

Chien chanceux répondit : *Je suis déjà là, chérie.*

À New York ?

C'est un fait.

Arrêtez. Je ne vous crois pas.

Vous voulez que je vous le prouve ?

Oui. Prouvez-le-moi.

Une minute passa, puis il répondit en demandant dans quelle partie de la ville elle habitait.

Tribeca.

À quelle heure partez-vous au travail le matin ?

Vers dix heures.

Parfait. Envoyez-moi un courriel juste avant de partir. Je vous dirai ce que vous aurez à faire.

On se la joue autoritaire, maintenant ?

Pause.

Vous n'avez encore rien vu...

Le matin, elle obéit. Il lui avait donné pour consigne de se rendre au rayon théâtre de la librairie Ruby dans la rue Chambers et de feuilleter *Comme il vous plaira* de Shakespeare. Elle suivit ses instructions à la lettre. Ruby n'était pas très loin de sa station de métro. Nikki eut tout le temps l'impression d'être observée. Elle essaya de ne pas montrer de façon trop évidente qu'elle regardait par-dessus son épaule lorsqu'elle se dirigea vers le rayon « théâtre ». Il devait être en train de l'observer. Mais où était-il ? Il n'y avait que trois clients dans le magasin – une vieille femme et deux homos – et aucun d'eux ne faisait attention à elle. Il y avait quatre exemplaires de la pièce sur l'étagère. Elle feuilleta le premier et n'y trouva rien. Lorsqu'elle prit le second, une petite enveloppe en tomba. Un mot et quelque chose de petit emballé dans un mouchoir en papier. Sur le mot, était écrit : *Alors, cela vous plaît-il ?*

Le mouchoir contenait une fine chaîne à laquelle était suspendue une plaque d'identité pour chien en aluminium portant l'inscription CHIENNE EN CHALEUR. Nikki la serra contre sa poitrine et éclata de rire.

Elle rangea le bijou dans la poche du manteau blanc qu'elle portait. Ses doigts le caressèrent si souvent qu'elle eut peur d'user l'inscription.

À quatre heures, le matin suivant, Nikki se connecta.

D'accord. Où ça ?

Il répondit :

Devant l'Hôpital vétérinaire de Tribeca, dans la rue Lispenard.

Quoi ???!!!

À dix heures ce soir.

Vous êtes fou ?

Vous le saurez bien assez tôt.

Elle réfléchit un instant, puis tapa sa réponse. Elle leva son index, l'embrassa puis cliqua sur « envoyer ».

Marshall Fox, nom de nom.

À dix heures cinq, une Town Car Lincoln sombre se gara contre le trottoir devant l'Hôpital vétérinaire de Tribeca Soho. La porte arrière s'ouvrit et... nom de Dieu, *Marshall Fox*, le vrai Marshall Fox, était assis là, tout sourire. Nikki en resta bouche bée. Qui l'eut cru ? Qui croirait à un truc pareil ? Tina allait halluciner. Mais, deux minutes... Est-ce que quelqu'un ne serait pas en train de lui jouer un tour ? Est-ce que ce n'était pas qu'un canular bien ficelé ? Elle l'observa de plus près. Ce n'était peut-être pas le vrai Marshall Fox... C'était peut-être un sosie ou quelqu'un qui lui ressemblait beaucoup.

— Venez, dit-il en lui faisant un signe de la main.

Elle retrouva enfin sa voix.

— Vous êtes... Marshall Fox ?

— Vous savez ce que je suis d'autre ? Je suis un chien sacrément chanceux.

Il lui tendit la main.

— Maintenant, venez par ici, je ne vais pas vous mordre.

Trois heures plus tard, il lui prouverait le contraire.

Fox et Nikki parcoururent Manhattan sans but, sirotant du champagne et sniffant des lignes que Fox jurait être de la cocaïne de la plus pure qualité. Il fut, si cela était possible, encore plus charmant, drôle et sexy en chair et en os que sur le petit écran. Nikki était stupéfaite.

Il lui faisait vraiment penser à Chien chanceux. Il était vraiment comme dans les courriels qu'il avait envoyés. *Ses* courriels. Ceux de Marshall Fox. Le vrai Marshall Fox.

— Je vais passer toute la soirée à me pincer, dit-elle alors qu'il remplissait de nouveau son verre de bulles. Marshall Fox, le satané Chien chanceux !

Pour la dixième fois de la soirée, elle posa ses doigts sur la joue de Fox.

— Vous êtes réel. Je suis soufflée.

À minuit, il était entre ses cuisses. Il regarda Columbus Circle défiler derrière les vitres teintées en chantonnant et en caressant paresseusement les cheveux blonds de Nikki. Oui monsieur. Un satané Chien chanceux. Il fallait qu'elle sache. Elle voulait savoir. Qu'était-il en train de se passer ?

Il s'expliqua. Non, il ne lui avait jamais traversé l'esprit de se plonger dans le monde anonyme du flirt virtuel et du sexe dans le cyberespace, pas avant que les soi-disant échanges Internet de Marshall Fox fassent fureur. Il avait trouvé cela amusant ; pour preuve, l'utilisation qu'il en avait faite pendant un temps dans ses émissions.

— Tu as remarqué quand j'ai arrêté de faire ces blagues ? lui demanda-t-il.

Nikki lui expliqua que, à l'heure où elle rentrait chez elle, l'émission était généralement déjà terminée.

— J'adore ton émission, mais je n'ai pas souvent l'occasion de la regarder.

— Il y a environ deux mois. J'étais devenu curieux et je me suis moi-même connecté. Je connaissais la plupart des sites, mon équipe les surveillait tous. J'ai arrêté mes petites blagues quand on a commencé à chatter toi et moi. J'ai dit à ma productrice qu'il était temps de laisser tomber.

Ils roulaient tranquillement sur Central Park Ouest. Nikki savait que le célèbre animateur était séparé de sa femme et qu'il vivait dans l'une de ces bâtisses alentours. Elle le dévisagea, suspicieuse.

— Ce n'est pas la première fois que tu fais ça, n'est-ce pas ? Que tu lèves quelqu'un comme ça.

— Jamais. C'est la première fois. Je le jure, répondit-il en levant la main droite.

Elle lissa sa jupe.

— Et si j'avais vraiment été une chienne ? Enfin, tu vois ce que je veux dire…

— Je savais que tu ne l'étais pas, mon chou. J'avais mené ma petite enquête.

Elle réfléchit un instant.

— Ruby…

— J'étais garé dehors et j'ai eu largement le temps de te regarder arriver. Est-ce que tu as senti les jumelles posées sur toi ?

Elle soupira.

— Tu es complètement cinglé.

— Ça m'a plu.

— Quand même, j'aurais pu être totalement maboule. Tu sais bien qu'il y a de tout dans cette ville !

Fox continua en lui donnant son identité complète, l'endroit où elle était née, son adresse actuelle, là où elle travaillait, l'université où elle avait étudié, son numéro de sécurité sociale, et même la date de sa chirurgie mammaire ainsi que le nom de la clinique où elle s'était fait opérer.

La mâchoire de Nikki s'affaissa.

— Explique-toi.

Fox actionna un bouton se trouvant sur son accoudoir.

— Danny ? Mme Rossman trouve que tu es un goujat d'être allé fouiner dans sa vie comme tu l'as fait et je trouve qu'elle a raison. Même si elle a dû admettre que tu as fait un sacré bon boulot vu le peu de temps à ta disposition…

Le chauffeur pivota et, derrière l'épaisse séparation vitrée, fit un signe d'approbation en levant un pouce vers le haut. Nikki vit ses yeux se baisser sur ses jambes avant de retourner se poser sur la route.

— Quand tu es sortie de chez le libraire, Danny t'a suivie, expliqua Fox. Moi, je ne pouvais pas me le permettre, dit-il en riant.

— Mince alors, c'est digne d'une histoire de cape et d'épée, non ?

— En tout cas, il a trouvé ton nom à Bloomingale et il a déniché le reste à partir de là. Il est vraiment bon. Il n'y a pas de meilleur assistant au monde. Excuse-moi d'avoir fouillé dans ton intimité, mais tout est bien qui finit bien, comme disait Billy Shakes.

L'appartement de Fox était situé à San Remo sur Central Park Ouest. Il demanda à Danny de les y amener et Nikki y passa la nuit.

— On peut se la jouer gentillet ou sauvage, c'est au choix, dit Fox en conduisant Nikki à travers l'immense salon. Je ne te forcerai pas. Tu es adorable et Dieu sait que tu es sexy et que j'ai envie de ne faire qu'une bouchée de ton joli petit cul. Mais c'est toi qui décides. Je suis simplement content que tu sois là. Toi, moi, et zéro paparazzi. Tu ne peux pas imaginer combien ça fait du bien d'avoir un secret. Tu vaux de l'or pour moi ma chère.

Nikki resta silencieuse pendant que Fox commençait à déboutonner sa chemise. Il se rapprocha d'elle.

— Donne-moi ta main, ma douce. Je crois qu'on sera bien.

Sept nuits étalées sur trois semaines. Sept nuits de folie. Marshall était un vilain, un très vilain petit garçon, aucun doute là-dessus. Vilain, très vilain, et bon, très bon. Fox regorgeait d'idées pour pimenter les choses dans la chambre – ou, une fois, dans le jardin sur le toit du bâtiment. C'était un amant fantastique, même sans les jouets dont il aimait faire usage. Il arrivait que la situation se corse avant que tout soit terminé, parfois plus que ne l'aurait souhaité Nikki. Mais il fallait voir à qui on avait à faire. Il était célèbre et il avait choisi de faire toutes ces choses avec *elle*.

Et en plus de ça, la baise était, ouais, cataclysmique.

Il lui demanda dès le premier soir de ne raconter à personne ce qu'ils faisaient.

— J'ai besoin d'avoir quelque chose à moi et rien qu'à moi. Disons que ce sera toi.

Trois semaines après leur premier rendez-vous, le corps de Cynthia Blair fut retrouvé inanimé dans Central Park. La jeune femme avait été étranglée et son cadavre laissé au pied de l'Aiguille de Cléopâtre, derrière le Metropolitan Museum.

Nikki n'avait pas de numéro de téléphone où elle aurait pu joindre Marshall. Même si elle en avait eu, elle n'était pas certaine que l'appeler eut été la meilleure chose à faire.

Mais il ne répondait plus à ses messages sur son adresse de Chien chanceux. Elle avait l'impression d'être à des milliers de kilomètres de lui.

Nikki regarda Fox à la télévision et pleura. Il avait l'air perdu. C'était absurde de vouloir faire l'émission dans cet état-là, pensa-t-elle. Regarde-le. Elle avait envie de le prendre dans ses bras et de le consoler. Pauvre bébé, il souffrait tellement.

Elle réfléchit à la possibilité d'aller chez lui, puis se ravisa. Ce n'était sans doute pas une bonne idée. Il fallait seulement qu'elle attende, en espérant qu'il voudrait bien la revoir.

À sa demande, après leur dernier rendez-vous, elle était allée acheter cette jupe écossaise dont il n'avait pas arrêté de parler. Il la voulait pour l'un de leurs jeux. *Appelle-moi*, implora-t-elle devant le poste de télévision. *Je suis là, chéri. Je ferai ce que tu voudras. Tout ce que tu voudras. C'est toi le chef. Je te ferai tout oublier, j'en suis capable.*

Neuf jours après l'assassinat de Cynthia Blair, il envoya un courriel à Nikki. Il voulait la voir. Le soir même.

J'ai besoin de quelque chose de normal. Bon, d'accord, tu me connais mieux que ça. J'en peux plus de tout le merdier qu'il y a eu cette semaine. J'ai besoin de faire un break et d'avoir un peu de chance. Tu es celle qu'il me faut, fillette. Personne d'autre dans le monde entier.

Elle répondit sans attendre : *Oui !*

Excellent. Danny passera te chercher à dix heures. Enfile ton habit d'écolière. Un petit sacrifice de vierge, c'est du baume pour l'âme.

21

Sortie du bain, Nikki s'élança dans les escaliers à dix heures moins dix. Madame Campanella, du troisième étage, descendait sa poubelle.

— Regardez-moi ça, vous êtes toute belle ! Pour moi, c'est l'heure d'aller me coucher, pour vous c'est l'heure d'aller danser.

Nikki se proposa de descendre les ordures de sa voisine devant le bâtiment, mais la vieille dame refusa d'un geste de la main.

— C'est mon seul exercice de la journée, ma petite. Mon médecin dit que je dois rester active. Quand vous rentrerez de votre rendez-vous, je serai peut-être encore en train de remonter les escaliers !

Nikki se souvint qu'elle avait oublié la carte de condoléances achetée pour la famille de Cynthia Blair. Elle ne savait pas s'il était très correct de demander à Marshall de la leur donner de sa part. Elle l'avait signée de ses initiales, suivies de « Quelqu'un qui se sent concerné », mais se demanda si elle n'était pas simplement en train d'essayer de marquer des points auprès de Fox.

Quoi qu'il en soit, ce qui était arrivé à cette jeune femme l'avait bouleversée. Elle remonta chercher la carte, une enveloppe bleu pâle. La vieille voisine approchait du rez-de-chaussée lorsque Nikki arriva en bas.

— Passez une bonne soirée, ma petite. Vous devriez prendre un parapluie, on annonce des averses pour ce soir.

Au moment où Nikki sortit du bâtiment, Danny était adossé contre la Town Car. Il la jaugea d'un regard approbateur.

— Mon patron va être sacrément content de vous voir. Qu'est-ce qu'il a été pénible, cette semaine !

À son arrivée, Nikki trouva Fox plongé dans une humeur noire. Pas surprenant. Il avait l'air hagard. Elle lui tendit sa carte de condoléances.

— C'est peut-être bête…

Fox ne répondit pas et posa l'enveloppe sur la petite table basse du couloir. Il avait l'air distrait, faisant semblant que tout allait bien.

Il prépara deux martinis et les amena sur le balcon. Une bruine commençait à tomber. Ils restèrent sous le surplomb du balcon du dessus. L'appartement se trouvait au vingt-sixième étage et on apercevait la silhouette de l'obélisque de Cléopâtre. Fox sirota son martini en silence, le regard perdu au loin, par-dessus les arbres, en direction de l'aiguille de pierre.

Nikki aurait voulu le toucher, poser ses doigts sur son bras, mais elle n'osait pas. Fox avait le visage impassible, de marbre. Au bout d'une longue minute, il ouvrit enfin la bouche.

— Crois-moi si tu le veux ou pas, mais ce n'est pas l'histoire de Cynthia qui m'a mis dans cet état. C'est ma femme. C'est Rosemary.

Il vida le reste de son martini d'un coup sec. Le regard de Fox restait plongé au loin, vers le parc.

— J'ai passé l'après-midi avec elle avant d'aller au studio. Ce n'était pas exactement ce qu'on appelle une bonne après-midi. Cette femme... c'est à elle que je devrais donner la plaque d'identité pour chien que je t'ai offerte. Je te jure...

Nikki porta la main à son pendentif.

— Il faudra qu'elle me passe sur le corps pour l'avoir. C'est mon cadeau.

L'expression de Fox se détendit.

— Écoute, quoi que tu fasses, ne défie par Rosemary. Je suis sérieux. Tu es une chic fille. Rosemary te mettrait en pièces.

Nikki resta sur le balcon pendant que Fox rentrait se verser un autre martini. Elle n'avait aucune idée de ce qu'il pouvait ressentir. Jusqu'ici, il ne lui avait jamais parlé de son ancienne productrice, même si elle avait lu quelque part que leurs relations professionnelles avaient tourné au vinaigre. Cette séparation avait dû lui faire mal, pensa-t-elle.

On travaille avec quelqu'un, les choses se terminent mal et ensuite, elle se fait tuer... Aucune chance de se rabibocher ! Elle jeta un regard au loin, vers l'endroit où le cadavre de Cynthia Blair avait été retrouvé neuf jours auparavant. Un frisson lui parcourut l'échine en imaginant la jeune femme en train de se débattre, tentant d'échapper à son agresseur. L'avait-elle vu arriver ? Avait-elle eu le temps d'appeler au secours, de pousser un cri d'alerte ? Bon sang, pensa Nikki. Au beau milieu de la nuit, cette partie de la ville peut devenir terriblement calme.

Elle pensa à Marshall, allongé dans son lit, endormi. Ou plutôt, non : réveillé. Allongé, éveillé, percevant au loin un cri dans la nuit. On entend tout le temps ce genre de choses et on n'y prête pas attention.

Ce sont les bruits de la ville. On ne pense jamais que quelqu'un que l'on connaît pousse son dernier cri…

— Hé !

Un peu de son martini tomba sur son poignet. Fox s'était approché d'elle par-derrière. Elle se retourna et le regarda.

Son visage était à contre-jour, ses yeux noirs et absents dans leurs orbites enfoncées.

— Quelle jolie jupe tu as là, petite fille.

Il y avait également quelque chose d'absent dans la tonalité de sa voix. Grave. Mécanique.

Nikki exécuta une petite révérence.

— Tu aimes ?

Fox lui ôta le verre des mains et le termina puis, d'un geste désinvolte, le jeta. Sous le choc, le verre vola en éclats.

— Petite fille aime-t-elle les bijoux ?

Il sortit quelque chose de sa poche et le tint en hauteur. La lumière provenant de l'appartement luit sur la surface.

Nikki prit les menottes des mains de Fox et lui renvoya un sourire faussement timide.

— Oh, tu n'aurais pas dû.

Quelques minutes plus tard, Nikki était allongée sur le lit, les poignets menottés aux barreaux en métal de la tête de lit. Son pull au col en V était jeté en boule sur le sol. La plaque pour chien reposait entre ses deux seins parfaits.

Fox retira sa chemise.

— Cette jupe doit s'en aller, petite fille. Il faut qu'on te l'enlève.

En grimpant sur le lit, il tira quelque chose de brillant dissimulé derrière le radio-réveil. Une paire de ciseaux.

Lorsqu'il grimpa sur elle, Nikki pensa que la chaleur de sa poitrine suffirait à le faire fondre, à les faire fondre tous les deux. Comme du plastique dur en train de se ramollir. Elle s'imaginait Fox fondre en elle comme du liquide en fusion. C'était ça. Rien que du liquide. Partout. Du liquide chaud dans tout l'appartement.

— Coupe, lui murmura-t-elle à l'oreille, en lui mordillant le lobe.

— Vas-y. Coupe !

22

Sous la bruine, Megan, debout devant l'Obélisque, lut la traduction du texte gravé sur les
plaques.

Ramsès, bien-aimé d'Amon,
Sorti des entrailles afin de recevoir
La couronne de Râ,
Créé pour être l'unique
Seigneur des deux terres

Très bien, pensa-t-elle. On cherche donc Ramsès,
bien-aimé d'Amon. Ça va être du gâteau !

Le toit du musée était visible au-dessus des arbres.
L'esprit embrumé de Megan s'anima. Le jardin sur le
toit… Installation d'une caméra infrarouge… Le salopard tente le coup une troisième fois et on le coince…

Son regard se tourna vers le cadavre recouvert d'un
linge et la bile lui remonta dans la gorge. Une bâche
avait été installée pour faire un auvent protégeant le
site de la pluie.

Le nouveau coéquipier de Megan, Ryan Pope, se
tenait près du bord de l'auvent, les yeux levés vers la
pointe de l'obélisque.

Megan aurait voulu s'enfouir dans un terrier et
refermer le trou derrière elle.

Un flic en uniforme s'approcha. Sur sa visière de protection en plastique, des gouttes de pluie perlaient telles des billes de mercure.

— J'ai trouvé quelque chose qui va vous intéresser.

— Faites voir ça.

Elle suivit le policier au bas de la pente nord du monument, à six mètres de la route, où se trouvait un taillis de cerisiers.

Un autre flic en uniforme était accroupi à l'endroit où les branches de plusieurs arbres formaient une sorte de voûte.

— On a trouvé des traces, lança le flic.

— Des traces de pneus ?

— Oui, Mam'zelle.

Megan lui lança un regard noir. Il n'y a que les vieilles filles que l'on traite de Mam'zelle.

— Quel âge avez-vous ?

— Vingt-cinq ans.

— Parlez-moi de ces traces de pneus.

Il pointa un doigt vers la route.

— Elles arrivent de derrière le virage et s'arrêtent là où se trouve mon coéquipier.

— Vous voulez dire, exactement là où est en train de patauger votre coéquipier ?

— Non, Mam'zelle. C'est John qui a découvert les traces exactement là où il est accroupi. Il n'a pas bougé depuis.

Elle lança de nouveau un regard vers le flic pour s'assurer qu'il n'essayait pas de jouer au plus malin.

— Dites à votre coéquipier de rester là où il est, je vais envoyer le photographe. Montrez-lui tout pour qu'il ne rate rien.

— Si on a de la chance, il pourra peut-être déceler des traces de pas menant au cadavre.

— Si on a de la chance je paie un cigare à votre coéquipier.

— John ne fume pas, Mam'zelle.

Megan faillit répondre, puis se ravisa. Elle rebroussa chemin, remonta la pente, et envoya le photographe mettre les traces en boîte.

— Qu'est-ce que tu as trouvé ? demanda Pope.

— Il y a des chances que notre paquet ait été livré par voiture. Il y a un bosquet d'arbres en bas, tout près de la route. La nuit, n'importe qui pourrait arriver ici en voiture sans se faire remarquer.

— Pas de signe de voiture la dernière fois.

— La dernière fois, notre gaillard n'avait pas non plus à portée de main un marteau et des clous. Sans parler du couteau qui lui a servi à trancher la gorge de la victime.

— Il perfectionne sa méthode.

Megan frissonna.

— Il utilise plus de matériel ; ce n'est pas forcément du perfectionnement.

L'ambulance était arrivée pour transporter le cadavre jusqu'au service médico-légal. Megan demanda l'évacuation du périmètre. À son signal, Ryan Pope retira le drap du visage de la victime, marqua une pause, puis le souleva entièrement en reculant. Megan s'approcha pour jeter un dernier coup d'œil.

Le corps était étendu sur le dos. La jeune femme était menue, pas très grande − environ un mètre cinquante-cinq.

Elle avait de longs cheveux blonds dont certaines touffes étaient trempées de sang. Le cou était une vraie boucherie, le sang de sa blessure paraissant plus noir que rouge.

La victime semblait avoir reçu plusieurs coups sur la tempe gauche. Son bras droit était étiré au-dessus de sa tête avec une paire de menottes toujours attachée au poignet. Le bras gauche reposait sur la poitrine, maintenu en place par ce qui semblait être un clou, enfoncé en plein cœur.

— Qui as-tu foutu en rogne, ma jolie ?

Megan prononça ces mots tellement bas que Pope ne les entendit pas. Elle s'accroupit près de la tête de la jeune femme et se força à regarder son visage. Une peau parfaite, aussi blanche que de la cire. Ses grands yeux marron étaient ouverts et fixaient le ciel, bien au-delà des branches.

Du mascara avait coulé, laissant des traces semblables à des larmes noires brouillées. La lumière tournante du gyrophare silencieux jouait sur le visage de la victime, donnant presque une impression de mouvement. Megan ferma les yeux en une prière silencieuse. Tout en se dissimulant de Pope, elle laissa ses doigts courir légèrement sur le poignet de la victime.

Moins d'une heure après être rentrée du parc, Megan entendit Brian McKinney se lancer dans une diatribe sur Nicole Rossman. Il était en train d'ouvrir une boîte de Pepsi près de la porte du soi-disant salon de détente du commissariat.

— J'ai entendu dire que quelqu'un s'amusait à tailler des poupées gonflables dans le parc ?

Il s'adressait à Ryan Pope, mais son commentaire visait un public aussi large que possible, Megan étant bien sûr sa cible principale. Ne rien répondre serait lui accorder une victoire trop facile. S'embêter à rétorquer quelque chose revenait au même. Perdre, perdre. C'était l'histoire de sa vie en ce moment.

— Tu ferais mieux d'aller vérifier ton casier, Brian. Ta poupée n'est peut-être plus là, fit Megan.

McKinney montra délibérément une réaction lente, une expression exagérée de surprise.

— En effet, Madame l'inspectrice, elle n'est plus là… Mais je croyais que vous alliez me la rendre hier soir, une fois que vous auriez terminé votre affaire.

Du calme, pensa Megan. Inspire, expire. McKinney continua :

— J'ai entendu dire que tu en avais trouvé une spéciale, siliconée, près de l'Obélisque. Jackson a promis de me passer quelques clichés qu'il a pris sur place. Trop fort ! Il m'a juré qu'il en avait vu une paire comme ça l'autre soir à Hooters.

— Ta mère est au courant que t'es comme ça ?

McKinney pointa un doigt vers elle.

— Hé, Lamby, vient pas mêler ma mère à cette histoire !

— La victime aussi avait une mère, Brian. Ce serait bien que tu ne l'oublies pas.

— Oui, chef ! Merci de me le rappeler, chef !

Pope lança un regard compatissant à Megan. Elle répondit par un bref hochement de tête et se dirigea vers le bureau de Gallo. En tournant, elle entendit McKinney murmurer :

— Allez, vas-y, bouge de là, poupée, bouge de là.

Gallo était assis à son bureau et il lisait le rapport d'autopsie. Il leva les yeux lorsqu'elle entra dans la pièce.

— Tout ce que je vois là, c'est un numéro, Megan. Tu veux bien me donner un nom ?

Megan se laissa tomber dans la chaise en face du bureau de Gallo.

— Nicole Vanessa Rossman. Nikki pour les

intimes. Vingt-quatre ans. Célibataire. Employée au rayon parfumerie de Bloomingdale's. Elle vivait dans une location à Tribeca.

— On a trouvé des signes d'activités sexuelles récentes. Entre guillemets « peu délicates ». Est-ce que l'on pencherait pour un viol ?

— Rien de ce qu'on a trouvé sur place ne nous permet d'aller dans l'une ou l'autre direction. S'il s'agit d'un viol, la culotte de la victime a été remontée avant que le gentleman ne passe à sa petite affaire suivante.

— Cynthia Blair, elle, n'avait pas été violée.

— C'est juste. Pourtant, les deux femmes ont été laissées au pied de ce symbole éminemment phallique.

Gallo leva les sourcils.

— Je n'y avais pas pensé. Par hasard, elles ne tenaient pas dans leurs mains des cigares, non ?

— C'est censé être de l'humour ?

— Excuse-moi. Seulement, c'est le genre de remarque qui ne me serait pas venue naturellement. Tout ça, c'est à cause de ma thérapie.

Gallo passa une paume légère sur sa coiffure.

— Bon, la première chose à déterminer est évidente.

— Qui voyait-elle ?

— Petit ami ? Ancien petit ami ? Futur petit ami ? Voisin d'à côté avec un trou percé dans le mur mitoyen ?

— Ce devrait être facile.

— Autre chose, dit Gallo. Peut-être encore plus important : la connexion entre Rossman et Blair. Est-ce qu'elles étaient amies ? Est-ce qu'elles fréquentaient les mêmes restaurants, les mêmes bars, les mêmes discothèques ? Ou la même salle de gym ? Qu'est-ce que tu as dit qu'elle faisait comme boulot ? Elle vendait des parfums à Bloomingdale's... Vérifie si Cynthia Blair avait des parfums provenant de là-bas. Quelqu'un connaissait ces deux femmes. C'est la pointe du triangle qu'il nous manque. On sait qu'il s'agit du même agresseur. On n'a jamais révélé à personne que la main de Cynthia Blair avait été clouée sur sa poitrine.

— Et jusqu'ici, même Jimmy Puck ne semble pas avoir eu vent de cet élément.

Gallo marqua un temps d'arrêt.

— On savait très bien que la nouvelle de la grossesse de Blair éclaterait au grand jour, à un moment ou à un autre.

Il aurait été préférable que cela vienne de nous. De façon officielle.

— On a reçu la consigne d'appeler, soit toi, soit moi, la mère de Cynthia à Tucson, dit Gallo. Si ça ne te dérange pas, je me charge de se coup de fil.

— C'est McKinney qui devrait se charger de l'appeler, lança Megan d'un ton plein de sous-entendus.

— Tu ne voudrais pas infliger ça aux Blair...

— Non, tu as raison. Tu sais, Joe, il a déjà recommencé son cinéma. Je viens juste d'avoir une altercation avec lui à propos de Nicole. Bon sang de bonsoir, elle est même pas encore froide !

— Personne n'a jamais prétendu que McKinney méritait la médaille de la délicatesse.

— Ne parlons plus de lui, répondit Megan. Je n'aurais d'ailleurs jamais dû en faire un sujet de conversation.

— Écoute, on aura peut-être de la chance, peut-être que l'annonce de la grossesse de Cynthia Blair fera sortir quelqu'un de l'ombre. Contacter tous les gynécologues de la ville pour voir si Blair était leur patiente ne s'est pas révélé de la plus grande effica-cité… Au final ce sera peut-être une fuite utile.

— Tu ne veux pas non plus donner une médaille à Jimmy Puck tant que tu y es ? C'est *notre* affaire. C'est à *nous* de décider de la circulation des informa-tions ! C'est bon, laisse tomber… C'est déjà du passé. Cynthia ne sera bientôt plus qu'un bruit de fond main-tenant qu'il y a du sang frais. Nicole Rossman était une vraie bombe sexuelle, si je peux me permettre cette expression. Je suis certaine que tu es au courant du pari en cours, à savoir combien de temps sa photo fera la une du *Post* ?

— On a besoin de trouver le lien entre ces deux femmes, et vite. Tout dépend si elles ont été choisies au hasard ou non… bon, combien de femmes céliba-taires y a-t-il dans Manhattan ?

Le téléphone de Gallo sonna. Il saisit le combiné.

— Ouais ? D'accord. Dis-leur que j'arrive tout de suite.

Il raccrocha et resserra sa cravate.

— Les parents de Nicole Rossman sont là.

Megan grogna.

— Jette un coup d'œil dans la paperasse de ton bureau, Joe, je suis sûre que ma lettre de démission est quelque part dans le tas.

Megan appela un petit restaurant thaïlandais de plats à emporter pour passer commande. Lorsque le livreur arriva, elle dut descendre tous les escaliers étroits jusqu'au rez-de-chaussée de son bâtiment. Un jour, l'ouvre-porte automatique fonctionnerait de nouveau, elle en était certaine. Josh lui avait proposé de le réparer mais ce n'était pas ce qu'elle voulait. Ce qu'elle voulait, c'était que le propriétaire s'en charge, comme il était censé le faire. De tous les combats à mener, Megan savait que celui-ci était le plus ridicule. Elle ne s'expliquait pas comment elle avait pu laisser son propriétaire lui taper à ce point sur les nerfs. Elle aurait pu choisir de l'éviter plus souvent, de le prendre avec des pincettes, de le caresser dans le sens du poil, de négocier une trêve, de jouer la carte de la séduction, d'ignorer les problèmes de son appartement... les possibilités étaient nombreuses.

Qu'elle ait choisi d'en faire un objet de colère, cela aurait pu être amusant si ce n'avait été aussi lamentable. Josh avait sa théorie sur la question : Helen ayant toujours été celle qui faisait face au propriétaire. Après sa disparition, Megan avait naturellement repris le flambeau.

Lorsque Josh avait émis cette hypothèse, Megan l'avait trouvée superficielle et facile. Du Josh tout craché. Mais à bien y réfléchir, elle avait fini par y voir une certaine logique. Enfin, elle ne voulait pas la voir, mais il lui était tout de même difficile de la nier entièrement.

Elle paya son plat de nouilles thaïlandaises en donnant au livreur un bon pourboire. En remontant les escaliers, elle se prit le pied dans le tapis de couloir effiloché et trébucha, manquant tomber sur les genoux. Le sang lui monta à la tête.

— Si je tombe dans ces escaliers et que je reste paralysée, je vais coller un procès au cul de cet enfant de salaud et lui soutirer jusqu'à son dernier centime !

Tout en avalant les nouilles dans sa petite cuisine, Megan feuilleta les deux paquets de clichés pris sur les lieux du crime. Elle les posa sur le sol carrelé,

Cynthia Blair à gauche, Nicole Rossman à droite. Les photographies couvraient pratiquement tout le sol.

Les experts du service médico-légal avaient établi que l'agression de Cynthia Blair avait eu lieu là où le cadavre avait été retrouvé, à gauche de l'Obélisque, du côté invisible du chemin. Apparemment, Nikki Rossman avait été tuée ailleurs et transportée sur place, sans doute déjà morte.

Des analyses étaient en cours sur les traces de pneus retrouvées dans le sol boueux. Megan avait envoyé une équipe d'enquêteurs pour ratisser la zone et étendre les recherches à partir du monument en quête d'indices supplémentaires mais, à la nuit tombée, rien d'intéressant n'avait fait surface.

Les équipes reprendraient le travail le lendemain. Pourtant, plus les enquêteurs s'éloignaient de l'Obélisque, plus les chances de trouver quoi que ce soit diminuaient.

On avait beau ne pas connaître l'endroit où s'était effectivement produit le crime et les indices qui auraient pu s'y trouver, le fait que l'agresseur ait déplacé le cadavre afin qu'il soit retrouvé au même endroit que Cynthia Blair était révélateur.

Mais révélateur de *quoi* ? Pour le moment, Megan n'en avait aucune idée.

Les clichés ne lui apprenaient rien de plus. L'un montrait une victime étranglée avec sa propre écharpe ; l'autre, un crâne fracassé et un couteau planté dans la gorge.

Megan s'assit, les coudes vissés sur la table de la cuisine, ciselant ses nouilles thaïlandaises avec les baguettes rouges laquées qu'elle avait offertes à Helen pour une occasion dont elle ne se souvenait plus. Ses yeux parcoururent l'étalage de clichés.

Pendant qu'elle gravait les images dans son cerveau, elle tenta d'imaginer le tueur juste avant qu'il ne quitte le lieu du crime. Le photographe de la Criminelle avait pris des photos de pratiquement tous les angles possibles. Au moins l'un de ces angles devait correspondre, approximativement, à la vue qu'avait l'assassin sur son ouvrage. Megan se leva et se tint juste au-dessus des photographies obscurcies en partie par son ombre.

— Je suis le tueur, pensa-t-elle. Je jette un dernier coup d'œil sur ce que j'ai fait.

Elle passa méthodiquement de l'autre côté de la table, examinant sous les autres angles les clichés des deux femmes assassinées.

Les baguettes serrées dans sa main droite, elle essaya de s'imaginer plus lourde qu'elle ne l'était en réalité. Plus grande. De sa main libre, elle saisit fermement sa chevelure et la tira vers l'arrière, ce qui fit basculer sa tête et exposa son cou.

Elle se pencha sur un gros plan de la main gauche de Nikki. Deux de ses faux ongles étaient cassés. Megan s'enfonça ses propres ongles courts dans son cou. Elle imagina une respiration laborieuse, gutturale, des grognements saccadés pendant que la lame traversait le cou de part en part. Elle se mit à genoux et observa les yeux ouverts de Nikki Rossman.

Et là, elle comprit. La haine puissante de la personne qui avait fait ça, de l'être qu'elle singeait ainsi dans sa petite cuisine. Megan retint son souffle un instant. Elle planta les baguettes sur son ventre et appuya.

Doucement au début, puis plus fort. Les baguettes rentraient dans la peau, faisant mal. Fais-lui mal, à *lui*. Fais-*lui* ressentir ce que ça fait. Et pas une petite coupure, non, une blessure lente mais sûre. Manifeste. Sa main commençait à trembler sous l'effort. Megan ferma les yeux et visualisa le tueur. Sans visage. Une ombre dans l'ombre.

Soudain, son imagination fut frappée par une sorte d'éclair et un visage apparut. Le Suédois. Bien entendu. Ce satané Suédois. Son front large, sa grande bouche sans expression. *Lui*.

Elle appuya sur les baguettes encore plus fort en imaginant Albert Stenborg et son immense sourire de goujat. Elle aurait voulu voir du sang couler de cette bouche. Elle aurait voulu voir ses yeux d'un bleu profond se glacer de surprise, suivi d'un éclair de conscience. Pragmatique, cette fois.

Pas à distance. Pas avec une arme. Tellement plus évident de cette façon. Megan s'imagina pouvoir se rapprocher du visage du Suédois autant qu'elle le voulait. Assez près pour sentir son souffle putride. Assez près cette fois pour voir son propre reflet dans ses yeux et y apercevoir la dernière chose sur terre qu'il serait donné à ce bâtard de voir. Elle.

Les baguettes se brisèrent. Les pointes cassées tombèrent, légères, sur une photo de la main de Nikki Rossman. Celle clouée sur le cœur. Megan ouvrit les yeux et regarda son propre ventre.

Une petite marque rose, une coupure d'un demi-centimètre. Une bagatelle. Elle se mit à quatre pattes et ramassa les photos des victimes, formant une pile qu'elle posa à angle droit sur la table de la cuisine.

Il y avait assez de nouilles thaïlandaises pour deux personnes. Ou pour un deuxième repas. Megan les termina. Elle prit une douche, enfila une robe de chambre aux couleurs fanées et apporta les photos dans le salon où elle les étala à nouveau sur le sol, cette fois devant le canapé. Elle se versa un petit verre de bourbon et s'installa sur le sofa.

À minuit et demi, Megan décida d'aller se coucher. Elle se força à boire plusieurs verres d'eau avant de se glisser sous les draps. Ses tempes bourdonnaient. Elle saisit la télécommande et alluma la télévision. Depuis l'assassinat de Cynthia Blair, Megan avait pris l'habitude de regarder *Minuit avec Marshall Fox*.

Elle n'avait jamais été particulièrement fan du présentateur, ce qui, elle le savait, la classait parmi une minorité. Elle trouvait l'émission étrangement inégale. Ce soir-là, le public avait droit à une rediffusion. Marshall Fox allait-il raconter ses blagues habituelles en ce jour où une autre jeune femme avait été retrouvée assassinée presque dans les mêmes circonstances que son ancienne productrice ? Voilà ce que Megan voulait savoir en regardant l'émission. Elle fut soulagée de constater que non.

Elle regarda la rediffusion pendant vingt minutes, puis éteignit en se demandant si cette nuit serait la bonne. Elle pria très fort pour que ce soit le cas. Cynthia Blair et Nikki Rossman grimpèrent immédiatement dans le lit, à côté d'elle.

Puis, ce fut le tour de Brian McKinney, suivi de Marshall Fox. Megan ralluma les lumières. Ce ne serait pas cette nuit, merde.

Elle alla dans la salle de bains et fixa son reflet dans le miroir pendant plus d'une minute. Après tous ces mois, Megan aurait espéré s'être habituée à ce regard.

Mais il lui était toujours aussi étranger que la première fois qu'elle l'avait vu, juste après avoir tué le Suédois. Qui sait ? C'était peut-être une bonne chose qu'elle ne s'y soit pas habituée. Elle n'aimait pas ce regard, mais elle n'avait pas le choix. Il fallait lui faire face. C'était la seule vérité qu'elle avait ces derniers temps, même si cette vérité n'était pas belle à voir. Helen était morte. C'était la réalité. Le Suédois aussi était mort. Mais la mort de l'un ne compensait pas l'absence de l'autre. Pas comme elle l'aurait espéré. Ce n'était pas mathématique.

Elle avait liquidé le Suédois, mais la douleur était toujours là. Et même, elle grandissait au lieu de s'évanouir dans le passé comme elle aurait dû le faire. Certains soirs, cela lui faisait si horriblement mal qu'elle ne savait plus quoi faire. Rester chez elle, se disait-elle.

C'était le seul conseil qu'elle trouvait à se donner. Ce n'était pas une solution contre sa souffrance, mais c'était la seule chose à faire.

Les longs mois de traversée dans le tunnel pendant son congé sans solde n'avaient pas été une bonne solution, loin de là. Plutôt une véritable torture. Sans Josh, elle serait restée recroquevillée, cachée dans des recoins sombres.

Dieu merci, Josh avait été là pour elle.

Megan ferma les yeux et vit aussitôt le corps immobile et martyrisé de Helen gisant aux pieds d'Albert Stenborg. Megan sentit comme un couteau lui transpercer les poumons. À ce moment précis, elle sut que la seule chose censée à faire était de se retirer de l'enquête. Quelque chose de malsain était en jeu. Une logique trouble.

Le meurtrier d'Helen était mort et enterré, mais, apparemment, cela n'était pas suffisant. Ce ne serait jamais suffisant. L'existence d'une ordure ne pèse pas le même poids que la vie d'une personne magnifique. Le fantôme de ce salaud courait encore les rues, même si l'homme était mort.

C'était ça le problème. Voilà ce que Megan n'avait pas réussi à effacer – le fantôme, le démon. Il passait d'une personne à une autre. Il était passé de Cynthia Blair à Nikki Rossman. Megan avait tué le Suédois, mais c'était inutile.

Le démon était toujours parmi nous, quelque part, à l'affût, tapi dans l'ombre et se jetant sur ses victimes au gré de ses envies.

Megan se dirigea vers le salon, prit la photographie d'Helen sur l'étagère et la posa sur la table basse, face au canapé. Elle s'allongea et tira sur elle la fine couverture pliée sur le dossier du sofa.

Elle se dit, et c'était loin d'être la première fois, que si elle continuait comme ça, elle pouvait tout aussi bien vendre son lit. Pour ce qu'elle s'en servait…

23

Nikki Rossman avait été vue pour la dernière fois par l'une de ses voisines vivant dans le même bâtiment. Une veuve répondant au nom de Rose Campanella avait raconté à la police qu'elle avait aperçu Nikki, sac à l'épaule, monter dans une « grosse voiture de luxe » le soir précédent la découverte de son corps.

Mais les descriptions successives du chauffeur faites par Mme Campanella se contredisaient. Le chauffeur était sorti pour ouvrir la porte à Nikki. Il portait un costume et une casquette de chauffeur ; il était « propre sur lui ».

Megan Lamb fit le compte : taille, poids, couleur des cheveux… l'homme cumulait à lui seul au moins quatre personnes différentes ayant pu faire disparaître Nikki Rossman comme par enchantement de son appartement, quatre à huit heures avant le meurtre.

Megan fit répéter son histoire à Mme Campanella une bonne dizaine de fois. Les faits et la fiction étaient si intimement mêlés que l'inspecteur désespérait de recueillir quoi que ce soit d'utile.

Elle mena son interrogatoire dans l'appartement de la vieille femme, situé deux étages en dessous de celui de Nikki. Elle ne réussit pas à identifier l'odeur âcre dont était imprégné l'appartement, un mélange désagréable de menthe poivrée, de vinaigre, de moisissures… voilà, au mieux, ce qu'elle trouva.

Le Seigneur Tout-Puissant Notre Sauveur était largement représenté sur les murs, les étagères, les bibelots. Les meubles étaient recouverts d'un tissu imprimé de motifs floraux.

Les abat-jour couleur nicotine jetaient dans la pièce une lumière sépia.

Soudain, en plein milieu de l'interrogatoire, un coussin se leva et s'étira sur le canapé où était assise Mme Campanella. Pas du vinaigre, se dit alors Megan, du pipi de chat.

Megan était prête à abandonner lorsque Mme Campanella mentionna le fait que Nikki s'était proposée d'aller jeter sa poubelle pour elle. Megan sursauta.

— Votre poubelle ? Vous n'avez jamais parlé de poubelle jusque-là.

— Personne ne m'avait rien demandé là-dessus.

— Les conteneurs à poubelles sont situés devant le bâtiment, n'est-ce pas ?

— C'est ça.

— Alors, pourquoi est-ce que vous avez parlé de « jeter votre poubelle » ? Vous voulez dire qu'elle s'est proposée de vous tenir le couvercle pour vous ?

— Non, non. Mes jambes me donnent du souci. Vous avez vu comment je marche ? Il me faut une heure pour faire le chemin que vous faites en une minute. Je suis tellement lente. Cette gentille jeune femme s'est proposée de descendre la poubelle et de la jeter pour moi.

— De vous *descendre* la poubelle ?

— Oui.

— Mais d'où ça ? Où était-elle lorsqu'elle a dit ça ?

— Dans le couloir, en face de mon appartement.

Megan enfonça ses ongles dans ses paumes. Elle continua d'afficher devant Mme Campanella un visage doux et agréable.

— Donc, votre conversation n'a pas eu lieu devant le bâtiment, elle n'a pas eu lieu juste avant que Nikki ne pénètre dans la voiture de luxe ?

Avec le chauffeur grand, petit, blond, brun, qui portait et ne portait pas de costume et de casquette de chauffeur, ajouta-t-elle dans sa tête.

— C'est exact. C'était ici. Mlle Rossman était en train de descendre les escaliers, en même temps que moi.

— Mais, Mme Campanella, si vous avez vu Mlle Rossman dans votre couloir, au troisième étage, comment avez-vous pu la voir entrer dans la voiture devant le bâtiment ? Je suppose que Mlle Rossman marchait plus vite que vous.

— Un nouveau-né marcherait plus vite que moi, ma brave dame. Quand j'étais jeune, je pouvais danser toute la nuit durant. Vous n'avez pas…

— Mme Campanella, si vous avez vu Nikki devant chez vous alors qu'elle descendait les escaliers, comment avez-vous pu la voir en bas, entrer dans la voiture ? Y a-t-il des fenêtres dans les escaliers ?

— Non, pas de fenêtre.

— Est-ce que Nikki vous a accompagnée jusqu'en bas ?

— Non, ce n'est pas comme ça que ça s'est passé. Elle était toute belle, bien habillée pour sortir et s'amuser. Elle n'avait pas de temps à perdre avec une vieille dame comme moi…

Megan implora en silence le Christ aux yeux bleus accroché au mur derrière la vieille dame. Par pitié, aidez-moi !

— Très bien. Nikki est arrivée en bas bien avant vous. Et il n'y a pas de fenêtre dans les escaliers. La voiture n'était donc pas encore arrivée, c'est ça ? Est-ce que Mlle Rossman attendait toujours la voiture quand vous êtes sortie du bâtiment ?

— Non, ce n'est pas ça. Quand elle m'a vue dans les escaliers, elle a dit qu'elle avait oublié quelque chose et elle est remontée chez elle.

— Elle est remontée chez elle…, répéta Megan d'un ton égal. Vous avez oublié de dire ça les autres fois.

— Ah bon ? Ah, ça doit être parce que je suis nerveuse. Cette jolie jeune femme, qui habite dans le même bâtiment que moi, quand on voit ce qui lui est arrivé. C'est terrible. Je ne me sens pas en sécurité.

— Je comprends. Je ne vous reproche rien. Vous faites très bien. Mais, reprenons les choses dans l'ordre. Mlle Rossman est remontée chez elle pour chercher quelque chose qu'elle avait oublié. Savez-vous de quoi il s'agissait ?

— Non.

— Vous avez continué à descendre, votre poubelle à la main ?

— Oui.

— Et quand Mlle Rossman est arrivée en bas…

— Elle l'avait.

Megan avança le buste, les mains serrées en boule.

— Quoi donc ?

— L'enveloppe.

Megan espéra que son regard ne paraissait pas aussi fatigué qu'il l'était en réalité.

— Vous ne m'avez jamais parlé d'une enveloppe, jusqu'ici, Mme Campanella.

— Une enveloppe bleue. Une enveloppe carrée, bleue.

— Une enveloppe de carte d'anniversaire ?

— Peut-être.

— Je ne vous demande pas si elle tenait *effectivement* une carte d'anniversaire à la main, Mme Campanella. Mais était-ce ce genre d'enveloppe ? Celles qui contiennent les cartes qu'on achète pour l'anniversaire de quelqu'un ?

— Je ne sais pas. Tout ce que je sais, c'est qu'elle tenait une enveloppe. Bleue. Comme le ciel.

— Elle ne vous aurait pas précisé si elle allait à une fête d'anniversaire ou une soirée, par hasard ?

— Non, rien de la sorte.

— Mais vous pensez que c'est ce que Mlle Rossman est retournée chercher ? Cette enveloppe bleue ?

La vieille femme fit claquer sa langue.

— C'est vous l'inspecteur de police, pas moi.

Megan griffonna dans son carnet : *Carte. Bleue. Occasion* ?

— Merci Mme Campanella, votre aide m'a été très précieuse.

Megan remonta jusqu'à l'appartement de Nikki. Ryan Pope était assis à la table de la cuisine. D'une main, il tenait une pomme dans laquelle il croquait à pleines dents et de l'autre, une petite boîte ronde en plastique.

— Tu prends la pilule ? demanda Nikki.

— Pas moi, mais quelqu'un la prenait en tout cas.

Il lui tendit la boîte. Megan l'ouvrit.

— Le soir précédant le meurtre, on peut donc supposer qu'elle avait l'intention de rentrer.

Des pas se firent entendre sur le palier, puis un coup sur le montant de la porte.

— C'est là que vivait la morte ?

C'était Rodrigo, le gars de la Division informatique et technologies. L'homme pénétra dans l'appartement, un attaché-case mince en métal à la main. Megan le conduisit à la table du salon sur laquelle était posé un ordinateur.

Le siège installé en face était un fauteuil miniature avec un de ces coussins ergonomiques que les gens utilisent aussi quand ils voyagent en avion. Le fauteuil semblait de ceux dans lesquels on s'installe confortablement pour y passer du temps. Megan était curieuse de savoir ce que contenait l'ordinateur.

— Je veux tout ce qu'il y a là-dedans, dit-elle à Rodrigo.

— Je vais te vider cette bécane en moins de deux.

— N'en laisse pas une miette.

— Tu veux nettoyer le clavier, d'abord ?

Megan réfléchit un instant.

— Ce ne sera pas nécessaire.

Rodrigo se percha sur le bord du fauteuil, ouvrit son attaché-case d'une chiquenaude et se mit au travail. Megan passa dans la chambre, plutôt en ordre. Un soutien-gorge traînait par terre. Environ huit paires de chaussures semblaient avoir décidé d'arpenter la pièce toutes seules. Le lit était fait.

Des piles de *Marie-Claire*, *People* et *Time Magazine* constituaient la lecture de chevet de Nikki. Posée sur la commode, Megan trouva une étiquette d'une boutique Liana : LAINE/TARTAN Taille 34. Lorsqu'on l'avait retrouvée dans le parc, Nikki portait un pull noir sous une veste de crêpe rouge et une fine jupe en coton de couleur noire. Rien en tissu écossais.

Megan ouvrit les tiroirs de la commode et passa rapidement les vêtements en revue. Elle fit de même dans l'armoire. Intriguée, elle alla dans la salle de bains où elle trouva un sac en toile rempli à moitié de linge sale.

Ryan Pope se planta dans l'embrasure de la porte au moment où elle vidait le contenu du sac sur le sol.

— Katie fait ça aussi : elle sépare le blanc des couleurs.

— C'est pas là…

— Qu'est-ce qui n'est pas là ?

Megan pensait à haute voix.

— Elle l'a peut-être ramené au magasin.

— Quel magasin ? Qu'est-ce que tu cherches ?

Megan eut une idée et la regretta aussitôt. Elle poussa Pope de côté, descendit de deux étages et sonna chez Mme Campanella.

— Excusez-moi de vous déranger encore une fois… Je me demandais si, par hasard, vous vous souveniez de ce que Mlle Rossman portait comme vêtements le soir où vous l'avez vue.

La femme répondit immédiatement.

— Une veste bouffante. Rouge. Et une jupe verte et noire.

— Verte et noire ?

— Oui. En tartan.

— En tartan ? Vous en êtes certaine ?

— Elle m'a fait penser à Noël, habillée comme ça en vert et rouge.

— En tartan vert.

— Oui, en tartan. Avec des carreaux comme sur les jupes écossaises. Ce n'est pas du tartan ?

En remontant les escaliers, Megan tourna et retourna l'information dans sa tête. Nikki quitte son appartement vêtue d'une jupe écossaise toute neuve, mais on la retrouve morte avec une jupe noire en coton.

Ce qui voulait dire qu'entre-temps, elle s'était changée. Elle a changé la jupe, mais pas le reste. Pourquoi ? Megan n'en avait pas la moindre idée.

Elle rentra dans l'appartement où Pope et Rodrigo regardaient attentivement l'écran d'ordinateur.

— Il y a quelque chose ? demanda Megan.

Les yeux de Rodrigo restèrent vissés sur l'écran. Ceux de Pope se levèrent vers elle.

— Une vraie mine d'or.

24

Cette fois, Megan péta les plombs. Elle sentit l'explosion arriver, mais ne réussit pas à la réprimer.

— Putain de bordel de merde !

Elle saisit la poupée gonflable par le bras, la tira de son fauteuil et sortit en furie dans le couloir. Ryan Pope était assis à une table avec deux flics en uniforme.

— Il est où ? fulmina Megan.

Elle suivit le mouvement des paires d'yeux. Brian McKinney était adossé au distributeur automatique de boissons à l'autre bout de la pièce et grignotait une barre chocolatée à moitié enveloppée dans son papier.

— C'est qui ta copine ? Elle a l'air mignonne…

Megan traversa la salle, rouge de colère. Tout autour d'elle devenait flou, sauf ce petit con sûr de lui en train de peler le papier de sa barre chocolatée comme s'il s'agissait d'une peau de banane.

Elle s'arrêta à un mètre de lui et regretta aussitôt de s'être précipitée dans l'arène.

Elle devait avoir l'air complètement ridicule, plantée là comme un piquet, rouge comme une pivoine, une poupée gonflable à la main. McKinney la trouvait certainement ridicule. Son calme calculé contrastait avec sa propre fureur.

Impossible d'avancer, impossible de reculer. Perdant, perdant. Merde ! Ce type avait du talent. Megan ravala sa rage. Autant que possible.

— Tu voudrais m'expliquer ça ?

Elle serra les dents afin de contenir le tremblement de sa voix.

— Expliquer ?

— Exactement.

McKinney jeta un regard sur le reste de l'assistance.

— Tu es sûre ?

— Oui.

McKinney haussa les épaules et se détacha du distributeur. Il ôta le reste du papier de sa barre chocolatée et avant même que Megan ait eu le temps de réagir, il fourra la barre chocolatée noire entre les lèvres retroussées de la poupée gonflable.

La gifle atterrit en plein dans le mille. Sa main couvrit toute la moitié du visage de McKinney.

— Connard !

— Violence volontaire sur agent, dit calmement McKinney.

Elle n'avait qu'une envie : le frapper à nouveau. La marque blanche de ses doigts s'était imprimée sur la joue de McKinney, mais le rose était rapidement revenu. La barre chocolatée était tombée au moment où McKinney avait reçu la gifle. Il se baissa, la ramassa et la tendit à Megan.

— Je suppose qu'une fille comme toi manque un peu de pratique. Je pourrais peut-être…

Elle se rua sur lui. Elle pesait moitié moins lourd que lui, mais elle le plaqua contre le distributeur. Elle leva la main et lui griffa la joue. McKinney tenta de tourner la tête pour esquiver l'attaque, mais Megan lui fourra le pouce dans le coin de l'œil gauche. McKinney poussa un grognement de douleur.

— Merde !

Sa tête heurta le distributeur et fêla le plastique au-dessus du logo de Pepsi. D'une main, Megan continua d'enfoncer un pouce dans l'œil de McKinney et, de l'autre, elle lui plaqua la poupée en plastique sur le visage, écrasant l'oreille en plastique contre la bouche à moitié ouverte de McKinney en appuyant de toutes ses forces. Le bruit qui sortait de sa gorge n'était que vaguement humain. McKinney, la tête écrasée contre le distributeur, prit une pleine bouchée de la poupée gonflable avant de réussir à détourner la tête et à se dégager de l'emprise de la jeune femme.

— Connasse !

Megan entendit derrière elle un déplacement de chaises. Avec une rapidité troublante, elle tendit le bras vers sa ceinture, dégaina le Glock de son étui et pointa le canon vers le nez de son collègue, appuyant le métal contre une narine.

— Megan !

Joe Gallo quitta l'embrasure de la porte et passa à côté de Pope et des deux flics. La peur de McKinney était perceptible dans son rire forcé.

— Hé, bonjour inspecteur ! Je crois qu'on…

— Tais-toi.

Gallo s'adressa à Megan :

— Rengaine ça. Tout de suite !

Megan hésita. Elle sentait les battements de son cœur résonner jusque dans ses coudes.

— J'ai dit, tout de suite !

Elle éloigna son pistolet. Son souffle faiblit. Elle se

rendit compte qu'elle était à deux doigts de s'effon-
drer en larmes. Oh mon Dieu, non… Ne pas pleurer
devant ce macaque. Devant aucun d'eux, d'ailleurs.

— Inspecteur, écoutez… La petite demoiselle… commença McKinney.

— La ferme !

Gallo fit basculer son regard de Megan vers la
poupée en plastique qu'elle tenait encore fermement à
la main. Il tendit un bras en claquant des doigts.

— Donne.

Megan s'exécuta, se sentant aussi faible qu'une
enfant. C'était terrible.

— Range ton arme.

Pendant que Megan rengainait, Gallo tira un stylo
de la poche de chemise de McKinney et le planta
dans la poupée. Megan en eut le souffle coupé. Gallo
fourra la poupée crevée dans les bras de McKinney.

— Je veux te voir dans mon bureau dans cinq
minutes.

Il se tourna vers Megan.

— Toi, c'est tout de suite.

Il tourna les talons. Megan le regarda sortir de la
pièce comme s'il était en train de disparaître dans un
tube. Elle n'avait qu'une envie : se dématérialiser,
disparaître.

Derrière elle, McKinney froissait et pliait la poupée
sous son bras.

— T'es vraiment tordue, tu sais ça ?

Avant que Megan ait eu le temps de répondre, elle
croisa le regard de Ryan Pope. Elle sentit le sang lui
monter au visage, ses joues brûlaient. Elle jeta un œil
sur la porte de l'autre côté de la pièce. Cela semblait
être à des années de là.

— Tu as quelque chose à dire ?

Joe Gallo tira sur ses manchettes et posa les poignets sur son bureau.

— Ce type est un primate.

— Je me fiche que ce soit un primate, Megan. Tu as pointé ton arme sur lui. Tu veux bien me dire ce qui t'est passé par la tête ?

— Je n'ai pas réfléchi…

Gallo roula les yeux de manière exagérée.

— Tu n'as pas réfléchi ? Laisse-moi te dire une bonne chose. Avant de sortir ton flingue, je veux que tu sois Albert Einstein et que tu réfléchisses bien fort. Putain de merde, Megan, est-ce que je dois vraiment te dire quelle connerie…

— Non, je sais. Excuse-moi.

— C'est ça que tu m'aurais dit si McKinney était là, maintenant, par terre, avec un trou dans la tête ? « Excuse-moi, Joe, j'étais furax » ?

— C'est vrai que j'étais furax. Il…

— Eh ben défoule-toi comme tu voudras ! File dans les toilettes des filles et hurle à t'en casser la voix. Retiens-toi jusqu'à ce que tu rentres chez toi, fous ton appartement sens dessus dessous, je m'en contrefiche. Mais je vais te dire une bonne chose : il est hors de question qu'un de mes agents pointe sa putain d'arme sur un autre en plein commissariat ! Et où que ce soit, d'ailleurs. McKinney est un primate, soit. Ce n'est pas une raison. Il y a aussi des primates dans le zoo du Bronx. Tu veux aller leur tirer dessus aussi ?

— Je lui ai pas tiré…

Gallo pointa un doigt sur elle.

— Comment tu vas ? Voilà ma vraie question.

— Je…

— Réponds-moi tout de suite, Megan. J'ai soutenu ta réintégration, tu en es consciente, non ? Je crois qu'il reste un flic en toi. Non, pas je crois : je le sais. Tu t'es pris un sacré coup dans la gueule. Ce n'est un secret pour personne. Mais tu m'as dit que tu voulais revenir et tu es de retour. On a déjà parlé de McKinney. On a aussi parlé des emmerdes qui pouvaient faire surface de temps à autre, tout ça n'est pas une surprise. Je ne vais pas prendre de pincettes. Certaines personnes ici pensent que tu es une erreur de la nature. Les primates du genre de McKinney ne sont pas capables de comprendre des gens…

Il s'interrompit.

— Des gens comme moi ?

— Oui.

— Franchement, merci inspecteur ! Au moins, ça fait plaisir de savoir de quel côté vous êtes…

— Tu sais très bien de quel côté je suis, Megan, n'essaie pas de t'isoler encore un peu plus.

— Pas d'inquiétude là-dessus. Je n'ai pas besoin de forcer les choses. Tu l'as dit toi-même, Joe, je suis une erreur de la nature. Je suis la camionneuse qui n'a pas réussi à protéger son coéquipier.

Elle s'esclaffa.

— Ah ah, ni son coéquipier, ni sa petite copine. Mais je suis sûre que McKinney ne regrette pas trop Helen.

— Ça suffit, maintenant ! s'exclama Gallo en tapant du poing sur la table avec une telle force que Megan sursauta.

— Écoute, je peux pas être derrière toi sur ce coup-là.

— Je ne t'ai rien demandé.

— Fais ton boulot, Megan. Certaines personnes te considèrent comme une héroïne pour avoir mis du plomb dans l'aile d'Albert Stenborg. Pour d'autres, tu n'es qu'une excitée de la gâchette. Voilà les faits. D'un côté comme de l'autre, ce qui s'est passé te colle à la peau comme un tatouage, c'est marqué sur ton front. Oublie ta vie privée : moi, je me contrefiche de ta vie privée. Mais sur le plan professionnel, tu es à la marge. Tu fais partie d'un tout petit club, exclusif et pas très heureux. Tu sais ce qu'on dit : soit ça te rend meilleur, soit ça te détruit. Tu m'as dit que ça allait te rendre meilleure et je t'ai cru. Mais un flic devenu meilleur ne se donne pas en spectacle comme tu l'as fait tout à l'heure. Les méchants sont dehors.

Il fit un geste en direction de la fenêtre.

— Et il y en a un en particulier qu'il faut trouver, et vite. Et si les mauvaises blagues de ce petit merdeux de McKinney risquent de te déconcentrer dans ton boulot, c'est le moment de le dire. Megan, je ne peux pas tolérer ça. Tu es de retour en selle. Maintenant, ça dépend de toi. Tu veux rester en selle ou tu veux descendre ?

Megan n'hésita pas.

— Je vais bien.

— Tu en es sûre ?

— J'en suis sûre. Tu as raison. McKinney va continuer à me tomber dessus quoi que je fasse. Je ferai mieux de m'y habituer.

— Très bien.

Gallo se cala au fond de son fauteuil.

— Bon. Et maintenant, est-ce que tu veux porter plainte ?

— Porter plainte ? s'exclama Megan bouche bée.

— Pour harcèlement sexuel. Tu as trois témoins. Quatre, moi y compris. Si tu veux porter plainte, je comprends parfaitement.

— Tu plaisantes ou quoi ?

— Tu peux le griller si tu veux. Je voudrais seulement être au courant si c'est ce que tu veux faire.

— Harcèlement sexuel ? Bon sang, je lui ai collé mon flingue en pleine poire et c'est moi qui porterais plainte ?

— Ton flingue ?

Joe Gallo cligna des yeux de manière ostentatoire.

— Brian McKinney est une plaie vivante. Franchement, ça ne me ferait pas mal au cœur de le voir transférer au loin. Mais le plus facile pour y arriver, c'est d'avoir quelque chose qui pèse dans la balance.

— Trois autres gars m'ont vu sortir mon flingue.

— Peut-être que oui, peut-être que non. Faudra que je discute avec eux.

Megan secoua la tête.

— Joe, c'est de l'abus de pouvoir. Non... c'est du parjure.

— Je t'ai seulement posé la question. Je me suis dit que tu voudrais peut-être y réfléchir.

— Si je porte plainte pour harcèlement sexuel, je suis foutue. Tu le sais aussi bien que moi. Encore mieux qu'un tatouage sur le front !

— C'est un peu exagéré.

— Je ne vais pas porter plainte.

— Tu devrais prendre le temps d'y réfléchir.

— C'est tout réfléchi. Je n'ai plus envie de parler de ça. Je veux qu'on s'occupe de Cynthia et de Nikki.

Gallo marqua une pause de quelques secondes.

— Très bien. Mais donne-moi quelques minutes pour engueuler McKinney.

Megan balaya l'air d'un geste désinvolte.

— Laisse tomber. Ne le fais pas pour moi, tu ne le changeras pas.

— Je pourrais au moins le forcer à présenter ses

excuses. Vous pourriez vous embrasser et tirer un trait sur ce qui s'est passé.

Megan sentit un flottement dans la poitrine, comme une plume en train de batifoler dans sa cage thoracique. Oh Seigneur, pensa-t-elle. Je sens que ça va sortir.

— Hé, Joe. Je n'embrasse pas les garçons, tu te souviens ? C'est justement ça, le problème ici.

Ryan Pope n'avait pas exagéré en qualifiant le contenu de l'ordinateur de Nikki Rossman de vraie mine d'or. Les listings découverts dans le disque dur de la jeune femme commençaient à ressembler à des gratte-ciel.

En passant en revue la volumineuse correspondance que Nikki Rossman avait entretenue avec un nombre incalculable d'inconnus (l'inventaire n'était pas encore terminé), Pope soupira :

— C'est là qu'on se demande : qu'est-ce qu'une vie sexuelle équilibrée ?

Pope et Megan interrogèrent les collègues de travail de Nikki à Bloomingdale's et examinèrent ses carnets d'adresses. Une de ses amies, Tina, leur apprit que Nikki en pinçait sérieusement pour un barman travaillant près de là où elle habitait. Ils suivirent cette piste.

La petite copine du barman était là lorsque Megan et Pope entrèrent dans le bar. Les enquêteurs remarquèrent une certaine tension dans le couple au sujet de Nikki Rossman, mais rien qui laisse supposer qu'ils aient pu, l'un ou l'autre, lui fracasser le crâne, l'étrangler, lui trancher la gorge et abandonner son cadavre dans Central Park. Sans oublier le fait qu'ils avaient tous les deux des alibis en béton.

Au moins, une question trouva sa réponse : la connexion entre Cynthia Blair et Nikki Rossman. L'ordinateur de Nikki regorgeait de messages entre elle et des dizaines de faux Fox et Cyber-Fox. Megan et Pope montrèrent des photos à tous ceux qu'ils interrogèrent afin d'essayer d'approfondir le lien.

Ils firent venir une équipe pour interroger à nouveau tous ceux qui avaient été contactés pour l'assassinat de Cynthia Blair et leur montrer des photos de Nikki Rossman. Rien ne fit surface.

Les deux femmes appartenaient à deux sphères absolument distinctes.

— Un fan enragé, dit Gallo aux deux enquêteurs quand ils s'installèrent dans son bureau pour passer en revue ce que l'on surnommait déjà les « premiers listings ».

— Je sais bien que vous n'aimez pas qu'on en revienne toujours à ça. Moi non plus. Ça nous laisse plus de six millions de suspects potentiels… Mais, c'est le seul lien que nous ayons entre ces deux femmes. L'une travaillait pour Marshall Fox et l'autre flirtait sur Internet avec une poignée de clones virtuels du présentateur.

— Quelque part, on a un fan complètement maboul de ce type ! Écumez tous les sites de fans. Interrogez les gens qui bossent au studio. Voyez si on peut identifier quelqu'un, un type qui vient au studio d'enregistrement et qui fait sans cesse partie du public.

En travaillant avec les différents fournisseurs de services Internet, Rodrigo et son équipe réussirent à identifier la plupart des gens avec qui Nikki avait correspondu. Plusieurs des cybernautes qui se faisaient passer pour Fox semblaient plutôt faciles à éliminer de la liste des suspects. Gallo avait assigné

Brian McKinney aux deux enquêteurs pour qu'il les aide à vérifier les alibis. Megan apprécia le geste.

Dix-huit Cyber-Fox avaient jusque-là été identifiés. Gallo passa en revue une partie des listings.

— Cette fille ne dormait jamais, ma parole !

— On a ici affaire à quelqu'un qui ne se mettait jamais en mode pause, répondit Pope.

Gallo leva les yeux.

— Si c'était le cas, on ne serait pas là en train de lire sa correspondance privée. Quelqu'un a trouvé le bouton d'arrêt.

Il se pencha sur le bureau et tendit une feuille à Pope.

— Celui-là.

Il y a des gens qui ne savent plus quoi inventer, dit Megan. Dans le cyberespace, si on ne veut pas que quelqu'un vous trouve, on ne vous trouve pas.

— Rien n'est impossible, martela Gallo. Tu le sais aussi bien que moi.

Il pointa la feuille du doigt lorsque Pope la passa à Megan.

— Trouve-moi celui-là. Ce type faisait faire à Mlle Rossman ses quatre volontés, et encore, je suis poli. Je veux le voir le plus vite possible dans mon bureau et entendre sa petite histoire.

Megan baissa les yeux sur la feuille.

— Chien chanceux ?

— Celui-là, dit Gallo. Chien chanceux. Va chercher !

25

Fontaines à eau.
Forums de discussion.
Émissions de variétés.

Joe Gallo connaissait la rengaine. Comment aurait-il pu en être autrement ? Diable, sa propre femme était pratiquement une accro de ce genre de choses ! Gallo espérait que, si un jour il avait autant de temps libre que Sylvie, il trouverait une activité plus productive que de rester assis à bavasser à propos de gens qu'il n'avait jamais rencontrés. De son côté, Sylvie Gallo trouvait que son mari avait franchement un train de retard.

— Mes copines te trouvent à côté de la plaque, Joey. Regarde-le, tout doux et contrit… Je te le dis, il est en train de te renvoyer tout ça en pleine poire. Mes copines n'arrivent pas à croire que tu ne l'as pas encore coffré… Tu es trop prudent. Excuse-moi, chéri, mais c'est vrai.

Marshall Fox.

Même si sa conviction était qu'un fan déséquilibré du présentateur-vedette était peut-être responsable des deux assassinats, la suspicion persistante contre Fox ne faisait que croître dans les médias, le cyberespace, au téléphone, de visu entre voisins, partout.

L'idée était trop belle. On invoquait le nom de O.J. Simpson. L'« O.J. de l'Est », entendait-on.

— Je ne sais pas, dit Gallo à Megan deux jours après l'enterrement de Nicole Rossman.

Le chef de la criminelle était assis à son bureau et jouait avec un tube en osier à un dollar cinquante acheté à Chinatown. Des menottes chinoises.

— Est-ce qu'on fait fausse route ? Est-ce qu'on ne devrait pas revoir notre position ?

Megan secoua la tête.

— Pour quelle raison ? Nous sommes tous égaux devant la loi, Joe. Marshall Fox n'a pas droit à des faveurs simplement parce qu'il est célèbre. De la même façon qu'on ne va pas s'amuser à le lyncher pour la seule raison qu'il est célèbre. Je ne vais pas me laisser influencer par la rumeur populaire. Il est sur la liste des suspects, comme tous les autres. Doute légitime. Rien de plus.

Gallo passa l'extrémité de son index dans les menottes chinoises puis tira très légèrement dessus. L'osier se tendit.

— J'ai reçu un appel de la mère de Cynthia Blair, ce matin. Elle voulait savoir si je pensais que Fox était suspect.

— Qu'est-ce que tu lui as répondu ?

Gallo afficha un large sourire.

— Je lui ai dit qu'il figurait sur la liste des suspects, comme les autres.

— Et moi qui croyais être originale…

Gallo glissa un autre doigt dans la deuxième menotte, en tentant en vain de libérer son index. Le jouet miniature n'était pas décidé à coopérer.

— Ce truc est sans doute une métaphore, lança l'inspecteur. Mais je n'en ai pas encore pigé le sens.

— Quoi ? Les menottes chinoises ?

— Oui.

— Plus tu essaies, plus c'est difficile.

— Peut-être. Et plus tu te laisses aller, plus ça empire.

— La voilà, ta métaphore.

— Elle est déprimante.

— Bienvenue dans la vraie vie.

Le téléphone de Gallo sonna. Il montra ses doigts enchaînés.

— Tu peux répondre, s'il te plaît ?

— Quoi ? Parce que tu t'es emberlificoté dans une métaphore, il faut que je joue ta secrétaire ?

Megan se pencha en avant et décrocha le téléphone. C'était Zachary Riddick, l'avocat.

— Je cherche Gallo.

Megan fit un clin d'œil à son patron.

— Je regrette M. Riddick, l'inspecteur Gallo ne peut pas se libérer actuellement. Ici, l'inspecteur Lamb. Puis-je faire quelque chose pour vous ?

— Je représente Marshall Fox.

— Vous représentez Marshall Fox. Et… ?

— Je veux que soit officiellement noté que nous vous avons contacté en premier.

Les sourcils de Megan se relevèrent. Elle jeta un regard vers Gallo.

— C'est noté. Vous nous avez contactés en premier…

— Il faut que je parle à Gallo sur-le-champ. Vous voulez bien me le passer ?

— Puis-je vous demander la raison de votre requête ?

— Je regrette, c'est confidentiel.

Si l'avocat tentait de cacher son impatience, il échouait lamentablement.

— Je dois m'entretenir avec Gallo. Il est où, bordel ?

— Si vous le désirez…

— Cela aiderait-il, Mlle Lamb, si je vous disais qu'il s'agit d'une affaire très urgente ?

— Je vous écoute.

Derrière son bureau, Gallo tentait une dernière fois de libérer son articulation du petit jouet en osier. À l'autre bout de la ligne, Riddick marmonna quelque chose dans sa barbe que Megan ne réussit pas à déchiffrer.

— Je note l'heure, dit l'avocat. À ma montre, il est exactement une heure trente-deux.

Megan vérifia la sienne.

— Moi, j'ai une heure trente-six, monsieur Riddick.

Riddick marmonna encore quelque chose que Megan réussit cette fois à saisir.

— Votre nom, c'est Lamb, n'est-ce pas ?

— C'est ça.

— Je peux vous demander un service ? Si ça ne vous dérange pas, vous voulez bien ne pas me les briser, là, à cet instant précis ?

Gallo réussit à se dégager. Megan mit une bonne dose de douceur dans sa voix.

— Monsieur Gallo va pouvoir vous prendre en ligne dans un instant. Ne quittez pas, je vous prie.

Elle plaqua sa main sur le combiné et maintint le téléphone contre sa poitrine.

— Qu'est-ce que vous faites ? demanda Gallo.

— À cet instant précis, je suis en train de les lui briser !

Les yeux de Zachary Riddick passèrent de l'inspecteur Gallo à l'inspecteur Lamb sur laquelle ils s'attardèrent quelques secondes. Megan n'avait qu'une envie : lui flanquer un coup de coude dans le nez. Au lieu de ça, elle garda une expression aussi figée que celle d'une statue.

Gallo prit la parole.

— Zachary, je ne sais pas si vous avez déjà rencontré l'inspecteur Lamb. Megan, je vous présente Zachary Riddick.

— Vous êtes la fille qui a buté le Suédois, n'est-ce pas ?

La question lui troua l'estomac.

— Je ne suis pas *la fille* qui..., répondit Megan d'un ton égal.

— Très bien. Excusez-moi. Vous êtes l'agent qui a tué le Suédois. Je ne savais pas que vous étiez de retour au service actif.

Gallo franchit le seuil.

— Vous comptez nous laisser entrer, Zachary ?

— Bien sûr, dit l'avocat en s'écartant d'un pas et en ouvrant la porte en grand. C'est tout droit. Ils sont dans le salon.

Pendant toute la traversée du couloir, les yeux de Megan restèrent rivés sur le dos de son patron. Riddick apprécia son profil quand elle passa à côté de lui. Il fit en sorte qu'elle s'en aperçoive en laissant échapper, à dessein, un « hum » d'appréciation.

Les enquêteurs traversèrent le couloir menant à une grande pièce jouissant d'une vue spectaculaire sur l'épaisse touffe de verdure de Central Park. Marshall Fox était installé dans un canapé en cuir de couleur fauve. Il était vêtu d'un jean et d'une chemise bleue au col ouvert. Au bout de ses longues jambes croisées pointaient des bottes en tatou couleur argile. Il triturait le bout de l'une de ces bottes, comme s'il voulait en ôter des écailles et y percer un trou. Il leva les yeux vers les nouveaux venus.

Diable, pensa Megan. Il est vraiment d'une beauté à se damner.

Fox sourit tristement.

— Ils sont venus me chercher, ahahah héhéhé hohoho...

Megan reconnu une chanson humoristique sortie il y avait de cela plusieurs dizaines d'années. Alan Ross, directeur des programmes à KBS Television se leva et jeta un regard implorant à Fox.

— Marshall !

Fox décroisa les jambes.

— Oui, mon cher ami, grommela-t-il sur un ton délibérément nasal et monocorde.

Ross s'avança en tendant la main. D'abord vers l'agent le plus haut gradé.

— Inspecteur Gallo, n'y voyez rien de personnel, mais il serait bon que l'on cesse de se rencontrer. Mais merci beaucoup d'être venu.

Ils échangèrent une vigoureuse poignée de main. Gallo fit un bref hochement de tête.

— Je vous présente l'inspecteur Lamb. Elle dirige l'enquête sur les assassinats de Blair et de Rossman.

Riddick s'adossa au mur situé près de la porte, les bras croisés, le regard étonné. Ross et Megan échangèrent à leur tour une poignée de mains.

— Vous connaissez tous deux Marshall, bien sûr, dit Ross.

Fox se leva du canapé et s'adressa à Gallo :

— Ne m'en veuillez pas, inspecteur, mais vous auriez certainement tiré plus d'informations de ma part la dernière fois si vous étiez venu en compagnie de Mlle Lamb...

Il se dirigea vers elle.

— Marshall Fox, Madame.

— Enchantée.

— Toutefois, est-ce que la phrase « je préférerais me faire arracher les dents sans anesthésie » vous donne une idée de ce que je ressens actuellement ?

— Marshall !

Le ton de Ross fut un peu moins implorant, cette fois. Le cadre s'adressa aux deux enquêteurs.

— Je vous en prie. Asseyez-vous. Je sais que vous êtes très occupés. Nous serons aussi brefs que possible.

Riddick resta debout jusqu'à ce que tout le monde soit installé. Sur un regard de Ross, l'avocat traversa la pièce pour aller prendre place sur le canapé. Riddick donna une tape amicale sur le genou de Fox en s'asseyant à côté de lui.

— Marshall aimerait communiquer un certain nombre d'informations à l'administration judiciaire, commença l'avocat.

Fox s'apprêta à parler mais Riddick le fit taire d'un geste de la main.

— Minute. Avant que M. Fox ne partage certains renseignements avec vous, nous aimerions obtenir l'assurance qu'il s'agit bien ici d'une conversation privée.

— Très bien, dit Gallo. Sauf qu'il ne s'agit pas d'une conversation privée. L'inspecteur Lamb et moi-même ne sommes pas venus ici pour prendre le thé. Vous avez quelque chose à nous communiquer monsieur Fox ?

— Holà, holà ! s'exclama Riddick les deux paumes en avant, comme si un troupeau était en train de lui foncer dessus. Inspecteur, nous sommes prêts à faire une déclaration volontaire. De notre propre initiative. Tout ce qu'on vous demande, c'est de ne pas trouver les détails de la déclaration que s'apprête à faire M. Fox à la « une » des journaux de demain matin.

— Je n'ai pas l'habitude de faire le boulot des journalistes, répondit Gallo.

— Je ne pensais pas à vous en particulier, inspecteur.

Gallo se tourna vers Megan qui remarqua l'éclair dans ses yeux sombres.

— Est-ce que Jimmy Puck et vous auriez recommencé à batifoler dans les bains bouillonnants, inspecteur ?

Megan Lamb sortit son calepin et l'ouvrit d'une chiquenaude avant de prendre un stylo à bille.

— Je suis prête à entendre votre déclaration, monsieur Fox.

— Non, attendez, minute, bafouilla Riddick. Il faut vraiment qu'on soit sur la même longueur d'onde.

Il se tourna vers Ross.

— Ce n'était peut-être pas une si bonne idée…

— J'aimerais bien un verre, marmonna Fox en se renversant en arrière dans le canapé. Il remonta une jambe sur son genou et recommença son travail d'écaillage.

Alan Ross se racla la gorge. Megan eut l'impression que le directeur des programmes était au départ d'accord avec la proposition de Riddick de faire venir les enquêteurs, mais qu'il faisait maintenant jouer la hiérarchie.

— Inspecteur Gallo, commença Ross. Vous le savez à cause de notre dernière rencontre, mais pour la gouverne de l'inspecteur Lamb, je suis ici en tant qu'ami de Marshall et non pas en tant que directeur des programmes. L'investissement de notre chaîne dans la personne de Marshall, l'un de nos plus grands talents, n'a rien à voir avec ma présence. Il n'y a aucune pression de la part de KBS, vous comprenez ? Je suis ici uniquement pour soutenir mon ami. Je ne devrais peut-être même pas vous dire ça, mais au cas où, je voulais m'assurer que l'on soit sur la même longueur d'onde. Au moins à ce sujet.

Il saisit l'occasion pour gratifier Zachary de l'un des sourires les plus généreux qu'il avait en stock.

— Mon épouse et moi-même nous sentons responsables car c'est nous qui avons fait venir Marshall à New York. Je ne pense pas trahir de secret en disant que Marshall a eu déjà plusieurs occasions de se demander si, à bien y réfléchir, nous faire l'honneur de sa présence dans notre ville en valait véritablement la peine. La célébrité a sans doute l'air génial, vue de l'extérieur, mais Marshall sera le premier à vous dire que le prix à payer n'en vaut pas toujours la chandelle.

— Arrête, Alan, tu vas me faire pleurer, lança Fox depuis le canapé où il était installé.

— Retiens tes larmes, mon cher.

Ross se tourna vers les enquêteurs.

— Inspecteur Gallo, inspecteur Lamb. Loin de moi l'idée de faire un discours, j'en aurais terminé dans une minute. Vous savez tous les deux ce que Marshall Fox représente aux yeux du public. L'un des désavantages de son immense popularité, c'est que cela en fait une cible toute trouvée.

Il s'arrêta et s'éclaircit la gorge.

— C'est exactement ce qui est arrivé à Marshall.

— Vous faites référence aux rumeurs ? s'enquit Gallo.

— Les rumeurs ?

— Sur monsieur Fox et les assassinats de Blair et de Rossman.

Gallo se tourna vers l'animateur.

— Ne le prenez pas mal, mais ma femme et ses copines seraient même prêtes, tant qu'on y est, à vous coller dessus l'enlèvement du petit Lindbergh.

Fox leva les mains en l'air.

— Hé, je vous jure, j'ai jamais touché ce gamin. J'aime pas les mioches, de toute façon !

— Nous sommes au courant des rumeurs dont vous parlez, oui, dit Ross. Elles font malheureusement partie du prix à payer pour la célébrité. Mais, non. La raison qui nous a poussés à vous faire venir concerne un sujet bien plus important. Cela n'a rien à voir avec cette Mlle Rossman, non plus, avec qui Marshall n'a aucun lien. Je n'ai jamais rien entendu d'aussi ridicule. Cela concerne Cynthia Blair.

Il marqua une pause et tourna la tête vers Fox.

— Vas-y, lança Fox. Sors le linge sale. Tout le monde veut savoir.

Ross se racla la gorge de nouveau.

— Nous avons de bonnes raisons de penser que Marshall était responsable de la grossesse de Cynthia.

Le silence emplit la pièce. Les yeux de Megan se posèrent sur son patron, qui ne montrait aucun signe laissant penser qu'il avait entendu ce que Ross venait de dire.

Ross jeta un regard plein d'empathie vers la star. Presque un regard paternel, celui d'un père déçu, mais qui soutient son enfant coûte que coûte.

Gallo ouvrit enfin la bouche.

— C'est vrai, M. Fox ?

L'animateur jeta un regard malicieux vers Megan. Il s'enfonça dans le canapé et renversa la tête contre le dossier, les yeux tournés vers le plafond. Il resta silencieux quelques secondes, puis soupira bruyamment.

— Je suis foutu !

Leur histoire avait commencé deux mois et demi avant que Cynthia Blair ne démissionne brusquement de son poste de productrice de l'émission *Minuit avec Marshall Fox*. Personne dans l'équipe n'en avait la moindre idée. En public, le comportement de l'animateur-vedette et de sa productrice n'avait pas dévié d'un iota de son agressivité apparente.

Éventuellement, à y regarder de plus près, on aurait pu remarquer que les altercations quotidiennes entre les deux personnalités au tempérament entêté étaient juste un peu plus corsées que d'habitude.

Tout avait commencé, assez logiquement, par une dispute. Fox, au plus fort de sa causticité, avait tellement embrouillé sa productrice qu'elle avait explosé et, de ses poings serrés, l'avait assailli de coups sur la tête.

Le tout suivit d'une crise de larmes et de colère. La simple et triste vérité, c'était que Cynthia Blair adorait Marshall Fox, c'était son vilain petit secret.

Malgré des efforts herculéens, Cynthia n'avait pas réussi à se convaincre qu'elle pourrait un jour rencontrer un autre homme ayant les mêmes qualités exaspérément fantastiques de son collègue et adversaire. Certes, il la blessait souvent, mais il était plus talentueux, plus charmant, intelligent, sexy, égoïste, arrogant et sexiste vieux jeu que tous les autres hommes qu'elle avait rencontrés jusqu'à présent.

Ce que Cynthia détestait le plus, c'était que, dès l'instant où elle l'avait vu, il était devenu, pour tous ses défauts manifestes, la seule et unique personne véritablement passionnante qu'elle ait jamais côtoyée. Marshall Fox rendait tous les autres hommes, avec qui elle avait eu une aventure, insignifiants et fades, même les plus dynamiques. Ce n'était pas juste.

Pour Cynthia, ce salopard était devenu l'étalon or. Que les autres aillent tous au diable : il était le seul candidat valable.

Et bien sûr, il était encore marié.

Et pas avec n'importe qui.

Leur dispute avait eu lieu le vendredi soir. Fox avait invité Cynthia à continuer chez lui le débriefing des émissions de la semaine, commencé dans son bureau après les enregistrements. En cours de route, leur discussion avait tourné au vinaigre et ils avaient fini par s'empoigner sur le canapé en cuir fauve. Elle était restée tout le week-end.

Si quelqu'un remarqua lundi matin que Cynthia portait la même tenue que le vendredi précédent, personne ne pipa mot. De son côté, Cynthia eut l'impression de passer la journée absolument nue avec écrit BAISE AVEC MARSHALL FOX sur son front et dans le dos.

À la fin de la journée, elle avait finalement décidé que le week-end orgiaque avec son patron n'avait été qu'une passade et qu'ils étaient tous deux à nouveau sur le pied de guerre. Mais un peu plus tard dans la soirée, les cris de Cynthia résonnèrent au moment où elle plantait ses ongles dans le dos de son patron. Cette fois, elle réussit à rentrer chez elle, où elle se mit au lit en position fœtale autour de son oreiller de plumes, riant aux éclats avant de sombrer dans le sommeil. Elle avait éclaté d'un rire ample, libre, purifiant pour ses poumons ; elle ne se souvenait pas avoir ri comme ça depuis son enfance.

Pendant deux mois et demi, Marshall Fox la plongea dans un oubli délirant. Dix fois par jour, Cynthia déclara en silence qu'elle était dégoûtée d'elle-même et qu'elle voyait clair dans le petit jeu de Fox.

Je suis plus intelligente que lui, se disait-elle. Je sais ce que j'ai à faire.

Et puis, leur histoire se termina.

Elle savait que cela devait arriver un jour ou l'autre. Dans les mois qui suivirent la séparation de Marshall et de sa femme, l'animateur-vedette avait eu au moins une dizaine d'aventures dont Cynthia était au courant, la plus récente étant celle qu'il entretenait avec cette étonnante quaker rencontrée à la réception annuelle des Ross à Long Island. Naturellement, cette aventure aurait aussi une fin. C'était comme ça que Fox fonctionnait. Et pourtant, Cynthia s'était persuadée qu'avec elle, ce serait différent. Mais la seule différence entre elle et les autres, c'était qu'elle travaillait avec lui. Elle avait été aussi bête que ça.

Il y avait une autre différence. Ou bien, était-elle juste extrêmement naïve et il n'y avait pas de différence du tout. Fox avait peut-être déjà dû se tirer d'un mauvais pas identique par le passé, qui sait.

Elle était enceinte.

Attention par ici, attention par là, c'était tout de même arrivé.

En apprenant la nouvelle, Cynthia sut immédiatement qu'elle n'avait aucunement l'intention d'avorter. Hors de question. Devenir mère avait toujours fait partie de ses projets (sinon de ses projets, au moins de ses intentions). Lorsqu'elle avait découvert qu'elle était enceinte, elle avait su que le bon moment était arrivé. Elle ne s'était fait aucune illusion sur Fox. Il ne répondrait certainement pas présent et n'aurait certainement aucune intention de faire réellement partie de la vie de cet enfant. Mais elle était prête pour ça. Elle voyait parfaitement clair dans son avenir. Enfin. Et elle l'acceptait.

Ce qu'elle n'avait pas prévu, c'était l'insistance catégorique de Fox pour qu'elle « se débarrasse de l'enfant ».

— *Ma putain de graine ? Mon gamin ?* Oh non, certainement pas, Miss Cindy. Ça marche pas comme ça, ma fille. Un jour, cela se saura, j'en suis sûr. Tu le raconteras. Une de tes amies le racontera. Ou alors, le petit bâtard me ressemblera. Non, non, non. Niet. Nada ! J'ai mes propres projets, tu vois. Je me réveille, je sens l'odeur du café, chérie, et j'ai encore sur la peau l'odeur de ma merveilleuse Rosemary. On est en pleines négociations en ce moment, alors ne t'amuse pas à me faire un coup comme ça maintenant. Hop, dégagé… S'il faut, je m'en charge moi-même. Tu as pigé ? Ce n'est pas dans le scénario, Cindy. *Pas dans le scénario !*

De retour dans son bureau, Cindy fracassa, de rage, sa vitrine en verre et saisit l'Emmy Award reçu pour son travail sur l'émission. Avec la base de la statuette, elle frappa le mur mitoyen entre son bureau et celui de Fox. Mon Dieu, se dit-elle en martelant le mur en contreplaqué, je suis devenue folle. *Eh ben, qu'il aille se faire foutre !* Tout ce qu'elle réussit à faire, ce fut un énorme trou dans le mur. Elle se demanda quoi faire. Allait-elle passer à travers le mur, jusqu'au bureau de Fox et lui ficher sa lourde statuette dans le crâne ? Un trou dans le mur de la taille d'un ballon de volley s'ouvrit. Cynthia y jeta sa récompense. Cinq minutes plus tard, elle était dans l'ascenseur, et elle aurait aimé que Marshall Fox y soit avec elle, que le câble se rompe et qu'eux deux (eux trois, pensa-t-elle aussitôt en caressant son ventre) plongent vers leur mort idiote, idiote, idiote et méritée.

Megan demanda qu'on lui indique les toilettes.

Fox fit un léger mouvement de tête.

— Au bout du couloir, sur la droite.

Lorsqu'elle quitta la pièce, Gallo se tourna vers Marshall :

— Vous savez quelle va être ma première question, j'en suis certain.

— Pourquoi je ne vous ai pas parlé de ça plus tôt ? D'après vous ? C'était privé, cela ne regardait que Cindy et moi. Il n'y a pas de lien avec ce qui lui est arrivé.

Gallo secouait déjà la tête.

— Pas satisfaisant.

— Il faudra bien, pourtant, que cela vous satisfasse.

— Quelqu'un comme Marshall… commença Ross.

— S'il vous plaît, interrompit l'inspecteur. Il faut vraiment que j'entende les réponses de la bouche de monsieur Fox.

— C'est bon, Alan.

Fox se tourna vers Gallo.

— Écoutez. C'est très simple. Dans le métier que je fais, la première chose à disparaître, c'est la vie privée, vous voyez ? La population entière de l'État dont je suis originaire tiendrait certainement dans les bâtiments entre ici et le fleuve Hudson. Chez moi, on peut passer des jours sans rencontrer âme qui vive. Alors, oui, c'est vrai, j'ai jeté ce passé par la fenêtre. Ça a été mon choix, et je ne m'en plains pas. Enfin, bon, un peu. Mais depuis que ma femme et moi sommes séparés, j'ai vraiment perdu toute vie privée. Vous ne pouvez pas imaginer. J'essaye de me rabibocher avec ma femme, elle me manque. Merde. J'ai *besoin* d'elle, voilà la vérité. Et c'est pas gagné, je peux vous le dire. J'ai fait pas mal de conneries l'an passé. Maintenant, j'en ai retenu la leçon. Vous pouvez vous imaginer de quel côté elle pencherait si elle apprenait que j'ai couché avec ma productrice et que je l'ai fichue en cloque. Vous voulez parier ? Gallo comprit. Fox était humain. L'inspecteur n'était pas certain de ce qu'il aurait fait, lui, s'il s'était trouvé dans des circonstances similaires.

— Très bien, fit Gallo. J'ai pigé. Mais alors, pourquoi sortir de l'ombre maintenant ?

Megan refit son entrée dans le salon. Gallo eut l'impression que sa collègue lançait vers Fox un drôle de regard.

Alan Ross prit la parole.

— J'aimerais répondre à votre question, inspecteur, si vous me le permettez.

— Allez-y.

— Marshall ?

— Lâche-toi, mon gars.

Le téléphone de Ross sonna. Il vérifia qui appelait et ne répondit pas.

— Marshall et Zachary ont tous deux reçu un coup de fil, récemment, dit-il. Ils ont décidé que c'était mieux, dans l'intérêt de tous, de ne pas révéler l'identité de cette personne.

— Tu peux la nommer « cette pétasse », grommela Fox. Moi, je ne me gênerais pas.

— Donc, vous connaissiez l'identité de la personne qui vous a appelé ? dit Gallo.

— Oh, que oui. Elle me connaît, elle sait tout. Zack n'a pas encore eu le plaisir de la rencontrer, mais ça ne saurait tarder.

— Et cet appel ? De quoi s'agissait-il ?

— Elle savait, pour Cynthia et moi. Elle savait qu'on s'était comportés comme un vilain garçon et une vilaine fille.

— Et elle savait aussi que Mlle Blair était enceinte ? demanda Megan.

Fox se tapota le bout du nez.

— Tout juste, ma belle. Et c'était ma faute. J'ai accordé ma confiance à des gens à qui je n'aurais pas dû, maintenant je le sais. Les risques du métier, quand on est un homme célèbre.

— Et cette personne vous a contacté tous les deux ? demanda Gallo.

— Exact, répondit Riddick. C'était en gros « je tiens Marshall par les couilles. Alors, qu'est-ce que vous comptez faire ? ».

— Donc, vous avez décidé de tout nous raconter avant qu'on l'apprenne par votre amie, c'est ça ? intervint Megan.

— Je n'ai jamais dit que c'était une amie.

— Mais c'est bien ce que vous avez décidé ?

— Juste. Si vous deviez l'apprendre, je préférais que ça vienne de moi. Mon porte-parole, là, ne pensait pas que c'était une très bonne idée. C'était la version de cette femme contre la mienne. Mais je ne suis pas idiot : de quoi aurais-je eu l'air, moi, si j'avais gardé cette info et que vous l'appreniez par ailleurs ?

— Mais vous avez effectivement gardé l'info pour vous, lui rappela Megan.

— Et maintenant je vous la sers sur un plateau, non ?

— Cela nous aiderait grandement si vous nous révéliez l'identité de cette personne, dit Gallo.

Fox échangea un regard avec Riddick, puis avec Alan Ross.

— Nous avons décidé que cela n'avait aucun intérêt, inspecteur. Si elle cherche la publicité, on ne va certainement pas la lui donner.

— Si j'ai bien compris, il s'agit pourtant de quelqu'un dont vous êtes proche, non ?

— Une personne dans la position de Marshall Fox attire beaucoup de gens, répondit Alan Ross. De vraies berniques. Et c'était l'une de ces berniques.

— Je vois.

— Ce qui importe, ajouta Fox, c'est que, de tous les appels que vous devez déjà recevoir, celui-là aurait été crédible. Voilà pourquoi j'ai préféré prendre les devants. Je me suis dit qu'il fallait que je tente ma chance en vous livrant la vérité.

Il lança un sourire à Megan.

— Ça, c'est du concept, hein ?

Megan et Gallo prirent l'ascenseur en silence. Une fois sortis dans la rue, Gallo demanda :

— Tu en penses quoi de tout ça ?

— C'est lui qui l'a tuée, Joe. Il les a tuées toutes les deux !

Megan se tordit le cou pour regarder tout en haut du bâtiment.

— Le salaud.

Gallo déverrouilla la portière côté conducteur.

— Il a mis une femme en cloque. De là à commettre un crime, il y a quand même de la marge.

— En cherchant les toilettes, je me suis trompée de porte et je me suis retrouvée dans la chambre de Fox.

Les yeux de Gallo se plissèrent.

— C'est vraiment très maladroit de ta part...

— C'est vrai. Mais puisque j'étais là, j'en ai profité

pour mener une petite fouille illégale. Ce cher Marshall Fox aime jouer avec les menottes, Joe. J'en ai trouvé une paire dans le tiroir de sa table de nuit.

— Beaucoup de gens en ont. Toi, par exemple, tu possèdes des menottes.

— Mais est-ce que beaucoup de gens ont ça ?

Elle sortit quelque chose de plat, de carré et de bleu de sa poche.

— C'est quoi ?

— Une carte de condoléances destinée à la famille de Cynthia. Elle n'est jamais arrivée à son destinataire. Ça aussi, c'était dans le tiroir de sa table de nuit.

— Une carte de condoléances…

— Dans une enveloppe bleue.

— Où veux-tu en venir ?

En tenant l'enveloppe par la tranche, Megan sortit la carte et la tendit à son patron. L'illustration de couverture représentait une main stylisée tenant un gros bouquet de fleurs.

SINCÈRES CONDOLÉANCES
POUR VOTRE PERTE

— Lorsque Nikki a quitté son appartement la nuit où elle a été tuée, elle tenait à la main une enveloppe bleue. Ouvre.

— Tout ce qu'on pourra apprendre de ce papier n'aura aucun poids légal : cette carte a été obtenue illégalement.

— Je la lui rendrai quand on ira arrêter Fox.

— Tu veux dire, la remettre discrètement à sa place ?

— Non, la lui rendre.

— Je n'aime pas ça, Megan.

— Excuse-moi, mais je ne veux pas qu'il la détruise. Il a déjà été assez bête pour la garder.

— Prendre quoi que ce soit dans la résidence d'un suspect, c'est de la folie !

— Très bien. Il est fou, et je suis folle. Mais c'est un fou qui a assassiné deux femmes de sang-froid. De mon point de vue, ça me laisse une certaine latitude. Lis ce qu'il y a d'écrit sur cette carte et on discutera après.

Gallo ouvrit la carte et lu le message préimprimé. Un poème de six lignes, un message de condoléances aussi désincarné que la main représentée en couverture. Mais ce n'est pas ce message qui retint l'attention de l'inspecteur Gallo. Ce fut le gribouillis fait en bas. Gallo le fixa pendant dix bonnes secondes avant que Megan ne finisse par s'asseoir sur le capot de la voiture en lançant :

— Alors ?

— Joe Gallo regarda le bâtiment. Plus précisément vers le vingt-sixième étage. Il lâcha un long sifflement.

— La vache !

26

Nous venons tout juste d'apprendre que Marshall Fox s'est livré aux autorités dans l'affaire des meurtres de Cynthia Blair et Nicole Rossman. L'animateur-vedette, accompagné de sa femme et de son avocat, a été arrêté vers dix heures et demie ce matin au logement du couple dans l'Upper East Side et amené au poste de police de la Vingtième circonscription.

Des informations me parviennent à l'instant... Marshall Fox n'a pas encore été officiellement inculpé, mais on s'attend dans l'heure qui vient à ce que l'animateur de Minuit avec Marshall Fox soit inculpé de meurtre sur les personnes de Cynthia Blair et Nicole Rossman. C'est incroyable ! Quelques jours seulement après l'assassinat de Cynthia Blair, monsieur Fox avait juré à l'antenne, des larmes plein les yeux, qu'il ferait tout ce qui était en son pouvoir pour traîner en justice le coupable du meurtre de son ancienne collègue... Il est encore trop tôt pour le dire avec certitude, mais, avec l'arrestation de ce matin, Marshall Fox semble bien avoir tenu sa promesse. C'était Kelly Cole, en direct de l'Upper East Side. »

Rosemary Fox observa la mêlée de journalistes et de cadreurs massée sur le trottoir, devant son immeuble. Elle ordonna à son chauffeur de ne pas s'arrêter.

— Conduisez-moi n'importe où… mais loin d'ici.

— Bien, Madame.

Rosemary alluma une cigarette et descendit la vitre de quelques centimètres. Elle fixa d'un regard vide les bâtiments qui défilaient. À cet instant, Marshall était en prison. Incroyable. Totalement incroyable. Au moins, Zachary avait promis que Marshall aurait droit à sa propre cellule, c'était déjà ça. Mais il avait également promis de prendre des dispositions pour que tout se déroule discrètement et dans le calme lorsque Marshall se livrerait volontairement aux autorités ce matin… À la place, une blondasse avait passé les menottes aux poignets de son mari et l'avait traîné dans le hall d'entrée de l'immeuble comme un vulgaire criminel ! Insoutenable. Le pauvre garçon. Rosemary n'avait jamais lu une telle impuissance s'inscrire sur le visage de son mari. Toute son arrogance, son insouciance et son charme s'étaient évanouis à la vue des menottes que la fliquette détacha de sa ceinture. Elle lui avait dit quelque chose, à voix basse, que Rosemary n'avait pas entendu. Dans la folie des heures suivantes, Rosemary avait totalement oublié de demander à Marshall ce que cette petite Kojak avait dit.

Le téléphone fixé sur la portière sonna. Rosemary vérifia l'identité de l'appelant. Gloria Ross. Rosemary n'avait pas forcément envie de lui parler en ce moment.

C'était une chose que de se pavaner sur la côte le jour de l'arrestation de Marshall, cela faisait partie du jeu. Mais Alan était là-bas, lui aussi. Il avait soudain pris l'avion pour rejoindre sa femme, deux jours plus tôt. Comme c'est pratique : un pays entier séparait désormais les Ross de leur petit protégé compromis.

Peut-être suis-je trop sévère, pensa Rosemary. Qu'est-ce que Alan aurait pu faire en restant sur la côte Est ? Tenir la main de Marshall ? Il avait réussi à rendre Marshall célèbre, mais il ne pouvait pas le rendre invulnérable. Marshall s'était comporté comme un idiot, il avait mis sa productrice en cloque, et il s'était laissé emberlificoter par cette femme aux mœurs légères, cette Barbie naine à deux francs six sous, cette souillon de l'Internet.

Tu joues à tes petits jeux débiles, tu prends tes risques. Pauvre Cow-boy. Idiot.

Finalement, Rosemary décrocha le téléphone.

Gloria semblait très agitée.

— Rose ! Je suis tellement contente de t'avoir. Où es-tu, ma chérie ?

— Bonjour Gloria. Je suis cachée à l'arrière du Town Car et je fais le tour de Manhattan. Comment ça va, sur la côte ?

— Sec, ensoleillé, sans un brin d'air frais et plein de poseurs. Écoute chérie, Alan va rentrer à New York demain après-midi. Il a des réunions toute la journée. En ce moment, il est sur le tournage de *Century City*. Il m'a dit de te dire qu'il pensait fort à toi… Comment va Marshall ?

Le véhicule passa lentement à côté du Metropolitan Museum of Art. Rosemary se tourna sur son siège. Elle n'était pas d'humeur à apercevoir ne serait-ce qu'un bout de l'obélisque de Cléopâtre.

— Marshall chie dans son froc, répondit Rosemary. Il est convaincu qu'on va l'envoyer à Rikers et l'offrir en sacrifice à des hommes tatoués jusqu'aux dents.

— Je croyais qu'on ne sacrifiait que des vierges.

Rosemary marqua une pause.

— Ce n'est pas drôle, Gloria.

Il y eut de la friture sur la ligne.

— Excuse-moi, ma chérie. Ce n'est pas drôle, tu as raison, mais toute cette histoire est tellement surréaliste.

— Je ne te le fais pas dire.

— Tout ira bien, Rose. Tout ça n'est qu'un immense malentendu. Marshall a été pris pour cible, on le sait. Alan me disait, pas plus tard que ce matin, que cela ne le surprendrait pas si ce n'était qu'un complot lancé par une chaîne concurrente.

— Ton mari est paranoïaque.

— Mon mari ne se remet pas de ce qui est en train d'arriver à *ton* mari. Ce ne sont pas des blagues, Rose. Alan a éclaté en sanglots au petit-déjeuner ce matin. Tu sais qu'on se battra pour Marchall jusqu'au bout.

— Je sais, je sais.

— Et toi, tu tiens le coup ?

Rosemary tira une dernière bouffée sur sa cigarette et jeta le mégot par la fenêtre. La fumée sortit entre ses lèvres comme de la glace sèche.

— J'ai la peau dure. Avec tout ce que Marshall m'a fait voir l'an passé, je dois avoir la peau aussi dure que celle d'un alligator.

— Beaucoup de gens compatissent, ici. Tu es restée aux côtés de ton mari, tu es la magnifique victime de l'irresponsabilité de Marshall. Ça en jette.

Ça en jette. Est-ce que tout n'est qu'une histoire d'apparence pour ces gens-là ? Non mais franchement. Rosemary éclata de rire. Gloria n'avait aucune idée de ce qu'était la réalité, Alan non plus, d'ailleurs. Leurs carrières respectives étaient bâties sur la représentation et l'apparence, une simple illusion de la réalité.

— Qu'y a-t-il de drôle ?

— Rien.

— Dès que l'on sera rentré, on te rappellera, dit Gloria. Tu peux venir à Long Island aussi souvent que tu le veux. Tu le sais, n'est-ce pas ? Je ne pense pas que tu veuilles rester en ville au cours des prochains jours.

— Je reste ici. C'est là que se trouve mon mari, tu te souviens ?

Rosemary sortit une autre cigarette de son paquet.

— Je dois être à ses côtés.

— Tu as l'air bien amère, ma chérie.

Rosemary soupira.

— Je vais bien.

Elle plissa les yeux en regardant, à travers la vitre, l'hôtel Plaza. Le Plaza… c'était là que Marshall et elle avait fait l'amour pour la première fois. Elle sourit malgré elle. Ce salopard avait gardé ses bottes pendant tout le temps. Son large sourire jusqu'aux oreilles, aussi. *Miss Boggs. Miss Boggs…*

— Je vais bien, répéta Rosemary. Merci d'avoir téléphoné, Gloria. Si Marshall appelle, je lui dirais que tu as demandé de ses nouvelles.

— Oui, dis-le-lui. Et de la part de Alan aussi. Il sera de retour demain.

— À plus tard.

— À plus, chérie.

Rosemary ordonna à son chauffeur de la ramener chez elle. La presse n'allait certainement pas plier bagage et partir aussi vite. Son immeuble serait certainement assiégé tout le temps que durerait cette foire. Il faudra qu'elle réfléchisse à une solution, mais pour l'instant elle n'avait qu'une envie : rentrer à la maison.

Elle sortit son poudrier et fit rapidement quelques retouches. Elle connaissait bien son rôle, et elle connaissait le pouvoir de ses meilleurs atouts.

Plus tard dans la soirée, Rosemary regarda la séquence à la télévision. CNN n'arrêtait pas de la repasser. Le Town Car s'arrête. Le chauffeur sort et ouvre la porte arrière. Rosemary sort de la voiture en tenant fermement le col de son manteau contre son cou, faisant calmement face à l'assaut de caméras et de micros. Elle avait l'air terriblement exquise, comme toujours. Ses yeux verts étaient emplis d'une profonde tristesse et, dans le même temps, d'une résolution à toute épreuve.

— Je ne voudrais dire qu'une seule chose : en ce moment, les seules personnes qui devraient occuper nos pensées, ce sont les familles des victimes. Leur douleur ne peut se calmer tant que l'assassin de ces deux femmes sera en liberté. Mon mari est innocent. La douleur qui nous afflige Marshall et moi en ce moment, n'est que passagère. Ce n'est pas nous qui sommes au centre de ce drame.

Rosemary pointa la télécommande vers le poste de télévision et appuya sur le bouton. L'image disparut dans un léger sifflement. Elle était assise bien droite dans son lit. Les somnifères qu'elle avait pris une demi-heure plus tôt n'avaient pas encore fait effet.

Elle sirota une gorgée de scotch déjà tiède. La sonnette de la porte d'entrée retentit au moment où elle reposait le verre sur sa table de nuit.

Deux coups courts, un coup long.

Rosemary sortit du lit en enfilant sa robe de chambre. Son truc en plumes, comme disait Marshall. Elle jeta un rapide coup d'œil dans le miroir ; la sonnette retentit une seconde fois, toujours de la même manière. Elle donna d'un tour de main du volume à ses cheveux et se pinça les joues, puis elle se dirigea vers la porte d'entrée, jeta un œil à travers le judas et ouvrit.

Son visiteur était appuyé contre le montant. Le sourire trop grand, les pupilles en partie dilatées.

— Tu es déjà au lit ?

— La journée a été longue, répondit Rosemary. Tu as sans doute entendu dire que mon mari passait la nuit en prison.

— J'ai entendu quelque chose comme ça.

— Je suppose que tu es monté par le garage ?

— Est-ce que j'ai l'air d'un idiot ?

— Tu as l'air défoncé.

Rosemary recula d'un pas et laissa entrer son visiteur.

— Tu ne te trouves pas un peu trop dévoué ? demanda-t-elle.

— Je pensais que tu devais te sentir seule.

— J'ai pris des somnifères.

Rosemary ferma la porte.

— Dans dix minutes, max, je serai dans les bras de Morphée.

— Une fois l'affaire pliée, je connais le chemin de la sortie.

— Ça, c'est dévoué.

Son visiteur la suivit jusque dans la chambre. Rosemary s'arrêta quelques pas avant le pied de lit. Maintenant qu'elle était debout et s'était déplacée, elle se rendait compte que les somnifères commençaient à faire leur effet. Son esprit lui sembla embrumé. D'une manière assez agréable, sauf que ses pieds ne touchaient pas vraiment le sol.

Elle défit sa ceinture et laissa glisser la robe de chambre qui tomba sur le sol dans un murmure satiné. Mon Dieu, pensa vaguement Rosemary, si c'est pas un peu cheap, ça... Elle fit un pas de côté pour éviter de marcher dessus, puis grimpa sur le lit et rampa jusqu'aux oreillers. Je suis un chat sauvage, pensa-t-elle. Elle s'installa, ferma les yeux et entendit un rire. Il lui fallut un moment pour se rendre compte qu'il venait d'elle.

Son visiteur, debout au pied du lit, déboutonnait sa chemise.

— Qu'est-ce qu'il y a de drôle ?

Rosemary décida que ses yeux étaient trop lourds pour s'ouvrir. Elle avait l'impression que sa tête n'arrêtait pas de s'enfoncer dans son oreiller. Toujours plus profondément. Tout est drôle, pensa-t-elle. Tout. Tout n'est qu'une grosse plaisanterie. Elle sentit le matelas bouger et une masse obscure descendre sur son corps. Une mâchoire non rasée lui racla la joue.

Une grosse plaisanterie. Une énorme plaisanterie.

Robin Burrell était assise, immobile, devant son poste de télévision. Le seul mouvement qu'elle avait fait au cours de l'heure et demie précédente, avait été de tendre son bras et de pointer la télécommande pour changer de chaîne. Il n'y avait rien de nouveau. Elle avait déjà vu tous les reportages, plus d'une dizaine de fois. Marshall à l'époque ; Marshall ce matin ; l'obélisque de Cléopâtre et le drap blanc recouvrant le cadavre ; Marshall faisant les cent pas sur le plateau de télé, le cœur brisé par la perte de son ancienne productrice ; une photo floue de la jeune femme dans un maillot deux pièces, menue et plantureuse à la fois ; l'obélisque de Cléopâtre, encore. Tout. Encore et encore. Jusqu'à la nausée.

Robin ne réagissait plus.

Elle ne répondait plus au téléphone. Le répondeur indiquait dix-huit messages non lus. Michelle. Edward Anger. Denise du boulot. Des journalistes… Elle n'avait rien à leur dire. Pendant trois mois, elle avait eu l'impression d'être sous l'emprise d'une délicieuse drogue. Ce qui était habituellement primordial n'avait désormais plus d'importance. Ce que les gens pensaient n'avait plus d'importance. Robin avait glissé dans ce monde fantasmagorique plus facilement qu'elle ne l'aurait cru et elle y était restée jusqu'à ce que les choses tournent mal, jusqu'à ce que Fox claque des doigts et que la féerie disparaisse.

Vers minuit, Robin posa la télécommande, se leva du canapé et traîna les pieds jusqu'à la salle de bains. Elle fit couler l'eau et se déshabilla. Avant d'entrer sous la douche, elle se regarda dans le miroir en pied accroché au mur. L'espace d'un instant, une forme se superposa à son reflet qui, dans la vapeur de l'eau chaude, commençait déjà à se brouiller.

Elle se retourna brusquement. Rien. Pas cette fois. Robin croisa les bras sur sa poitrine et passa sous le jet. Elle ferma les yeux et renversa la tête en arrière. Et elle pleura.

Troisième
partie

27

Une voix.

— Je crois que j'ai vu quelque chose.

Moi aussi, je l'avais cru. Pour être plus précis, ma conscience vide avait cru voir quelque chose. Il n'y avait pas de « je ». Le vide était composé de bandes noires dans un espace noir, de lignes fracturées. Le tout était en mouvement, frénétique même, et fendait l'obscurité, telles des queues de comètes. Aux confins du vide résonnaient des choses familières. Familières et vitales. C'était de l'autre côté. La conscience grésillait faiblement le long de la ligne d'horizon, loin de l'endroit où était normalement sa place.

— Je crois que je l'ai vu ouvrir les yeux… Mais c'était certainement un battement de paupières, rien de plus.

D'autres fissures traversèrent le vide en moi, se multiplièrent dans une impression de flou. Des fissures à l'intérieur d'autres fissures.

La voix s'évanouit. Puis, un faible signal se fit entendre. Une balise primitive, calme et bienvenue. Une faible pulsation rouge.

Bip… Bip… Bip… Bip…

Je fus assailli par une fluorescence blanche. Pareille

à la première inspiration d'air après avoir retenu son souffle le plus longtemps possible, jusqu'à la limite. Noyé sous cette lumière aveuglante et intermittente, je clignai des yeux pour essayer de m'y habituer.

J'étais à l'horizontale. L'espace d'un bref instant, je crus que je flottais. Je me sentis dangereusement ondoyer. Je plissai les yeux et les formes prirent lentement leur place.

Margo.

Assise sur une chaise à côté de la fenêtre, près du pied du lit — mon lit —, elle lisait un exemplaire de *Vanity Fair*. Son visage était marqué par une extrême concentration ; elle fronçait les sourcils sur sa page.

Dans ma vision des choses, un cadre illuminé descendit sur Margo et les détails tout autour devinrent flous : Margo était devenue un portrait accroché au mur. Je n'avais qu'une seule envie : la regarder. J'avais faim de savourer. Mais, un instant plus tard, elle humecta un doigt, tourna la page et leva les yeux.

— Bon sang !

Elle laissa tomber son magazine et se précipita hors du cadre. Son visage envahit mon champ de vision.

— Saleté de merde ! Espèce de petit con de salaud de merde !

Des larmes coulaient sur ses joues. Sa main chercha à tâtons quelque chose à l'arrière de mon oreille. Je tournai la tête pour voir.

Un bouton en plastique, écrasé par le pouce livide de Margo. Une femme entra dans la chambre, tel un dessin animé en accéléré.

Une infirmière. Avec des seins pareils à des montagnes aux sommets arrondis.

— Qu'y a-t-il ?

— Il est réveillé.

L'infirmière déferla sur moi. À tel point que je crus un instant qu'elle allait me tomber dessus.

— Bonjour M. Malone, lança-t-elle en me gratifiant d'un sourire de star à la dentition parfaitement alignée.

Elle leva un objet devant mon nez.

— Qu'est-ce que je tiens entre les doigts ?

Je sentis mes yeux loucher tandis que je tentais de faire la mise au point sur l'objet en question. C'était un stylo. Bleu. À bille. Paper Mate. Derrière l'infirmière, Margo m'observait attentivement, le regard sévère, les sourcils froncés.

— Un éléphant, répondis-je.

Ma voix me parut inhabituellement rauque.

L'infirmière cligna les yeux d'étonnement.

— Je tiens un éléphant entre les doigts ?

Elle se retourna vers Margo, qui avait perdu son regard sévère.

— Il va parfaitement bien.

28

J'étais passé sous la glace. Deux hommes furent témoins de ma chute (celui qui appela les secours déclara que j'étais tombé tête la première ; l'autre disait m'avoir vu atterrir en plein sur le dos) et l'espace de quelques instants, j'étais resté là, à la surface, immobile.

Lorsque j'avais fini par bouger, ce ne fut pas pour me relever sur les coudes et faire comme si de rien n'était. Tout au contraire. Les témoins s'accordèrent sur ce point : ils déclarèrent tous deux que mes pieds disparurent en premier et passèrent lentement à travers la brèche grandissante que mon corps avait créée en atterrissant sur la surface gelée du fleuve.

Puis, comme aspiré par une créature aquatique vorace, j'avais glissé sur la glace fendue et disparu dans les eaux noires sans même une éclaboussure. Seule une faible tache de sang sur le banc gelé était la preuve que j'avais été là à un moment donné.

La blessure que Face de Rat m'avait infligée au flanc avec son couteau de cuisine exigea sept points de suture. Heureusement, aucun organe vital n'avait été touché. Une autre série de sutures avait été nécessaire pour refermer l'entaille à l'arrière de mon crâne, là où j'avais heurté la glace. C'est à cet endroit que se cristallisait l'inquiétude des toubibs. Sur ma tête. Les hommes en blouse blanche craignaient un œdème cérébral, inquiétude à laquelle Margo avait juste répondu :

— Super. Il ne nous manquerait plus que ça !

Paradoxalement, les quelques minutes passées sous la glace avaient eu un effet très positif sur ma blessure à la tête, qui ne se révélait pas aussi inquiétante qu'elle aurait pu. L'East River avait agi sur moi comme une infirmière de premiers secours : le fleuve glacial avait figé l'œdème dans sa course. Cependant, il en avait aussi profité pour me remplir les poumons de trois ou quatre litres de ses eaux bien grasses. Mais c'était vraiment le moindre de mes problèmes. On me donna une liste de symptômes à surveiller. Troubles de la mémoire, perte de l'orientation, difficulté à prendre des décisions, maux de tête, irritabilité.

Mon médecin insista pour que je reste hospitalisé jusqu'au lendemain. Je voulus argumenter avec lui, mais il refusa. Ma mémoire semblait avoir quelques ratés. Ma mère et ma demi-sœur, Elizabeth, étaient venues me voir mais il ne m'en restait aucun souvenir.

Le visage de Joe Gallo apparut aussi à côté de mon lit, mais lorsqu'il disparut, le souvenir de notre discussion s'effaça également. Je reçus quelques coups de téléphone de Peter Elliott, de Michelle Poole et aussi de Megan Lamb, mais le Général Margo refusa que je les prenne. Kelly Cole, également, me téléphona. Margo griffonna son numéro au dos de l'une de mes cartes de visite qu'elle glissa ensuite dans mon portefeuille.

— Je ne pense pas que tu sois déjà prêt pour ce genre de syntaxe.

Je me sentis beaucoup mieux le lendemain matin. J'étais habillé et prêt à partir quand le médecin passa voir comment j'allais. Armé d'un stylo lumineux, il braqua le faisceau sur mes pupilles en me demandant d'en suivre le mouvement pendant qu'il l'agitait tel un chef d'orchestre symphonique. Il m'ordonna de me reposer, de ne pas conduire, de ne pas boire d'alcool pendant au moins une semaine et d'éviter les relations sexuelles. Margo était assise sur le rebord large de la fenêtre, les mains posées sur les genoux.

— Merci, docteur. C'est gentil d'être passé.

J'insistai pour suivre ma convalescence chez moi, mais Margo n'était pas d'accord et je perdis cette bataille. La vérité, c'est que je n'y mis pas réellement toute mon énergie et tout mon cœur. Ni Margo ni moi n'abordâmes le sujet de notre récente croisée de fers. Mes blessures nous forçaient à une trêve, et je fus tout simplement heureux que l'on évite ce sujet.

En sortant de l'hôpital, Margo m'amena dans un petit restaurant spécialisé dans les plats rustiques, près de Gramercy Park, où je pris une double portion d'œufs, de saucisses et de frites maison.

Après le petit-déjeuner, nous rentrâmes chez Margo où je décrochai le téléphone, m'affalai sur le canapé et dormis jusqu'à huit heures du soir. Margo me gava de pâtes au pistou. Je pris une douche puis me couchai, fis une avance minable à Margo lorsqu'elle vint me rejoindre et m'éteignis en même temps que la lumière.

Le lendemain matin, on ne peut pas dire que je pétais la forme. Mais c'était déjà mieux. Margo ressortit consciencieusement un exemplaire du *Post* vieux de trois jours qu'elle avait gardé pour me le montrer.

— Si ton cerveau fonctionnait à cent pour cent, tu me l'aurais déjà demandé depuis longtemps.

Elle ouvrit le journal page cinq. Il y avait un article sur mon voyage imprévu dans les eaux glacées de l'East River et un portrait-robot de mon agresseur présumé figurait à côté. Il ressemblait surtout à Thurman Munson, le célèbre catcheur nordiste décédé il y a un quart de siècle dans un accident d'avion.

— On dirait Munson. Le gars qui m'a agressé ne ressemblait pas à ça. Toi, tu lui ressembles plus que ce portrait-robot !

— Merci, mon chéri. Toi, au moins, tu sais parler aux femmes.

Margo avait une réunion à dix heures. Elle se fit belle, puis mit un épais manteau d'hiver et un énorme chapeau en fourrure.

— Tu as l'air parée pour la Sibérie.

— Fais attention à toi, me dit-elle d'un ton péremptoire. Je ne me fendrai pas d'une visite à l'hôpital deux fois dans la même semaine.

— Je ferai attention.

— Mensonge, rétorqua-t-elle en attrapant ses clefs. Rien que des mensonges.

Après son départ, j'appelai ma messagerie téléphonique. Au milieu d'une dizaine d'appels bons à mettre à la poubelle, il y en avait un de Kelly Cole (« C'est quoi cette histoire à couper le souffle ? Qu'est-ce qu'il t'est arrivé ? Raconte ! Je veux savoir. Appelle-moi ! ») et un autre de Alan Ross. Je sortis le numéro de Kelly Cole de mon portefeuille, mais je raccrochai lorsque je fus invité à laisser un message sur le répondeur. J'eus plus de chance avec Ross.

— J'ai appris vos aventures dans les journaux, me lança le cadre supérieur. Comment vous sentez-vous ?

Je lui donnai un bref compte rendu de la situation.

— Les médecins me donnent encore au minimum quarante ans à vivre, pour peu que je me débrouille bien.

Ross m'annonça qu'il voulait me rencontrer.

— J'ai une proposition à vous faire.

— Quand peut-on se voir ?

— Aujourd'hui, si c'est possible. Midi, ça pourrait aller ?

Ça m'allait parfaitement. Il me donna l'adresse de son bureau au cœur de Manhattan.

Je me douchai en prenant soin de ne pas mouiller mes points de suture. Pas le genre de douche que l'on prend en sifflotant. Je ressentais plus ou moins tous les symptômes de commotion cérébrale dont on m'avait donné la liste. Surtout les maux de tête.

En dépit de l'appel insistant du canapé, j'enfilai un épais sweater irlandais, fis deux tours d'écharpe autour du cou, endossai mon blouson d'aviateur et coiffai mon crâne meurtri avec milles précautions d'un bonnet de marin. Un méchant vent me gifla le visage quand je sortis de l'immeuble. De l'autre côté de la rue, l'arbre de Noël de Robin Burrell avait disparu de la grande fenêtre en saillie.

Le dernier témoin avait été éliminé.

Megan Lamb vint me chercher à l'accueil. Elle avait l'air d'avoir fait quelques rounds dans un combat de boxe avec un kangourou déchaîné. Ce n'était pas encore de vraies valises qu'elle avait sous les yeux, mais ce n'était pas loin. Elle vit que cela ne m'avait pas échappé.

— Nuit de merde.

— Je n'ai rien dit.

— Je ne dors presque pas. Mais toi, t'as pas l'air aussi mal que ça, compte tenu du fait qu'on t'a repêché à moitié mort.

— Ou à moitié vivant, tout est une question de point de vue.

— J'ai cru comprendre que tu t'étais pris un coup de couteau.

Je tapotai légèrement mon flanc.

— Par la porte de côté. Moi, j'ai été bête et lui, il a eu de la chance. Ça ne se reproduira plus, fais-moi confiance.

Je la suivis dans le couloir jusqu'à une pièce remplie de bureaux. Celui de Megan se trouvait dans le coin. Elle se laissa tomber dans le fauteuil et m'invita à m'asseoir.

Son téléphone sonna ; elle prit l'appel. Le bureau croulait sous un amas de paperasse et de dossiers. La façon dont tout était disposé laissait penser que Megan avait passé la nuit là. Il y avait aussi une photographie encadrée d'une jolie brune posant près d'une table sur laquelle étaient empilés des fruits et des légumes d'été.

Je la tournai un peu vers moi pour mieux la regarder. Je reconnus l'endroit. Le marché paysan de Union Square. Je reconnus également la jeune femme.

Megan termina sa conversation. Elle suivit mon regard.

— C'est Helen.

— Je sais.

Elle souleva le cadre et regarda la photo.

— Son acupuncteur lui prescrivait une visite au marché paysan tous les week-ends. Il avait une grande théorie sur l'énergie, concernant la récolte, les produits régionaux. Il disait que le simple fait de déambuler dans le marché avait un pouvoir thérapeutique. Je n'ai pas tout compris, mais bon… L'énergie rénale. Il parlait toujours de l'énergie rénale de Helen. Qui sait ce que ça pouvait bien être…

Elle reposa le cadre.

— Elle ne jurait que par lui. S'il avait voulu lui fourrer ses aiguilles dans l'œil, elle l'aurait laissé faire. Pendant quelque temps, il l'avait convaincue d'essayer la moxibustion : il fallait lui poser des bâtonnets d'armoise sur les pieds et moi, je les allumais pour elle. Pas la peine de me dire que ça à l'air dingue, je le sais déjà. Mais tu sais quoi ? Je ne connaissais personne en meilleure santé que Helen. Alors, bon… Tous les samedis, immanquablement, elle allait à Union Square parler à ses tomates.

Elle saisit un stylo avec lequel elle tapota pensivement le cadre.

— Va comprendre. Helen enseignait la grammaire et la littérature à des élèves en première année de secondaire pendant que moi, je courais à droite et à gauche, un pistolet sur la hanche, parce que c'est ça, mon boulot. Mais devine qui est encore debout pour raconter cette histoire ? Quand je pense au sang d'encre qu'elle se faisait pour moi… C'est vraiment à se tordre de rire, tu ne trouves pas ?

— Ce n'est pas à se tordre de rire. C'est normal. Margo serait bien contente si mon métier consistait à vendre des trombones.

— Ben, regarde-toi, repêché dans l'East River. Elle a peut-être raison. Je ne sais pas, parfois je crois que les gens qui font notre métier ne devraient pas partager leur vie avec des civils. Helen n'arrêtait pas de me raconter, amusée, ce que les petits avaient fait à l'école pendant que moi, je restais assise à panser mes plaies et à repêcher des cadavres gorgés d'eau. *Comment s'est passée ta journée, chérie ? Oh bien, tu sais, encore une victoire sur la boucherie humaine.*

— Mon vieux disait toujours que son boulot était toxique.

— Ton vieux avait raison. C'est exactement comme ça que je ressens les choses – comme si on m'empoisonnait lentement. Et ce n'est pas seulement à cause des victimes que je dis ça ; c'est surtout à cause de tous ces tordus, ceux qui sont responsables de toutes ces merdes. C'est à se demander si toute la race humaine n'est pas toxique. On a des bouchers fous, des types qui ont l'air pourtant parfaitement normaux. Des gamins qui tirent sur d'autres gamins. Des parents, même, qui tuent leurs propres gamins, putain de merde. Helen voulait qu'on adopte un petit, elle aimait l'idée d'élever un gamin. Non, mais franchement… Dans ce monde-là ? Il me vient des sueurs froides rien que d'y penser.

— Quelle putain de responsabilité !

— Je me disais toujours combien ça aurait été injuste pour Helen si on avait adopté un gamin et que je me fasse tuer en service et qu'elle doive l'élever toute seule. Et regarde ce qui est arrivé à la place.

Elle rit. D'un rire pas particulièrement gai.

— Si un pauvre mioche avait dû compter sur moi en ce moment, tu imagines ? Il retournerait à l'agence de placement pour demander une nouvelle famille.

— Tu es peut-être trop dure envers toi-même…

Megan me regarda un instant sans rien dire.

— C'est exactement ce que me dit ma psy. Et je vais te répondre la même chose qu'à elle : bien sûr, je suis dure avec moi-même, mais je ne pourrai jamais être trop dure. Je mérite cette merde dans laquelle je me suis fourrée.

— Je parie que ta psy n'est pas d'accord avec ça.

— C'est un pari facile à gagner. Peu importe.

Elle ouvrit d'un coup sec l'un de ses dossiers sur son bureau.

Il contenait le portrait-robot de mon agresseur réalisé par la police.

— Ce n'est pas lui, dis-je. Je ne sais pas où vous avez pêché ça, mais ça ne vaut pas un clou.

— Michelle Poole a collaboré avec nos dessinateurs.

— Quand même, ça ne vaut pas un clou.

— J'en avais le pressentiment. La fille n'avait pas l'air très sûre d'elle-même. Megan saisit le portrait-robot et l'examina.

— Thurman Munson, fis-je.

— Thurman qui ?

— Un ancien catcheur américain.

— C'est lui qui t'a balancé dans l'East River ?

— C'est à lui que ressemble le portrait-robot. Mais comme je te l'ai déjà dit, ce portrait-robot ne vaut pas un clou. Le gars qui ne ressemble pas à ce portrait-robot harcelait Michelle Poole. Je suppose qu'elle vous l'a dit. Je l'avais vu, le matin. À la Maison quaker.

— Peut-être qu'avant ça, il avait harcelé Robin…

— J'avais espéré lui poser la question ; mais il a décidé de me prouver qu'il courait plus vite que moi.

— Il n'a pas couru assez vite, on dirait.

— Qu'est-ce que tu veux dire ?

— Tu l'as rattrapé.

— Quelle chance !

— Bon, tu es prêt pour une séance avec notre portraitiste ?

Elle décrocha son téléphone et composa un numéro. Elle posa une paume sur le pavillon du combiné.

— Vingt minutes. Tu peux attendre ?

— Je ne suis pas pressé.

Elle raccrocha et je lui demandai un peu de ce délicieux café dont seul le département de police de New York a le secret et elle alla en chercher une tasse. Je laissai de côté quelques piques faciles sur le café filtré et le pipi de chat. Megan m'apprit qu'elle avait parlé avec Edward Anger de la Maison quaker et qu'il avait été mis hors de cause. Il avait un alibi en béton : il n'était pas à New York le soir où Robin a été tuée. Elle me raconta également que Allison Jennings avait donné à Gallo les deux noms que j'avais réussi à lui faire cracher. Les personnes en question avaient elles aussi été blanchies.

— Je n'étais pas chaud pour ces deux-là de toute façon, dis-je. Mais ça n'aurait pas été la première fois qu'un pari improbable remporte la course. Mais pour ce qui est de Anger… je dois dire que j'avais quelques espoirs le concernant. Parfois, ce sont les plus gentils, les plus attentionnés… enfin, bref, tu vois ce que je veux dire.

— Avec un nom pareil, ça aurait été trop beau. Mais son alibi tient la route. Anger est bien hors concours.

— Alors, qu'est-ce que tu en penses, Megan ? Je veux dire, à propos de Riddick et de Robin ? C'est l'œuvre d'un plagiaire, ou est-il possible que Fox soit innocent, depuis le début ?

Elle était déjà en train de secouer la tête avant que je termine ma phrase.

— C'est lui ! Dans cette affaire, les éléments sont trop solides. On a retrouvé des fibres de la jupe de Nikki sur une paire de ciseaux de Fox. C'est énorme.

— On n'a jamais mis la main sur cette fameuse jupe.

— Peu importe. On a le reçu. La vendeuse de Liana a clairement identifié et reconnu Nikki. La voisine de Mlle Rossman l'a vue quitter l'immeuble vêtue d'une jupe écossaise verte et noire. Des fibres de cette même jupe ont fini sur la paire de ciseaux que Fox garde dans sa table de nuit. Et on a même retrouvé du sang sur la paire de ciseaux !

— Mais la défense a avancé le fait qu'il ne s'agissait que de jeux sexuels. De jeux d'habillage. Ou de déshabillage, devrais-je plutôt dire. La défense a expliqué que Nikki s'était pris un petit coup de ciseaux quand Fox était en train de tailler sa jupe en pièces.

— Bien sûr que la défense a tenté de faire croire à cette histoire. Mais l'ADN du sang retrouvé sur la paire de ciseaux concorde avec celle du sperme que le légiste a retrouvé sur le cadavre de Nikki. Il n'y a aucun doute sur le fait qu'elle a eu des relations sexuelles avec Fox avant de mourir. Il est possible qu'elle soit morte pendant l'acte. Un type qui aime faire semblant d'avoir des relations sexuelles avec une écolière et de l'attaquer avec une paire de ciseaux ? Tu voudrais que je lui fasse confiance ? Si la défense était si sûre de sa version des faits, elle n'avait qu'à faire venir Fox à la barre des témoins pour lui faire raconter son histoire. Non, non… C'est notre homme, Fritz ! Et, d'après moi, c'est la même chose dans l'affaire Blair. Fox voulait à tout prix tirer le voile sur cette histoire. Et quand je dis à tout prix, je pèse mes mots. En lui annonçant qu'elle n'avait pas l'intention d'avorter, elle signait sans le savoir son arrêt de mort. Tu as entendu le témoignage de Fox : son attitude envers la paternité, c'est mortel !

Le portraitiste arriva et on se mit au travail. Les meilleurs dessinateurs utilisent une technique douce proche de l'hypnose. Et il faisait partie de ceux-là.

On s'installa dans le bureau de Joe Gallo afin d'avoir un peu d'intimité. Megan prit un instant le dessinateur à part, dans le couloir, pour le briefer sur ce qu'on cherchait. Ils revinrent dans le bureau et Megan descendit les stores.

Le dessinateur me demanda de fermer les yeux et de penser à l'océan. Il me fallut un moment pour quitter la plage et trouver l'immense étendue que recherchait le dessinateur, mais je finis par y arriver.

Le portraitiste me fit voyager dans un état proche de la transe.

Sa voix ressemblait à celle des animateurs d'émissions de radios classiques. J'avais l'impression qu'il allait, d'une minute à l'autre, annoncer du Rachmaninov.

J'entendais ma voix désincarnée lui parler et je m'entendis lui décrire l'homme qui m'avait bazardé dans l'East River. Un visage flottait dans mon cerveau, clair comme de l'eau de roche, et je décrivis en détail ses traits.

Lorsque Megan remonta les stores et que j'ouvris les yeux, le portraitiste me tendit un dessin qui ressemblait à soixante-dix pour cent à Face de Rat. Je travaillai avec lui encore un long moment, puis je dus me faire excuser.

Ma tête me jouait vraiment des tours. Je n'avais pas envie que mon crâne éclate en milles morceaux et dégueulasse le bureau de Joe Gallo.

Avant de prendre congé, le portraitiste m'assura que j'étais un bon sujet. Megan me conseilla d'avaler un verre d'eau, apparut comme par miracle sur le bureau, puis elle quitta la pièce.

Elle revint une minute plus tard, une grande enveloppe brune à la main. Plusieurs copies du portrait-robot s'y trouvaient.

— Je ne te les ai jamais donnés, dit-elle.

— Bien, Mam'zelle.

Elle me tendit l'enveloppe.

— Interdiction de les distribuer.

— Bien, Mam'zelle.

— Je n'aime pas qu'on m'appelle Mam'zelle.

— D'accord, Mam'zelle.

Elle me raccompagna jusqu'à la porte d'entrée et me suivit à l'extérieur du bâtiment. Megan n'était pas habillée pour rester dehors et elle se serra étroitement le buste. On l'aurait cru prise dans une camisole de force.

— Tu sais, la conversation qu'on a eue… Sur le boulot, quand on disait qu'il était toxique.

— Ben quoi ?

— J'aimerais que tu gardes tout ça pour toi.

— Je ne comptais pas sauter sur mon téléphone.

— Tu sais très bien ce que je veux dire. Je suis de retour au boulot depuis l'automne, mais j'ai encore pas mal de paires d'yeux qui me surveillent. Certaines personnes pensent que j'ai pété les plombs avec cette histoire d'Albert Stenborg et que je suis encore complètement chamboulée dans ma tête.

— Je ne vois pas le mal à admettre que cette histoire t'a perturbée. C'est humain.

— Être chamboulée et admettre d'être perturbée, c'est deux choses différentes.

— Tu ne sembles pas avoir de mal à me l'admettre à moi.

— Tu n'es pas flic. On ne bosse pas ensemble. Et puis, je sais pas, je me souviens de la fois où tu as fait semblant de me rencontrer par hasard à Mumbles.

— Ah, ça s'appelait comme ça ? J'avais oublié.

— Qu'est-ce qu'un gars comme toi faisait dans un endroit pareil ?

— Qu'est-ce que ça veut dire, un gars comme moi ?

— Un gars tout court.

— Je crois me souvenir que j'étais en minorité.

— En tout cas, c'était sympa de ta part. Je voulais te le dire.

— Ce n'était pas comme ça que tu avais réagi à l'époque. Si je me souviens bien, tu m'as dit de me mêler de mes putains d'oignons.

— C'est original.

Je haussai les épaules.

— J'avais entendu dire que tu n'allais pas fort. Ce n'est pas étonnant, vu ce qui t'était arrivé. Moi aussi, j'ai eu quelques moments difficiles. Parfois, on est prêt à accueillir les curieux, et parfois, on leur dit d'aller se faire voir ailleurs.

Megan desserra son étreinte et se souffla dans les mains. Ses lèvres viraient au bleu.

— Je peux te demander quelque chose ? Quelque chose qui n'est absolument pas mes putains d'oignons ?

— Lâche-toi…

— Tu as tué quelqu'un, dit-elle. Ce n'est pas une question que je te pose, c'est quelque chose que je sais.

— OK.

— Tu peux me dire de me la fermer si tu veux.

— Vas-y, continue.

— Je déteste ce genre de phrases, ça fait tellement

psy de base, mais est-ce que tu as réussi à t'en sortir, à tirer un trait ?

— À tirer un trait sur qui ?

Elle ne comprit pas ma question.

— Bon sang, Malone, tu as tué plus d'une personne ? Excuse-moi, je ne savais pas.

— Ce n'est pas grave. Ça fait partie de mon CV. Pour ce qui est de ta question, je ne peux pas te répondre. Et si je pouvais, je crois que ma réponse serait « non ». Tirer un trait, ce n'est pas un concept qui fait partie de moi. Pas dans ce contexte. C'est trop froid pour mon goût. En plus, j'y crois pas trop. Je trouve que ça s'apparente à un refoulement, pour reprendre la terminologie de psy de base.

— Alors, tu vois ce que je veux dire.

Elle fit un signe en direction du poste de police derrière nous.

— Il n'y a personne là-dedans à qui je puisse parler de tout ça. Bien sûr, il y a Joe, mais je ne peux pas tout lui dire. Pope est trop jeunot. Je ne veux pas lui faire peur. Mais ce que tu as dit, c'est ça le problème. Tout le monde pense qu'il faut que je tire un trait sur ce qui est arrivé, que je laisse pisser. Mais je n'ai pas réussi à sauver ma copine, ni mon coéquipier, voilà ce qui est arrivé ! Tous les deux ont disparu par ma faute. On ne peut pas tirer un trait sur quelque chose comme ça. Et crois-moi, tuer Stenborg n'a pas été ma récompense. Absolument pas. Tout le mal qu'il a fait m'est revenu en pleine poire après sa mort. Je pourrai facilement décharger des tas de magasins de cartouches sur ce salopard, toute la journée même, sans que cela fasse une différence. Voilà le poids que je porte chaque jour sur mes épaules. Et je me sens toujours redevable envers Helen. Et envers Chris Madden.

Mais pour être franchement honnête, ce n'est pas lui le problème. C'est Helen. Je me sens redevable envers elle de quelque chose que je ne peux pas lui donner.

— Si tu continues à penser comme ça, tu vas te rendre folle.

— Tu conclus parfaitement mon plaidoyer.

— Tu n'arrives plus à dormir, n'est-ce pas ?

— Disons que, moins je ferme les yeux, mieux ça vaut.

Je pris la direction du métro. La station était glaciale. Sur le quai, les voyageurs battaient la semelle et secouaient les bras. Glaciale ou complètement frapadingue. Le train 1 entra en gare en oscillant légèrement. J'aperçus un rat détaler et me laisser le champ libre.

Sans m'en rendre compte, je m'étais approché un peu trop près du bord du quai ; je sentis pratiquement l'odeur des rails. La vue du rat réveilla un souvenir dont je me serai bien passé.

Oui, je voyais exactement ce qu'elle voulait dire.

29

Alan Ross contourna son bureau et vint me serrer la pince, fermement, avec ses deux mains.

— Je suis content que vous soyez venu, M. Malone. Est-ce que Linda peut vous apporter quelque chose ? Un café ? De l'eau pétillante ? Un thé ?

Le bureau rappelait un hall d'aéroport avec un festival de teck, de verre et de métal poli. Les murs croulaient sous les photographies de Ross en compagnie de célébrités.

À travers l'immense fenêtre qui se trouvait derrière son bureau, on découvrait le Chrysler Building. Visible à l'horizon, au-delà du béton et de l'acier, s'étendait le ruban noir de ma vieille amie, l'East River.

Je rendis sa liberté à Linda.

— Rien, merci, répondis-je.

La secrétaire me gratifia d'un sourire exagérément large. Je me laissai engloutir par l'immense fauteuil en cuir que m'indiqua Ross pendant qu'il retournait s'installer dans son trône ergonomique derrière son bureau.

— Combien de gens s'extasient sur la beauté de

votre bureau quand ils entrent ici pour la première fois ?

Ross s'esclaffa et balaya la pièce d'un regard large et approbateur.

— Presque tous. L'espace est beaucoup trop grand pour une seule personne, c'est évident. Mais souvenez-vous que je traite avec des ego surdimensionnés. Vous n'avez pas idée de la rapidité avec laquelle se remplit cette pièce.

C'était une réponse toute faite, mais quand même acceptable, il fallait le reconnaître. Ross se versa un verre d'eau d'un pichet en étain posé sur son bureau, puis le reposa sans même y tremper les lèvres. Il me fixa d'un regard franc.

— Marshall Fox est innocent.

Je crus qu'il allait développer sa pensée, mais il s'arrêta là. Je me tortillai dans ma vallée de cuir, tentant une poussée en avant.

— Très bien. Fox est innocent.

Il fronça les sourcils.

— Vous ne m'avez pas l'air convaincu.

— Je n'avais pas l'intention d'avoir l'air convaincu. Je n'ai aucune idée de son innocence ou de sa culpabilité.

— Je vous dis qu'il est innocent. Marshall a de nombreux défauts et, malheureusement, quelques-uns d'entre eux ne sont pas jolis jolis. Mais le fait d'être un égocentrique prétentieux ne fait pas de lui un meurtrier.

— Je suis certain que n'importe quel dictionnaire vous donnerait raison. Mais je ne vois pas ce que je viens faire là-dedans.

Ross marqua une pause avant de répondre. Sur le mur, à quelques centimètres de son épaule droite,

Bette Midler me lançait un regard espiègle pendant qu'elle collait un gros baiser humide sur la joue d'Alan Ross.

— Je crois que la police ne fait pas tout ce qui est en son pouvoir pour retrouver l'assassin de Zack Riddick et de Mlle Burrell.

Il s'arrêta, me laissant une possibilité d'intervenir. Je ne lui offris pas grand-chose. Un simple hochement de tête.

— Je vous écoute.

Il continua.

— Franchement, je crois que les forces de l'ordre se sentent ridicules et impuissantes mais qu'elles n'osent pas l'admettre. La police a pris de très gros risques en arrêtant Marshall et en l'accusant d'être coupable des assassinats. Vous avez vu tout le cirque qu'il a eu. La carrière de Marshall est foutue, quelle que soit l'issue du procès. De nombreux témoignages peu réjouissants ont circulé d'une côte à l'autre du continent. Toute cette affaire n'aura été qu'un chaos épouvantable. La police a absolument intérêt à prouver la culpabilité de Marshall. Vous imaginez les retombées s'il devait finalement sortir blanchi de cette affaire ?

Je jetai un œil à ma gauche. Alan Ross et Sylvester Stallone faisaient une partie de bras de fer. Et Rocky perdait, difficile à croire. Ross suivit mon regard et son expression se détendit.

— Ah, Sly. Un chic type. Début de carrière splendide, la suite à mettre à la poubelle. Dommage.

— Moi, je l'ai trouvé bon dans *Copland*.

— Trop peu, trop tard.

Ross posa ses doigts sur ses lèvres.

— Monsieur Malone, vous ne savez peut-être pas combien je suis impliqué dans toute cette histoire.

Zack Riddick était un de mes amis. Pas le plus proche, je vous le concède, mais tout de même, je l'aimais bien. Zack avait son côté désagréable, je ne prétendrai pas le contraire, mais il avait bon cœur. Il n'a certainement pas mérité qu'on lui tranche la gorge.

— Les autres non plus.

— Et Cynthia, d'une certaine façon, c'était un peu ma protégée. C'est moi qui l'ai choisie pour qu'elle fasse équipe avec Marshall lorsque j'ai sorti le cowboy de sa cambrousse. Elle était brillante, d'une grande perspicacité. Ambitieuse. Elle avait toute sa vie devant elle, la pauvre.

Il marqua une pause et bu une gorgée d'eau.

— Je vais vous confier quelque chose. Une chose qui ne me fait pas plaisir. Je me sens responsable de ces gens, de ce qui leur est arrivé. Moins pour cette Burrell et cette Rossman, seulement parce que je ne les connaissais pas personnellement. Mais je me sens responsable pour Cynthia surtout. Je l'ai donnée à Marshall presque en cadeau.

— Mais vous avez dit que Marshall n'avait rien à voir avec l'assassinat de Mlle Blair.

— Pas directement, non, c'est exact. Il n'a rien à voir avec ça. Vous n'avez pas saisi… Le coupable a commis ces assassinats *à cause* de Marshall. Je ne saurais pas vous expliquer les motivations du tueur, mais cela a certainement quelque chose à voir avec les liens qu'entretenaient ces gens avec Marshall. C'est évident. Vous comprenez ce que je veux dire ? C'est moi qui ai révélé Marshall au grand jour, avec ma femme. C'est nous qui avons sorti un inconnu de l'ombre et en avons fait une star au-delà de toute espérance. Vous voyez comment ça fonctionne ? Si je n'avais pas fait de Fox une superstar, quatre personnes seraient encore en vie à l'heure actuelle et n'auraient pas été assassinées de sang-froid. Deux des victimes étaient des amis. Voilà ce que j'essaie de vous dire. Quel que soit le coupable, il a agit à cause de Marshall, et c'est moi qui ai créé Marshall. Il est mon Frankenstein. Je ne sais pas si vous arrivez à comprendre ce que je vous dis, mais c'est pour moi un très lourd, un terrible fardeau. Et tout ça pour fournir, je suis prêt à l'admettre, quatre soirs par semaine d'un divertissement la plupart du temps assez bête. Quatre personnes sont mortes et j'en suis très malheureux, croyez-moi, M. Malone.

Il se cala dans son fauteuil et croisa ses mains. Une pensée me traversa l'esprit. Très probablement, la même qui avait poussé Alan Ross à me contacter et me faire venir dans son sanctuaire.

— Vous, fis-je.

— Moi ? Quoi, moi ?

— Votre sécurité. Si Fox est véritablement innocent, et que la personne qui a tué Cynthia Blair et Nikki Rossman est toujours en vadrouille...

Ross balaya l'air de ses deux mains.

— Non, non, cela n'a rien à voir avec moi.

— Mais ce pourrait quand même être le cas. Si quelqu'un en veut réellement à Marshall Fox et s'en prend aux personnes qui lui sont associées, qu'en est-il de celui qui l'a créé ?

Ross secoua la tête.

— Ce n'est pas pour ça que je vous ai fait venir ici. Bien que, croyez-moi, je regarde par-dessus mon épaule depuis vendredi soir. Mais je n'ai pas besoin de protection. Tout ce que je cherche, c'est quelqu'un qui ne soit pas impliqué dans cette histoire comme l'est la police. Je ne dis pas que les forces de l'ordre se tournent les pouces ; elles essayent certainement de trouver l'assassin de Zack et de Robin Burrell. Mais je sais bien que la police préfère la théorie du plagiaire. Et l'idée que l'assassin puisse être la même personne qui a tué les victimes attribuées à Marshall Fox... elle ne veut pas en entendre parler.

— Ne le prenez pas mal, mais comment se fait-il que vous sachiez ce que pense la police ?

— Je me mets à leur place. Je lis entre les lignes.

— Vous conjecturez.

Il soupira.

— Oui, je conjecture.

— Et qu'attendez-vous de moi ?

— Vous êtes détective privé. Permettez-moi d'insister sur le terme « privé ». J'ai pensé à vous le jour de l'assassinat de Robin Burrell, quand je vous ai croisé au tribunal. Puis, l'autre jour, lorsque j'ai lu les articles sur votre − comment dire − accident. Vous êtes sur la trace de l'assassin, n'est-ce pas ?

Je tentai de conserver un ton neutre.

— Et même si c'était le cas, qu'est-ce que cela pourrait bien faire ?

— Vous êtes donc sur sa trace. Votre petite amie vit en face de là où habitait Robin Burrell... Je suis très pointilleux dans mes recherches.

— Vous savez, personne n'apprécie qu'on vienne fourrer son nez dans les affaires des autres.

Ross éclata de rire.

— Oh, ça, c'est fort ! Un détective qui se plaint qu'on fouille dans sa vie privée. J'adore. Vous m'autoriserez peut-être à faire un bout d'essai avec vous un de ces jours, M. Malone. Je vois déjà une série que l'on pourrait écrire à partir de ça.

Il forma un carré avec ses pouces et ses index à angle droit et le tint en face de lui.

— *Le détective égoïste*. N'avez-vous jamais été attiré par une carrière dans le show-business ?

— Ma vie est déjà assez aventureuse comme ça, merci quand même.

La tension qui avait grandi dans la pièce s'évanouit aussitôt. Bien entendu, Ross ne faisait que plaisanter avec son idée de série télé.

Mais quand même : retourner dans son élément semblait le détendre. Son visage retrouva des couleurs.

— Voilà de quoi il s'agit, commença Ross sur un ton guilleret. J'aimerais que ce soit officiel. J'aimerais vous embaucher. Vous avez déjà entendu mon point de vue. De mon côté, c'est une offre tout à fait intéressée, comme vous avez pu vous en rendre compte. Je suis le premier à l'admettre. Je me sens coupable du fait que Marshall Fox soit le tremplin d'un détraqué qui n'a rien trouvé de mieux que d'égorger des gens. Je veux que l'on prouve, enfin, l'innocence de Marshall, et je veux que l'on mette un terme à ses assassinats. Je veux laver le nom de Marshall et ma conscience par la même occasion. Une formule propreté deux-en-un. Voilà ce que je cherche.

— La police fait déjà tout ce qu'elle peut.

— Alors pourquoi courrez-vous à droite et à gauche pour trouver l'assassin de Robin Burrell ?

— C'est votre théorie, ne l'oubliez pas, M. Ross.

— Très bien. Mais je veux quand même vous engager. Comme je vous l'ai dit, j'ai mené ma petite enquête. Il se trouve que vous faites du bon boulot.

— La première partie ne s'est pas si mal déroulée, répondis-je.

— C'est donc une affaire conclue. Vous avez vu mon bureau démesuré ; je n'aime pas ergoter sur des questions d'argent. Quel que soit votre tarif habituel, je vous paierai le double. Je regrette, M. Malone, mais mon boulot, c'est d'acheter des gens. Je veux devenir votre client numéro un. Et je veux un compte rendu de votre part une fois par jour sur l'évolution de la situation. Je ne cherche pas à vous harceler, c'est seulement mon mode opératoire.

Un pigeon flotta élégamment d'un côté à l'autre de la grande baie vitrée, derrière la tête de Ross, et piqua en fondu.

Je me sortis tant bien que mal de mon fauteuil désagréablement vorace.

— Moi aussi, j'ai mon propre mode opératoire. Et le premier point, c'est qu'un client ne me dit jamais comment je dois faire mon boulot.

— Vous avez des relations. Je suis au courant pour votre père. Vous avez des amis dans les forces de police. À une époque, vous envisagiez même de vous engager.

Je me redressai.

— Je lève mon chapeau à vos enquêteurs, M. Ross. Il me semble que vous avez déjà tous les détectives qu'il vous faut.

— Attendez… Excusez-moi. Je ne sais vraiment pas bien m'y prendre.

Il ouvrit un tiroir et en sortit une enveloppe.

— Je n'aurai aucune exigence. C'est seulement la façon de faire à laquelle je suis habitué. Je veux que ce cauchemar se termine.

Il jeta l'enveloppe sur son bureau.

— Il y a cinq mille dollars. Ils sont à vous. Pour vous remercier d'être passé me voir.

Je pris l'enveloppe, épaisse, et la fis claquer dans une paume. Cinq mille dollars, ça fait un joli son.

— Si ça se savait, tous les détectives de la capitale risqueraient rapidement de harceler Linda afin d'obtenir un rendez-vous.

Ross sourit faiblement.

— Je me sens impuissant. Je n'ai pas l'habitude de cet état, croyez-moi. J'aimerais seulement faire quelque chose afin de réparer ce qui est arrivé.

— Rien n'est aussi définitif que la mort, M. Ross.

— Je le sais bien. Réfléchissez et voyez si vous acceptez ma proposition, comme je l'espère. De toute façon, gardez l'argent. Donnez-le à des œuvres de charité si vous voulez ; je me fiche de savoir ce que vous en ferez. Tout ce que je veux, c'est être utile. Si vous décidez que me tenir au courant de vos progrès ou de ceux de la police ne vous tuera pas, tant mieux. Je vous paierai pour être en paix avec ma conscience. Cela vous semble peut-être lamentable, mais n'oubliez pas que j'évolue dans un monde très superficiel. Si j'avais engagé un bon écrivain, j'aurais certainement eu un meilleur scénario et un geste plus chargé de sens.

Je fis claquer une nouvelle fois l'enveloppe dans ma paume.

— Je vous appellerai.

Il se leva.

— D'accord. Très bien. Merci d'être passé me voir.

Il serra les mains dans son dos et me gratifia d'un sourire très pro. Une contre-poignée de main, voilà comment je ressentis la chose.

Le sourire exagéré de Linda, lorsqu'elle alla me chercher mon blouson, fut digne d'une pub pour un dentifrice au bicarbonate de soude. Je n'ai encore jamais rencontré de secrétaire qui ne sache pas tout ce qui se passe dans le bureau de son patron, et peut-être même dans sa tête. Je fixai son oreille pour voir si elle était rouge d'être restée collée contre la porte trop longtemps.

— Il souffre beaucoup, me chuchota-t-elle en m'aidant à enfiler mon bomber.

Je réprimai une envie irrésistible de lui caresser paternellement le menton. De toutes mes forces. Puis, je me dirigeai vers l'ascenseur afin de reprendre ma longue course vers la Planète Terre.

30

L e portier me reconnut.
— Hé, c'est vous le gars qu'on a repêché dans
le fleuve, l'autre jour… Quelqu'un là-haut doit t'aimer
très fort, mon gars. Si ça avait été moi, je serais froid
depuis longtemps.

Il frappa son ventre rebondi d'une main.

— J'aurais coulé comme une pierre. Toi, tu dois
avoir la chance de ton côté.

Si j'avais vraiment eu la chance de mon côté, je
n'aurais pas fini poignardé et jeté dans l'East River
glacé, et cela d'une hauteur non négligeable. Mais
bon, question de point de vue, je suppose.

Je sortis le portrait-robot que Megan avait photoco-
pié et le montrai au portier. Si cela avait été un loga-
rithme mathématique, il ne l'aurait pas étudié plus
attentivement.

— Sale caractère, opina-t-il.

— Vous l'avez déjà vu ?

— Lui ? Non. Jamais.

J'avais supposé que Face de Rat savait exactement
où il allait car, lorsqu'il avait essayé de me semer,
ses zigzags l'avaient mené directement au Waterside
Plaza. En outre, après m'avoir balancé par-dessus le

muret, il avait aussitôt disparu. Personne n'avait vu qui que ce soit fuir le lieu de l'agression. Cela m'intriguait. Étant donné le minable premier portrait-robot qui avait fait le tour précédemment, il était possible que le portier ait vu mon agresseur pénétrer dans les lieux mais n'ait pas fait le lien.

— Personne de ressemblant à ça n'habite dans ces bâtiments ?

— Ici ? Pas à mon avis.

— Le concierge ? Ou encore l'un des employés de l'entretien ?

Le portier retroussa les lèvres et pencha le dessin sur le côté. Je ne sais pas pourquoi les gens font toujours ça. Ben quoi ? Il suffit de pencher un peu le truc sur le côté pour se rendre compte, d'un seul coup, que c'est l'oncle Billy ?

— Désolé, mon frère.

Il voulut me rendre le portrait-robot.

— Gardez-le.

Je lui tendis ma carte.

— La police viendra certainement bientôt par ici et vous reposera les mêmes questions.

Il jeta un œil sur ma carte.

— Détective privé, hein ? Hé ben, j'avais encore jamais rencontré de détective. Alors, vous êtes comme les héros des séries télé ? Toutes les jolies pépées vous tombent dans les bras ? Des veuves affriolantes comme s'il en pleuvait ? Si j'arrivais à perdre quelques kilos, j'aimerais bien en tâter. Vous devez avoir beaucoup de maris jaloux comme clients. Vous avez un flingue sur vous ?

Je tapotai le portrait-robot qu'il tenait dans sa main.

— J'aimerais localiser ce type. Si vous m'aidez, je pourrais peut-être vous dégoter une veuve affriolante.

Il sourit à pleines dents.

— Ne me mettez pas l'eau à la bouche, mon brave.

Je le laissai à ses fantasmes. En revenant sur la 1re avenue, je m'attaquai aux magasins et aux bars. Ils étaient assez nombreux pour me tenir bien occupé. Au début, personne ne reconnut l'homme du portrait-robot, bien que plusieurs se moquèrent d'un air méprisant en le regardant. « Qu'est-ce qu'il a fait ? Il a tué sa mère ? » Mais dans une laverie automatique de la 27e rue, je tapai dans le mille. Une vieille asiatique pas plus haute qu'une fille de huit ans m'affirma reconnaître son visage.

— Il vient ici. Il fume. Je lui dis non. Ici, linge propre ! Pas fumer !

Je lui demandai ce qu'elle savait sur lui, si elle connaissait son nom, son adresse. Elle n'en savait rien. J'apporte mon linge sale à la même laverie de Little Italy depuis dix ans, et si quelqu'un disait aux gérants que mon nom est Rockefeller, ils n'auraient aucune raison d'imaginer le contraire, sauf qu'ils se demanderaient peut-être pourquoi quelqu'un d'aussi plein aux as n'envoie pas son majordome lui faire sa lessive. Je demandai à la vieille femme l'autorisation de coller le portrait-robot sur son tableau d'affichage à côté des offres de services de promenade de chiens, de cours de yoga, de leçons de guitare et tutti quanti. L'idée ne la séduisit guère, mais elle accepta de garder le portrait-robot sous la main et de le montrer à ses clients.

S'ils savaient quelque chose, ils m'appelleraient. En tout cas, il me semble que ce fut l'arrangement auquel nous parvînmes. Mon pidgin n'est pas très bon.

Je me concentrai ensuite sur les établissements commerciaux dans un rayon de cinq pâtés de maisons de la laverie. Je glanai un « peut-être » dans un marché couvert sur la 21e rue.

— Est-ce qu'il n'était pas barbu, avant ?

— Ça se peut, répondis-je.

— Je ne pourrais pas le jurer. On voit beaucoup de gens dans cette ville. Ce type est peut-être venu ici une ou deux fois. Son visage me dit quelque chose.

Au bout de plusieurs heures de jeux de jambes, mes batteries étaient vides.

Je tentais de refaire le plein d'énergie avec un sandwich au pastrami d'un snack réputé, mais le résultat ne fut pas optimal. Je passai un coup de fil.

— Chez Paddy Reilly dans une heure. Ça roule ?

— Très bien.

Je continuai d'exhiber le portrait-robot pendant encore une petite heure, mais cela ne donna rien. Pourtant, le long de ces rues que j'arpentai, se cachait peut-être Face de Rat, peut-être même dans son appartement, qui sait, et qu'il me regardait passer par la fenêtre.

C'était une sensation poignante et plutôt agaçante, comme si ses yeux perçaient des trous au laser à l'arrière de ma tête ; c'était la seule chose qui me retenait de scruter les fenêtres des bâtiments à côté desquels je passai.

Mes points de suture sur le côté n'étaient pas très heureux de toute cette activité, mais ils n'avaient pas tellement voix au chapitre.

Le soleil était toujours en vacances quelque part ailleurs, certainement dans le Sud, et avec le froid poignant, le ciel pâle, et les piles de neige défraîchie, toute vie semblait avoir quitté la ville.

Ou peut-être m'avait-elle tout simplement quitté, moi. Il me fallut un certain temps pour me rendre compte que c'était l'un des symptômes contre lesquels les toubibs m'avaient mis en garde. J'étais irritable, je flirtais avec la rage. J'étais impatient.

Un souffle glacé me fouetta le visage en tournant dans la 55e rue qui me donna une folle envie de frapper.

N'importe quoi. Un faible lancement battait derrière les globes oculaires.

J'ôtai mon bonnet de marin et passai la main sur les points de suture à l'arrière de mon crâne. Ils étaient durs au toucher et piquants, telles les moustaches d'un monstre de la savane.

Je jetai un regard sur les portraits-robots de Face de Rat que je tenais serrés dans l'autre main, et une boule rageuse s'éleva dans ma poitrine.

Elle me coupa le souffle, comme si la rage était un enchevêtrement de fils barbelés logés dans mon sternum. Je regardai le bout de mes doigts : ils étaient tâchés de sang.

Les médecins m'avaient prévenu que la plaie risquerait de suinter. Je passai mes doigts sur l'un des portraits-robots et tâchai de sang les joues de Face de Rat.

Le barman de Paddy Reilly's était un géant au crâne rasé, un tatouage sur le cou et une touffe de poils carotte sous la lèvre inférieure.

On se salua d'un hochement de tête. Il écrivait de la poésie, de celle caractérisée par une pénurie d'images florales.

Je l'avais entendu quelques fois déclamer lors de soirées slam dans le quartier d'Alphabet City. Il était en train de lire à Jigs Dugan l'un de ses poèmes griffonnés sur un bout de papier lorsque j'entrai dans le pub.

Il a un rire de loubard et des bras de déménageur
Un gamin de Puerto Rico le suit comme son ombre
Et ne veut pas le laisser tranquille,
il se prend pour Dieu
Et il se trouve une sirène de Coney Island
Celle de ses rêves
Il la roule dans le pop-corn
Dans une chambre, avec vue sur la mer
Des bandelettes de papier frétillent
sur un ventilateur
Douce brise, douce brise, douce brise

Il plia son morceau de papier et le fourra dans la poche de son t-shirt. Jigs jouait avec une cigarette non allumée, l'air pensif. Il tapota le filtre sur le comptoir.

— Ouais, c'est pas mal, j'imagine. Bon, à la fin, il se tape une sirène, c'est ça ?

Je posai un portrait-robot sur le zinc.

— Vous avez déjà vu ce charmant jeune homme quelque part ?

Le barman fit la même chose que le gardien. Il tourna légèrement le dessin en faisant la moue.

— Pas sûr qu'il me dise quelque chose.

Jigs avait un grand verre droit placé devant lui. C'était soit du thé glacé, soit du whisky. Et qui voudrait parier ? Bref, je commandai un café au barman.

— Tu veux pas un petit coup de gnole là-dedans ? me demanda Jigs.

Je refusai d'un geste de la main et le barman s'en alla réveiller la machine à café.

Jigs souleva son verre.

— Il paraît que tu as pris un bain forcé, mon ami ?

— C'est la vérité.

— Ça m'a fichu un coup quand j'ai entendu la nouvelle.

— Je suis resté un jour de plus à l'hôpital au cas où tu aurais voulu m'envoyer des fleurs.

— Les hôpitaux et moi, on n'est pas collègues, répondit Jigs.

— Je pensais que tu viendrais te chercher une jolie infirmière.

— Un jour, je suis sorti avec une infirmière. Janice, elle s'appelait. Ou Janet, je sais plus. Elle m'a donné un bain de siège dont je me souviens encore. C'était à l'époque où j'avais mes problèmes de genoux.

Ses problèmes de genoux... Jigs s'était pris un coup de tuyau de plomb sur le genou, balancé comme une batte de base-ball digne de Ty Cobb. Dugan n'a pas pu mettre pied à terre pendant six mois.

Le barman revint avec mon café. Un éclair de malice traversa les prunelles de Jigs.

— J'ai réfléchi à ta sirène, Kevin. Il me semble...

Le barman lui coupa la parole.

— C'est une métaphore.

Jigs déglutit bruyamment. On aurait dit qu'il avalait à grand-peine une boule de poil.

— Gloups. Une métaphore. Une sirène parfaitement charmante, tu veux la transformer en métaphore ? Vous, les poètes, vous devriez vous confronter à la réalité un peu plus souvent.

Le barman ne semblait pas se soucier de ce que Jigs pouvait penser.

Il retourna polir un coin aussi éloigné que possible du comptoir.

— Je suis après le salopard qui s'amuse à trancher des gorges, dis-je.

Jigs leva un sourcil en me dévisageant.

— Ah bon ? La capitale est un peu nerveuse à ce sujet.

— Moi aussi.

Il pointa un doigt sur le portrait-robot.

— Est-ce que ça pourrait être lui ?

— J'en sais rien. C'est possible. C'est lui en tout cas qui m'a balancé dans l'East River. Ce serait vraiment pratique si c'était aussi le tueur.

— C'est ça que je comprends pas, dit Jigs en zieutant le dessin. J'ai suivi de loin le procès à la télébidon. La pire des émissions américaines. Impossible de pas regarder. J'ai vu la jolie pépée se faire reluquer par l'avocat, celui qui s'est fait refroidir un peu plus tard. Elle aussi, elle est morte maintenant. Comment est-ce qu'elle va finir, cette histoire, Fritz ? Il n'y avait certainement pas de chagrin d'amour entre ces deux-là. C'était des ennemis. Qui aurait une dent contre l'un d'entre eux et en voudrait dans le même temps à l'autre ?

— Tu veux dire, pourquoi est-ce que quelqu'un viserait Robin Burrell, puis s'en prendrait à Riddick ?

— De manière moins poétique, oui.

— C'est là toute la question. Étaient-ils directement visés ? Ou la véritable cible serait-elle Marshall Fox ? Ou d'autres personnes ayant un lien avec Fox ?

— Moi, je penche pour ça, fit Jigs. C'est quelqu'un dc franchement hostile à Fox et à ce qu'il a fait à ces deux filles l'an dernier. Un ange justicier. Prends-toi ça : un prêté pour un vomi.

— Mais pourquoi maintenant ? Fox risque de prendre perpète.

— Pas dans cet état de l'union, ma biche. À New York, il en prend pour dix à vingt ans et il sort entre les deux.

— Quand même, pourquoi remuer les choses si près du verdict ?

Jigs consulta son whisky.

— Peut-être qu'un acquittement ferait le jeu de notre petit camarade. Ça permet de remettre Marshall Fox en circulation, après tout.

— Tu veux dire, tuer deux personnes pour égaliser le score, et si Fox est remis en liberté, *shebam, pow, blop, wizz* !

— Alors, *ça*, c'est poétique !

Je réfléchis à ce que Jigs venait de dire. Son idée était tout aussi plausible qu'une autre. La police devait certainement surveiller de très près la famille et les associés proches de Cynthia Blair et de Nicole Rossman. Elle devait sans aucun doute travailler dans cette direction.

Sur le comptoir, je posais le portrait-robot de Face de Rat. Avait-il connu l'une ou l'autre de ces deux femmes ?

Mon instinct me disait que non.

Je me rendis compte que mon instinct me disait également que ça n'avait pas d'importance.

— Faut que je retrouve ce type.

La voix qui sortit de ma bouche ne ressemblait pas à la mienne. C'était une voix profonde de baryton. Une octave ou deux au-dessus d'un grognement. Je tapai violemment un doigt sur le dessin.

— Je ne connais pas son point de vue mais, honnêtement, je m'en fous. Ce salopard crèche dans le coin. Dans le quartier, quelque part. Plusieurs personnes l'ont reconnu.

Jigs posa son verre.

— Et tu veux lui mettre le grappin dessus.

Je jetai un regard au-delà des bouteilles derrière le

comptoir et acquiesçai en regardant le gars au bonnet de marin et à la sale mine. Je sortis de ma poche l'enveloppe que m'avait donnée Alan Ross et posai une épaisse liasse de billets de vingt sur le portrait-robot.

— Tout juste.

Jigs opina sagement.

— Je vois ça.

31

Lorsque la femme s'approcha, Megan était en train de regarder ses ongles.

— Salut, vous vous souvenez de moi ?

Megan leva les yeux. Baraquée. Imposante. Une ossature large. Un joli minois encadré par une coupe à la Louise Brooks. Elle portait une un jean orange et un t-shirt noir illustré d'un chien à la William Wegman. Un Braque de Weimar.

L'animal n'était pas déguisé, contrairement à l'habitude, il était assis sur une boîte blanche et arborait un air perdu et terriblement mignon.

Megan se demanda si elle avait la même expression que ce chien. L'air mignon, elle n'en savait rien. L'air perdu, certainement.

— Excusez-moi. Heu… J'attends quelqu'un.

— Je sais, lui dit la femme en la gratifiant d'un large sourire. On vous a peut-être posé un lapin. Ça vous dérange si je patiente avec vous ? Elle n'attendit pas la réponse, tira la chaise en face de Megan et s'installa confortablement.

— Qu'est-ce qu'on boit ?

Cela faisait quarante minutes que Megan fixait un whisky soda.

— Vous reprenez la même chose ? Qu'est-ce que c'est ?

— Du whisky, mais…

La femme héla la serveuse.

— Deux whiskys !

Elle se retourna vers Megan.

— Vous ne me reconnaissez toujours pas, n'est-ce pas ? Ce n'est pas grave. Je ne me fâcherai pas.

Megan ne savait pas où poser les yeux. C'était vraiment ridicule. Elle n'aurait pas dû revenir dans cet endroit. Et pourquoi pas ? lui murmura une voix intérieure. Qu'y a-t-il de mal à reprendre le cours de sa vie ? C'est un endroit comme les autres.

— Ruth, lança la femme.

Megan leva les yeux de la table.

— Megan.

Ruth recula sa chaise. Elle releva légèrement son t-shirt et baissa à peine son jean. Megan s'avança. Un bout de tatouage se devinait juste sous le nombril de la femme.

Une sorte de dragon dont la plus grande partie était cachée sous le niveau de la ceinture.

— Vous ne vous souvenez toujours pas ?

Megan secoua la tête.

— Oui, vaguement… Comme un rêve légèrement désagréable. Ce n'était peut-être pas moi.

Ruth afficha un large sourire.

— Oh, que si, mon chou. On n'oublie pas un visage comme le tien !

Les boissons arrivèrent. Megan sentit sa première gorgée voyager jusqu'à la pointe de chacun de ses membres. C'était agréable. Ruth lui effleura le poignet, puis retira brusquement sa main, comme si elle avait reçu un choc électrique.

— Il faut sourire, ma petite. Rien ne peut être si terrible.

Deux heures plus tard, Megan alluma la lumière et fit un pas de côté. Les clefs glissèrent de sa main et tombèrent par terre.

Elle n'osa pas se pencher pour les ramasser et préféra leur donner un léger coup de pied. Elle eut l'impression que ce n'était même pas son pied.

Ruth la suivit dans l'appartement en marmonnant. Elle rit en maintenant les bras en l'air tel un funambule. Megan ferma la porte et Ruth se tourna vers elle.

— Je ferai n'importe quoi pour un appart dans le Village.

D'un coup de pied, Megan fit glisser les clefs sur le sol.

— Tu le veux ? Il est à toi !

— Ouais, c'est ça, fais-moi marcher.

— Non, sérieux, je m'en...

Megan dut s'accrocher à une chaise.

Ruth se précipita vers elle.

— Est-ce que ça va, chérie ?

— C'est bon.

— Dis, un petit joint, ça te dirait ?

Ruth fourra une main dans la poche de son pantalon mais Megan saisit son bras.

— Arrête.

Son bras était charnu. Megan ferma les yeux. Elle avait l'impression qu'elle allait vomir.

— Je me disais seulement qu'une petite douceur avant d'aller au lit...

Ruth se mit à chanter.

— Rien ne saurait être plus douuuuuux, qu'un petit joiiiiiiiiiiint avant l'coucheeeeeeeeeeerrrrrrr...

Megan lui serra le bras.

— Arrête.

Ruth haussa les épaules.

— Bon, d'accord. Si tu y tiens. Tout ce que je veux, c'est me comporter en bonne invitée.

Elle sourit largement et glissa les doigts dans les passants de ceinture de Megan. D'une secousse, elle rapprocha leurs pelvis. Celui de Megan heurta la hanche de Ruth. Elle tituba.

— Oh, ne t'en fais pas, je te tiens, mon chou, roucoula-t-elle.

Megan ne se souvenait pas de la dernière fois qu'elle avait ingurgité autant d'alcool. Elle sentait la bile remonter dans sa gorge. Ruth empoigna ses fesses.

— Je crois qu'on va réussir à te détendre.

Megan laissa tomber sa tête doucement contre Ruth et eut l'impression d'être attirée dans une grotte. Une grotte avec un dragon tapi dans l'obscurité. Tout ça n'était pas bien.

Non, pas bien du tout. Ce n'est pas ce que Helen aurait voulu qu'elle fasse, se dit Megan. Petite folle. Douce Helen. Où était-elle ? Merde ! Pourquoi n'était-elle pas *ici*, avec elle ?

Pourquoi ne passait-elle pas le seuil de l'appartement, maintenant, pour dire à cette Ruth d'aller balader son gros popotin ailleurs. Ruth pétrissait ses fesses.

Megan n'arrivait plus à respirer. Mais où est Helen, bordel de merde ?

Ruth frotta son nez contre celui de Megan et essaya de l'embrasser. Megan détourna brusquement la tête.

— Hé ! s'exclama Ruth en resserrant son emprise sur les fesses de Megan et en la collant contre elle. On se détend, d'accord ? Tout doux, là. Je me souviens que tu embrassais terriblement bien. On fait amie-amie, maintenant ?

Megan fit remonter ses bras entre elles deux et repoussa Ruth de toutes ses forces, se tortillant pour se dégager de son emprise.

Leurs jambes s'entortillèrent. Ruth trébucha et tomba par terre, en arrière, en poussant un cri. Megan réussit à se dégager tout en restant debout.

— Bon sang ! cria Ruth en se mettant à quatre pattes. Chérie, tu as un sacré…

Elle s'arrêta en plein milieu de sa phrase. Megan vit ses yeux s'écarquiller.

— Qu'est-ce que c'est que *ça* ? fit-elle en fixant quelque chose sur l'étagère.

Posées l'une à côté de l'autre, trois photographies en noir et blanc dans un cadre. Vingt centimètres sur trente. La première montrait une femme, une écharpe nouée autour du cou. Visiblement morte. La femme dans la deuxième photo − une blonde que Ruth reconnut pour l'avoir vu dans les journaux − avait une entaille béante à la gorge et ses yeux ouverts fixaient le vide.

— Quelle horreur !

La troisième photo était la plus horrible. On ne devinait même plus la présence du cou. Les joues semblaient avoir été lacérées par les griffes d'un animal sauvage. Ruth sauta sur ses pieds. Megan n'avait pas bougé mais elle tremblait comme une feuille, debout, au milieu du salon, aussi pâle qu'une morte.

— À quoi tu joues, fillette ? Où est-ce que tu as eu ces photos ?

— Va-t'en, dit Megan d'une voix rauque.

— Oh ne t'en fais pas. Je change tout de suite mes projets pour la soirée.

Ruth fila à côté de Megan puis s'arrêta devant la porte d'entrée.

— Ce n'est pas bon pour toi, chérie. Un bon conseil : range ces photos vite fait ou tu risques de finir toute seule.

Ruth s'en alla. Les pieds de Megan la guidèrent jusqu'à l'entrée et ses mains verrouillèrent la porte. Megan se retourna et aperçut les photos à l'autre bout de la pièce. Elles dansaient. Elle arriva jusqu'au milieu de la pièce avant de rendre tout ce qu'elle avait dans l'estomac.

Pour Nancy Spicer, la présidente du jury au procès de Marshall Fox, la vie s'était réduite à une minuscule chambre d'hôtel, à une salle d'audience lambrissée de pin, à une camionnette qui faisait la navette entre l'un et l'autre, et à ces onze autres personnes détestables que Nancy n'appréciait pas et qui n'avaient vraiment rien en commun avec elle.

Elle était soit trop blanche, soit trop indécise, soit trop religieuse, soit trop inquiète. Trop quelque chose. Trop tout. Trop *rien*.

Nancy Spicer décida de voir ce qu'il se passerait si elle avalait vingt-sept comprimés de barbituriques en l'espace d'un quart d'heure.

Au cours des derniers mois, elle avait commencé à craindre que les onze autres jurés aient raison. Le monde dans lequel nous vivons est un monde de brute. Il faut du courage, de la force, de la conviction pour jouer des coudes, afin de survivre. Nancy n'avait aucune de ces qualités.

Il y a peut-être une époque – elle se souvint avoir eu une faible notion de conviction, il y a une éternité – mais tout compte fait, pas vraiment. Jamais assez. Bruce était le soutien de famille, le roc. Bruce avait toujours compensé les lacunes de Nancy. Lui, il avait la conviction, la force, le courage.

Bruce connaissait sa place dans le monde, et il en connaissait aussi le but. Il savait reconnaître le bien du mal, le blanc du noir ; il savait reconnaître le péché. Le mari de Nancy savait tout.

C'était un homme déterminé, inébranlable. S'il avait été le président de ce jury, il n'y aurait jamais eu toutes ces disputes. Ni ces critiques sournoises, ni cette hostilité, ni ce dégoût. Bruce aurait mis tout le monde d'accord. C'était un meneur. Il analysait les situations avec une clarté aussi fine qu'une lame de rasoir. Et il savait remettre les gens à leur place.

Nancy valait moins que lui, elle le savait. Bruce était gentil, tellement gentil de la supporter. D'avoir accepté une handicapée sous son toit.

Sa rage peu après leur mariage – lorsqu'il avait découvert que Nancy était stérile et qu'elle serait incapable de lui donner des enfants – était parfaitement compréhensible.

La déception était immense. Si Nancy l'avait su, elle ne l'aurait pas épousé. Elle n'aurait jamais été aussi sciemment égoïste. La colère de Bruce était légitime.

C'était le diable qui empoisonnait les entrailles des indignes et c'était au diable que Bruce en voulait. Nancy avait accepté tout ça. Elle l'avait accueilli, un mari pour nettoyer sa vie de ses impuretés est un trésor à chérir.

Bruce était tellement bon avec elle. Il était magnifique dans sa déception. Il était plein là où elle était vide. Le monde ne savait pas quel précieux messager de la vérité il avait en Bruce Spicer.

Que Dieu le bénisse, pensa Nancy en versant une première poignée de pilules dans la paume de sa main. Qu'il prenne soin de lui. J'ai échoué dans tous les domaines de ma vie. Je suis trop faible. Je ne peux plus faire face à tous ces autres gens.

Leurs yeux, leur dégoût. Je suis trop désorientée, maintenant. Comment pourrai-je porter un jugement ? Le diable m'a mise là et il s'amuse de ma misère. Il s'amuse du désordre que je crée, c'est Bruce qui me l'a dit. Mais… mais je ne serai pas l'émissaire du démon. Je briserai son plaisir.

Bruce comprendra. Il ne sera pas en colère ; au contraire, il se réjouira de ce seul geste désintéressé que j'aurai réussi à accomplir de ma vie. De ma vie d'inadaptée, inutile.

Les lumières de Time Square de l'autre côté de la vitre de chez Nancy Spicer n'avaient jamais semblé aussi impressionnantes, une parure d'étoiles colorées dans un univers en gros plan. Rapidement, elles devinrent floues et se mélangèrent. Des anges, pensa Nancy dans un vertige.

Les anges forment mon lit. Ses bras étaient trempés de larmes et elle se demanda si elle avait été un jour aussi heureuse qu'à ce moment-là. Bruce sera fier d'elle. Tellement fier.

Le lit de lumières flottait. Oscillait. Tel un hamac. Nancy émit un son qui se voulait être un rire, mais qui sortit tel un sanglot.

Le diable cramponna ses poignets rouges sur le ventre de Nancy et ses doigts velus pénétrèrent dans ses entrailles inféconds.

Une sensation comme elle n'en avait jamais ressenti ou pu imaginer remonta dans son ventre et elle fut saisie d'une peur indicible.

Elle tomba du rebord de la fenêtre et commença à frapper son ventre de ses poings, tentant en vain de faire cesser la douleur. Elle se mit à convulser.

Sa dernière pensée consciente fut l'horreur de voir, là dans son ventre, la main noueuse du diable en train de creuser, de tordre et de fouiller sa chair. Sur sa main répugnante se trouvait une alliance. Brillante et dorée.

Cette alliance qu'elle connaissait si bien.

32

Peter Elliott me téléphona pour me tenir au courant.

— Ma présidente de jury est dans le coma. La vie est trop nulle !

Je rencontrai Peter devant l'hôpital Saint-Vincent où les médias étaient généreusement représentés. Tout comme le département de police de la ville de New York. Des véhicules étaient garés de tous les côtés. Je repérai Kelly Cole, debout au coin de la 12e rue et de la 7e avenue, en train de parler au téléphone. En me voyant, elle leva un doigt parfaitement manucuré et articula silencieusement une phrase me faisant comprendre que je devais l'attendre.

Une voiture aux vitres teintées venait de se garer devant une bouche d'incendie.

— Tu es sûr que ce n'est pas le Pape qui se trouve là-dedans ? dis-je à Peter. Lewis Gottlieb sortit du véhicule par la porte arrière.

— Lewis et moi, faut qu'on entre, dit Peter. Bruce Spicer est là et il est au bord de l'explosion. Cette histoire risque de mal finir.

— Je te rejoins plus tard.

Kelly Cole referma son portable d'un coup sec

et s'avança. Rien que son manteau devait coûter plusieurs milliers de dollars. Il était long, en cuir, et semblait taillé pour une tsarine russe.

— Est-ce que tu as reçu les fleurs que je t'ai fait envoyer à l'hôpital ? demanda-t-elle.

Je lui répondis que non.

— Normal, je ne l'ai pas fait. Elle rit. Mais je t'ai téléphoné.

— Je sais. J'ai essayé de te rappeler mais tu n'as pas répondu et je n'avais pas tellement envie de laisser de message.

— Alors, dis-moi, qui t'a balancé dans la rivière ?

— Tu sais quoi ? Ce gentleman ne s'est même pas arrêté pour me dire son nom.

— Mais il est suspect dans le meurtre de Zachary, n'est-ce pas ?

— Voyons Kelly, tu sais bien que courir derrière les méchants, c'est mon passe-temps favori.

— Bref, « pas de commentaire », c'est ça ?

— « Pas de commentaire », c'est la même chose que « oui ».

— Alors, il fait partie des suspects ?

— Sacré joli manteau, Kelly ! C'est de la laine ou du synthétique ?

— Allez, arrête ton char, tu veux. Dis-moi au moins si tu mènes ton enquête sur les derniers assassinats. Ce n'est pas un secret d'État, ça, non ?

— Pas de commentaire. Oui. Non.

— Hé, faut bien que je gagne ma vie. La police est au point mort. Tout ce que je veux, c'est montrer au public qu'au moins une personne ici fait avancer le schmilblick. Tu ne peux pas me dire, entre nous, qui a réussi à prendre l'avantage sur un grand gaillard comme toi ?

— Merci pour le compliment, c'est gentil. Je te l'ai dit, honnêtement, je ne connais pas le nom de ce type. Tout ce que je sais, c'est qu'il a harcelé une amie de Robin Burrell. Je voulais lui dire deux mots sur cette jeune femme mais, en me voyant, il s'est effarouché.

— J'ai entendu parler d'une autre menace téléphonique. Tu sais quelque chose à ce sujet ?

Je jetai un regard par-dessus l'épaule de Kelly et aperçus Megan Lamb traverser au coin de la rue.

— Voilà ton enquêteur principal. Pourquoi ne vas-tu pas recueillir ses commentaires ?

Kelly suivit mon regard.

— Le Lambinator. Je ne la comprends pas, celle-là. Elle est lesb, tu le savais ?

— Hé, tu as découvert ça toute seule ?

Megan s'avança vers nous. Je chuchotai à l'oreille de Kelly :

— Fais-lui un compliment sur sa coiffure.

— Dans tes rêves !

Megan arriva à notre hauteur.

— Du nouveau ?

— Une présidente de jury dans le coma, répondis-je. Apparemment, une tentative de suicide. Je viens d'arriver.

— J'ai reçu un appel lorsque je sortais de chez moi. J'habite sur Hudson Street.

Elle salua la journaliste.

— Bonjour, Mlle Cole. Vous avez quelques exclusivités dont vous aimeriez nous faire part ?

— Vous m'enlevez les mots de la bouche.

— Le nom du juré a-t-il été communiqué ?

Kelly secoua la tête.

— Non. Vous aimeriez l'ébruiter pour moi, inspecteur ?

— Ne vous faites pas de soucis : les hôpitaux sont de vraies passoires et l'information finira bien par sortir. Et quand ça arrivera, je suppose que vous serez prête à contribuer à la clôture de ce procès.

— Je fais mon travail, inspecteur. Vous faites le vôtre. Le mien, c'est de rapporter les faits.

— Parfois, *votre* travail rend *mon* travail dix fois plus difficile qu'il ne devrait l'être.

— J'informe les citoyens. C'est la base de la démocratie.

Megan se tourna vers moi.

— Il est un peu tôt pour un cours d'éducation civique, tu ne trouves pas ? Allez, viens.

Elle se dirigea vers les portes des urgences.

Je lui emboîtai le pas. Derrière moi, Kelly grommela :

— Quelle pimbêche de mes deux…

— Tout va bien ? demandai-je à Megan comme nous entrions dans l'hôpital.

— Pas important, lança-t-elle.

Bruce Spicer était encerclé. Assis contre le mur du fond de l'espace famille au bout du couloir des soins intensifs, il était noyé au milieu des membres de la défense de Marshall Fox. Peter Elliott et Lewis Gottlieb se tenaient à proximité. Une dizaine de flics, un toubib et plusieurs personnes que je ne réussis pas à identifier faisaient partie du groupe. Spicer parlait à Megan. Je m'approchai. En réalité, il ne lui parlait pas, il lui gueulait dessus.

— Et pourquoi je ne pourrais pas dire ce que je pense, hein ? Ma femme a été incarcérée virtuellement pendant presque trois mois ; elle a été maltraitée et humiliée par des imbéciles de fonctionnaires, des mous du bulbe. Je vais vous dire une bonne chose :

j'en ai marre ! J'en ai franchement ma claque de cette gymnastique de clown, de cette façon de protéger les soi-disant droits des violeurs, des fornicateurs et des assassins. Qui a perdu la boule, ici ? C'est moi ? Est-ce que j'ai atterri sur une autre planète ? Ce type est un *pêcheur* abject. Il est coupable de tous les chefs d'accusation. Sans parler de tout un tas d'autres choses que personne n'a eu le courage de mettre sur la table. J'en ai ras la casquette. Je suis dégoûté. J'en ai marre, marre, marre, vous m'entendez ! Ma femme est à l'article de la mort à cause de *vous*, oui, à cause de vous tous !

Il brandit un doigt accusateur et en balaya la pièce, battant l'air chaque fois qu'il le pointait sur une autre personne.

Même Megan et moi fûmes ainsi poignardés.

— Vous serez tous coupables d'avoir envoyé ma femme dans la tombe, si elle ne devait pas en réchapper. Pareil pour les onze autres niais que vous avez cru bon de placer sur le banc des jurés avec elle. Je vais vous dire une chose : vous, les avocats, vous voulez du travail ? Eh bien, j'arrive. Vous êtes prêts ? J'arrive. Je vais vous donner une pile de boulot à abattre. Il compta à haute voix sur ses doigts. Je vais traîner cette ville en justice. Je vais traîner en justice l'État de New York. Je vais traîner en justice tous ces niais. Et vous pouvez être sûr d'une chose, je vais traîner en justice KBS Television ainsi que Marshall Fox et sa salope de femme !

Je jetai un regard vers Megan et articulai silencieusement « salope ? »

Megan répondit d'une voix grave.

— Si tu veux avertir ta copine la journaliste, je crois que ça, c'est un scoop.

Spicer balaya son assistance du regard.

— Ils sont où les journalistes ? J'en ai marre de vous parler à vous. Je veux m'adresser aux chrétiens qui vivent dans la crainte de Dieu. À des gens qui savent ce qu'est le bon sens. Il faut qu'ils entendent ce que j'ai à leur dire. Ces deux femmes qui ont été tuées l'an dernier étaient des putes ! Fox est un fornicateur sans discernement. Que les porcs restent avec les porcs ! Pourquoi les dollars des contribuables devraient-ils servir à payer toute cette mascarade ? Pourquoi ma femme devrait-elle affronter la mort à cause d'une horde de pêcheurs ? Où est la presse ? Il faut que tout ça se sache. Vous avez fait enfermer les journalistes ou quoi ? Vous les empêchez d'entrer ? Ah, je vois, ils sont de mèche avec vous, païens tous autant que vous êtes. J'en ai ras la casquette. Ras le ciboulot. Vous connaîtrez ma force, et vous craindrez ma colère, hordes de salopes !

Lewis Gottlieb fit quelques pas en avant.

— Monsieur Spicer, dit-il sur un ton parfaitement calme et civilisé, j'entends bien tout ce que vous dites. Vraiment. Nous sommes face à une situation extrêmement délicate. Je regrette terriblement ce qui est arrivé à votre femme. Les choses n'auraient jamais dû prendre une telle ampleur. Et au nom de la cour et de l'État de New York, je voudrais vous présenter mes excuses, personnellement, ainsi qu'à votre famille. Mais je vous en prie, nous devons limiter le plus possible la circulation des informations, nous ne…

— Gottlieb, n'est-ce pas ? l'interrompit Spicer.

Le procureur opina du chef.

— C'est exact.

— Je vais vous traîner en justice, vous aussi ! Personnellement !

Le procureur eut un instant d'hésitation.

— Actuellement, vous avez surtout besoin de rester seul avec votre femme. Ce n'est pas le moment de créer un scandale. La santé de votre épouse doit être votre seule préoccupation en ce moment. S'il y a quoi que ce soit…

— La santé de ma femme devrait être *votre* seule préoccupation. À vous tous. Est-ce que personne ne m'écoute ? Je veux parler à la presse ! Maintenant ! Qu'est-ce qui se passe, ici ? Je suis en résidence surveillée ou quoi ?

Peter prit la parole.

— Monsieur Spicer, nous ne voulons pas que le procès en cours s'écroule. La chose la plus sage à faire est d'attendre que le juge Deveraux…

— Lui ?

On aurait dit que Spicer venait de mettre le pied sur une mine.

— Bon sang de bonsoir ! L'homme en robe noire. Je ne traverserai même pas la rue pour aller lui cracher dessus.

Lewis Gottlieb en eut soudain assez.

— Vous n'êtes qu'un petit minable et un emmerdeur à la petite semaine, voilà ce que vous êtes.

Le procureur s'avança et Spicer sauta sur ses pieds.

— Aucun assassin du Seigneur Jésus-Christ ne me jugera.

Il attrapa la chaise sur laquelle il était assis jusquelà. Avant qu'il n'ait eu le temps de la soulever, Peter Elliott bondit en avant et s'en saisit. Spicer tenta de le faire lâcher prise, mais Peter la tenait fermement. De sa main libre, il essaya de repousser Gottlieb, mais le vieil homme trébucha et tomba par terre. Spicer hurla.

— Assassin ! Vous n'êtes que des païens, des porcs !

Peter balança un coup de poing dans le ventre de Spicer. L'homme se plia en deux. La police entra dans l'action : deux hommes empoignèrent Spicer pendant qu'un autre éloignait Peter. Spicer continuait de beugler.

— Païens ! Suppôts de Satan !

— Oh ça va, la ferme, maintenant ! lâcha Peter d'un ton hargneux pendant qu'un policier l'entraînait à l'autre bout de la pièce.

Quelqu'un aida Lewis Gottlieb à se relever, puis le vieil homme se laissa tomber sur une chaise.

Spicer se débattait toujours, tentant de se libérer de l'emprise de l'agent. Il essaya de donner un coup de pied au vieux procureur, mais le policier l'entraîna hors de portée. Gottlieb agita une main tâchée de pites de rousseurs, tel un magicien concluant un enchantement.

— Je vous en prie, emmenez cet homme hors d'ici. Je vais porter plainte pour agression. Gardez-le en lieu sûr jusqu'à ce que tout cela soit tiré au clair.

— Je veux voir mon avocat ! cria Spicer en postillonnant de fureur.

Gottlieb épousseta les manches de sa veste puis lança à l'attention de son agresseur :

— Heureusement pour vous, M. Spicer, il y a dans cette pièce des tas d'avocats qui traverseraient volontiers la rue pour vous cracher dessus.

Il agita de nouveau la main vers l'agent de police.

— Par pitié, sortez-le d'ici !

33

L ewis Gottlieb réprimanda son protégé.
— Un type comme ça, tu dois le laisser se
passer tout seul la corde au cou. Il le fera. Il l'a fait.
J'ai sacrifié ma pomme et toi, tu t'es pointé et tu es
tombé sur le gars à bras raccourcis. Mais où est-ce
que tu avais la tête ?

— Excuse-moi, Lewis. Je n'ai pas supporté la
calomnie.

— Oh, la *calomnie*. Qu'elle aille au diable, la
calomnie ! Qu'est-ce que tu crois ? J'ai côtoyé la
calomnie toute ma vie. Qu'est-ce que ça peut bien me
faire, aujourd'hui ? Surtout de la part d'un dérangé
tel que ce Spicer. Le problème, maintenant, c'est qu'il
peut très bien te traîner en justice pour agression.

— La liste d'accusations que Bruce Spicer voudrait
dresser est tellement longue qu'il lui faudra un an
avant d'arriver jusqu'à celle-là.

— Espérons.

Megan et moi étions assis dans la cafétéria de l'hôpital en compagnie des deux avocats. Gottlieb s'était
blessé au coude en tombant. La veste du procureur
reposait soigneusement sur le dossier de sa chaise
et la manche gauche de sa chemise était roulée

jusqu'au biceps afin de lui permettre de maintenir une compresse de glace sur sa blessure. Peter avait l'air morose. Il savait qu'il avait fait une erreur en attaquant Spicer. L'attitude de Gottlieb avait été bien plus rusée.

— Le procès est foutu, c'est sûr, lança le vieux procureur. Bruce Spicer à la grande gueule ne sera pas démenti. Et une présidente de jury avec un mari tel que lui ? Si Fred Willis n'exige pas que Sam déclare l'ajournement du procès, c'est moi qui le ferai. Je n'ai jamais connu d'affaire aussi pourrie que celle-ci.

— Un nouveau procès, grommela Peter. Je crois que je vais me tirer une balle tout de suite. Comment va-t-on se sortir de tout ça ? L'Amérique tout entière fait des paris sur la façon dont cette affaire devrait se conclure. Dans quelle grotte va-t-on réussir à trouver un jury non corrompu à l'heure qu'il est ?

— Ça, c'est ton problème, j'en ai bien peur, mon petit, lui répondit Gottlieb. J'ai vingt-huit trous qui m'attendent et, cette fois, je compte bien répondre à l'appel. J'aurais aimé ajouter la fourrure de M. Fox à mon palmarès, ce salopard imbu de sa petite personne. Mais ne t'en fais pas, Peter, les fondations sont bien posées. Le pays tout entier sait quelle sorte de dérangé ce Fox est réellement. Tu t'en sortiras. L'inspecteur Lamb ici présent et Joe Gallo ont fait de l'excellent boulot ; ils ont réussi à mettre ce petit minable au pied du mur et les preuves ne vont pas disparaître comme par enchantement. On ne pourra sans doute pas éviter quelques retombées médiatiques, c'est certain. La voix de la rue clamera qu'un ajournement du procès signifie certainement que Fox est innocent. Ignore tout ça ! Ne te laisse pas déconcentrer par tout ce cirque. Et tu sais ce qui est vraiment drôle ? Spicer déteste Marshall Fox au plus haut point, mais tout ce que lui et sa femme sont arrivés à faire, c'est encore plus de publicité. Spicer est complètement à côté de la plaque. Il plane à vingt mille.

Il se tourna vers moi.

— Maintenant que vous l'avez vu en action, est-ce que mon idée semble toujours aussi folle ?

— Quelle idée ? demanda Megan.

Peter expliqua.

— Lewis pense qu'on devrait envisager l'éventualité que Bruce Spicer soit d'une façon ou d'une autre impliqué dans l'assassinat de Zachary Riddick et de Robin Burrell.

Gottlieb protesta.

— Pas « impliqué d'une façon ou d'une autre », cesse de tourner autour du pot, Peter. Mon assertion, Mlle Lamb, c'est que Bruce Spicer est bel et bien notre assassin.

Megan se tourna vers moi.

— Tu étais sur le coup ?

— Lewis m'a fait part de sa théorie le jour où on m'a balancé dans le fleuve. Je n'ai pas vraiment eu l'occasion de me pencher sur la question.

Gottlieb ôta sa compresse de glace.

— Nous n'avons plus rien à cacher à présent. Pas après ce que vient de faire Mme Spicer. Je vous conseille vivement, vous et votre patron, de vous pencher sur cette question. Ce type est un opposant à l'avortement totalement extrémiste et Mlle Burrell avait avoué à la barre des témoins qu'elle avait subi deux avortements. Pas seulement un, mais deux.

— Et pour Riddick ?

— Question de style, Mlle Lamb. Notre M. Spicer chérit des mots tels que « païen » et « fornicateur ».

Notre cher Zachary – paix à son âme – tombe sans difficulté dans ces deux catégories.

— Qu'est-ce que tu en penses ? dis-je en me tournant vers Megan.

Elle joignit les mains et posa son menton sur la pointe de ses doigts. Son regard traversa la table et alla se poser sur le sol.

— Spicer a dit quelque chose tout à l'heure. Quand on était en haut… Elle laissa mourir sa phrase sans la finir.

— Quoi ?

— Bon sang !

Elle releva les yeux brusquement.

— Vous ne vous souvenez pas ? Quand il menaçait de traîner tout le monde en justice ? Il a dit : « J'arrive. » Je savais bien que quelque chose me turlupinait depuis tout à l'heure.

La mâchoire de Peter tomba lentement.

— Bon sang. Tu plaisantes ?

— Pas du tout. C'est ce qu'il a dit. « J'arrive. » C'était la même voix. « Tu sens déjà le goût du sang ? »

Les yeux de Megan oscillèrent d'un visage à l'autre, le temps que l'information parvienne jusqu'à nos cerveaux.

Quatre chaises grincèrent simultanément en s'écartant brusquement de la table.

Il n'était plus là.

Après sa déblatération, Spicer avait été escorté de l'espace famille jusqu'à la chambre préparée pour accueillir sa femme. Nancy Spicer avait émergé de son coma pratiquement au moment où son mari faisait sa grande sortie théâtrale. D'après les assistants qui l'escortèrent des soins intensifs, Bruce Spicer lui aurait murmuré quelque chose à l'oreille et pressé l'épaule avant de sortir. Une fouille rapide de l'étage nous apprit qu'il n'y était plus.

— Je descends, lança Megan. Je vais mettre une voiture de patrouille sur le coup. Il ne peut pas être allé bien loin.

Peter n'était pas aussi confiant.

— Il a très bien pu prendre le métro. Qui sait dans quelle direction il est allé ?

— On va avertir les autorités portuaires et les aéroports. Les agents de sécurité lui mettront le grappin dessus en un rien de temps. Ne t'inquiète pas. Il est coincé dans les quartiers de New York. Et puis, tu l'as bien vu, ce type est complètement timbré. Impossible qu'il passe inaperçu.

Je rejoignis Megan. On descendit les escaliers deux à deux. En nous approchant des portes d'entrée de l'hôpital, une pensée me traversa l'esprit et je pilai net.

— Allison Jennings.

— Quoi, Allison Jennings ?

— Spicer l'a appelée. Il l'a menacée. On ne sait toujours pas pourquoi. Je sortis mon téléphone portable. Je vais voir si j'arrive à la joindre. Peut-être que son nom lui dira quelque chose.

— Je t'attends dehors.

Je dus arpenter tout le hall d'entrée avant de trouver un signal convenable. Je m'adossai au mur sur lequel étaient gravés les noms de donateurs et sortis la carte d'Allison de mon portefeuille. J'eus une drôle d'impression en composant son numéro. Juste avant d'appuyer sur le dernier chiffre — un quatre — je compris pourquoi. J'ignorai le quatre et appuyai sur le cinq. Quelqu'un décrocha dès la deuxième sonnerie.

— Kelly Cole à l'appareil.

Merde. Voilà.

— Kelly, c'est Fritz. Tu es où ?

— Toujours à l'hôpital. Pourquoi ?

— Mets une main amoureusement autour de ton joli cou.

— Quoi… ? Mais qu'est-ce que tu racontes ?

— Ensuite, je veux que tu adresses une prière à ton Dieu, n'importe lequel, celui en lequel tu crois.

— Je suis athée.

Je passai mon téléphone à l'autre oreille, et je me collai au mur pour sécuriser la réception.

— Il est temps que tu changes d'avis, ma chère, surtout si tu tiens à la vie.

34

Le vacarme était assourdissant. On aurait dit une armée de fourmis en train de mastiquer, mais c'était seulement La Brasserie un samedi soir.

Au-dessus du comptoir uni, une dizaine d'écrans en chrome satiné diffusaient image par image les allées et venues des clients capturées par une minuscule caméra vidéo installée au-dessus de l'entrée vitrée. Le défilé du premier au dernier écran prenait environ vingt secondes. C'était une attraction qui ne manquait pas d'attirer l'attention. Capturé par une caméra invisible. (« Regarde ! C'est toi ! ») De Patty Hearst à la Princesse Diana au Ritz, tout le monde aime l'éclat de la célébrité.

Peu après huit heures et demie, l'image de Rosemary Fox poussant les portes vitrées fit son apparition sur les écrans. Elle était accompagnée par Alan et Gloria Ross. Personne au bar ne sembla reconnaître la femme de Marshall sur les moniteurs. Mais ceux qui dînaient tournèrent la tête et suivirent du regard les nouveaux arrivants jusqu'à leur table, dans le coin le plus éloigné de la salle immense et bruyante.

Les Ross prirent place de chaque côté de Rosemary, au teint pâle et à l'air contrarié, cachée derrière ses lunettes de soleil bleues teintées. Elle était splendide dans sa petite robe décontractée Versace à 10 000 dollars et ses cheveux épais lui tombant presque jusqu'aux coudes. L'hôtesse avait lancé un signal invisible et dès que le trio fut installé, un panier de pain aux graines de pavot fut glissé sur la table, une bouteille bleu foncé d'eau pétillante posée sur la nappe et un homme au visage de grenouille vêtu d'une chemise en soie – trop grande mais c'était voulu – pressait ses mains l'une contre l'autre en embrassant l'air silencieusement avant de roucouler

— Quel cocktail pourrait vous faire plaisir, Mesdames et Monsieur ?

Rosemary fut la première à répondre.

— Un double martini vodka. Trois olives. Dites à votre barman de le faire sec comme le désert. Dites-lui aussi d'attendre sept minutes avant d'en préparer un autre. Cette fois sans olive.

L'homme au visage de grenouille claqua presque des talons.

— Madame sait ce qu'elle veut !

— Oui, soupira Rosemary. Dans ce domaine, Madame sait ce qu'elle veut.

Samuel Deveraux ajournerait le procès. Ce n'était pas officiel, mais c'était ce que Fred Willis avait affirmé à Rosemary lorsqu'il lui avait téléphoné un peu plus tôt dans la journée. À cause de cette présidente du jury qui avait pété les plombs ou quelque chose dans ce goût-là. Une tentative de suicide ? Rosemary n'avait pas fait très attention aux détails. Apparemment, le mari de cette femme était un tordu. Ça semblait clairement établi. Il semblait même, selon certaines rumeurs qui circulaient, que la police voulait interroger ce type à propos des assassinats de

Zachary et de la jeune quaker. En début de soirée, l'homme n'était pas encore placé en garde à vue.

Rosemary avait reçu un appel de cette femme flic, celle qui avait arrêté Marshall au mois de mai. Elle ne manquait pas de toupet, cette fille, d'appeler en personne. L'inspecteur Lamb voulait lui parler du mari de la présidence du jury. Elle ne se prononça pas pour dire s'il était oui ou non l'assassin que tout le monde recherchait, mais elle était pratiquement sûre que c'était lui qui avait laissé le message de menace sur répondeur de Rosemary.

— Un bon conseil, Mme Fox : soyez prudente tant qu'on ne l'aura pas mis entre quatre murs.

Alan et Gloria attendaient silencieusement un signe de Rosemary. Difficile de savoir ce qu'elle pensait derrière ses lunettes teintées. Son index gauche tambourinait sa serviette pliée et son menton parfait était légèrement penché.

Ross ne put s'empêcher de jeter un regard furtif sur sa poitrine, pale et généreuse contre le tissu argenté de sa robe. Il avait beau être un proche de Rosemary, il était toujours époustouflé par sa beauté et sa sensualité, même lorsqu'elle était tendue comme un string. Comme ce soir.

Gloria donna le signal à son mari, un hochement de tête. Ross avança le bras et posa sa main sur les doigts de Rosemary, étouffant ainsi son tapotement nerveux.

— Je sais bien qu'un nouveau procès semble la pire des choses en ce moment, ma chère, dit-il d'un ton aussi doux qu'il le put dans le brouhaha du restaurant. Ça repousse d'autant le moment où tu pourras reprendre le cours normal de ta vie. Je le sais bien. Mais les jurés perdaient pied un peu plus chaque minute, Rose. Ils auraient bien failli déclarer Marshall coupable. Il aurait très bien pu se retrouver sacrément dans le pétrin à l'heure qu'il est. Il faut tenir bon.

Il jeta un regard à sa femme, qui acquiesça presque imperceptiblement.

— Tu dois prendre les choses sous cet angle, Rose, continua Ross. Et il n'y aura pas de surprise la prochaine fois. On a tous vu ce qu'ils ont dans leur besace. Fred va s'en charger. Il lui tapota à nouveau la main. Tu verras. D'après Fred, il existe une possibilité, dès à présent, de faire libérer Marshall sous caution. Ce serait vraiment énorme.

Le martini de Rosemary arriva, ainsi que deux gins tonic pour les Ross. L'homme au visage de grenouille tenta de sympathiser avec ses clients, mais Gloria le renvoya d'un geste de la main.

Rosemary souleva son verre et les Ross en firent autant.

— À Marshall ! dit Gloria.

Alors qu'ils trinquaient, sans effusion, Rosemary aperçut deux hommes, assis à quelques tables d'eux, en train de l'observer. Des hommes assez beaux. Rosemary baissa son verre, prit une olive et la suça un peu plus longuement que nécessaire. Bon sang, pensa-t-elle. Je suis une vraie salope.

Gloria parlait, mais Rosemary ne l'écoutait que d'une oreille distraite. Encore Marshall ceci, Marshall cela, l'avenir ceci et l'avenir cela. Rosemary braqua son regard vers Gloria pour donner l'impression qu'elle l'écoutait. Mais qui croyait-elle donc bluffer ? Un avenir ? Un *avenir* ? D'accord, Rosemary avait un avenir. Un bel avenir devant elle, même. Et elle avait des tas d'idées sur la façon dont elle voulait en profiter. Elle n'avait aucune intention de gâcher plus de temps que ce qu'elle avait fait jusqu'à présent.

Rosemary était assez surprise d'entendre Gloria parler de cette manière. Gloria connaissait le business ; elle savait pertinemment qu'une carrière pouvait prendre fin aussi vite qu'un claquement de doigts et qu'il n'y aurait plus de Marshall Fox après cette histoire, quelle que soit l'issue de ce procès de pacotille.

Rosemary était réaliste. Marshall Fox était mort. Elle termina son verre. L'homme au visage de grenouille apparut comme par magie, lui apportant un autre martini sur un plateau.

— Vous direz à votre barman qu'il fait mon bonheur, dit Rosemary.

L'homme au visage de grenouille exécuta un geste théâtral. Un rire fusa à la table. Rosemary échangea un sourire avec ses acolytes qui répondirent avec empressement. Les deux hommes séduisants avaient toujours les yeux posés sur elle. Elle leva son verre, l'inclina imperceptiblement dans leur direction et leur concéda un sourire discret. Ah, les hommes…

Elle pensa à ce qui l'attendait dans son appartement. Son secret le mieux gardé, et ne put s'empêcher de rire. Plus jamais il n'aura la belle vie comme maintenant, ce sale petit chanceux, c'était certain. Il ne fera pas partie de l'avenir pendant très longtemps.

Pour l'instant il était encore là – et c'était le but – pour lui passer tous ses caprices. Le pouvoir d'une femme peut parfois être inquiétant. Rosemary ne cessait de s'en émerveiller. Elle savait qu'elle allait devoir mettre de la distance entre eux. Elle avait déjà attendu bien trop longtemps. Mais bon sang, son mari était derrière les barreaux ! Qu'est-ce qu'elle aurait dû faire ? Se raser la tête et entrer au couvent ? Rosemary savait qu'il y aurait des problèmes lorsque serait venu le moment de dicter sa loi. Il ferait toute une scène – il en était très capable et le lui avait déjà prouvé. Elle se rendit compte qu'elle ferait mieux de mettre au point un plan d'action sans tarder, pour être sûre.

Les cartes des plats arrivèrent. Et avec elles, encore un autre serveur. Rosemary examina les différentes options. Le serveur déclama une liste des propositions du jour, toutes plus élaborées et prometteuses les unes que les autres. Il y avait un apéritif spécial aux huîtres. Rosemary imagina ces horribles petites créatures en train de flotter dans leur liquide laiteux. Présentées dans leurs coquilles répugnantes et difformes. Vraiment, les choses que certaines personnes considèrent spéciales… Les nouvelles huîtres de l'Empereur. Elle les trouvait absolument dégoûtantes. Visqueuses. Cela lui donnait le sentiment d'avaler de la morve.

— Je vais prendre ça, dit Rosemary. Les huîtres.

Une idée étourdissante lui traversa l'esprit. Non… Oui… Cela devait être le Martini. Elle avança les deux bras, avec grâce, tel un cygne, et posa ses doigts sur les mains de Ross et Gloria, faisant naître ainsi sur leur visage un sourire. Elle leva les yeux vers le serveur.

— Et vous en offrirez une part à chaque tablée, ici, je vous prie. J'aimerais faire cela pour tout le monde.

35

La cicatrice pâle le long de la mâchoire de Jigs reflétait le néon bleu de la publicité lumineuse pour une bière accrochée à la fenêtre derrière moi.

L'homme qui avait balafré Jigs, il y avait de cela une quinzaine d'années, avait vécu juste assez longtemps pour regretter son geste. Jigs n'avait pas juste choqué une poignée de personnes en assistant à la veillée funèbre du type en question, au salon mortuaire Campbell.

Son visage à moitié caché dans un bandage peu soigné, Jigs avait sorti son couteau et, en penchant la tête sur le cercueil, il avait fait glisser silencieusement la lame sur l'acajou poli.

Il avait laissé une éraflure de sept à huit centimètres. Identique à sa cicatrice. Un prêté pour un rendu, si on ne prend pas en considération ce que Jigs avait déjà fait à cet homme.

Il portait un pull irlandais gris sous une veste à chevrons. Il était rasé de près et un peigne semblait même avoir trouvé son chemin à travers ses cheveux. Il portait en outre des chaussettes Burlington et des chaussures noires reflétant la lumière. Il me tendit un bout de papier avec une adresse griffonnée.

— Ton bonhomme s'appelle John Michael Pratt. Il est peintre, mais pas de l'école de Rembrandt. Son rayon, c'est plutôt les maisons et les appartements. Enfin, quand il ne profite pas des largesses de l'État.

— Des largesses de l'État ? Tu veux dire de la prison ?

Jigs, assis de l'autre côté de la table, me lança un large sourire.

— Peut-être qu'un jour je t'épouserai, tu sais. Tu es vraiment un gars intelligent. Tout pile, Émile. Notre John Michael aime chouraver ce qui ne lui appartient pas. Quelques fois, des gens essaient de l'arrêter, alors il leur en met plein la gueule. La dernière fois que ça s'est produit, il s'est servi d'un tuyau en fer. Résultat : deux charmantes petites ont depuis cet épisode un papa à moitié demeuré.

L'adresse correspondait à la 19ᵉ rue, près de la FDR Drive. Jigs et moi étions dans un bar sur la 21ᵉ.

— Je suis déjà allé y jeter un petit coup d'œil, me dit Jigs. La porte grince un peu. Je ne voudrais pas cacher le diamant bleu là-dedans, si tu vois ce que je veux dire.

Je pliai le bout de papier et le rangeai dans la poche de ma chemise.

— Tu as été sacrément rapide sur ce coup-là.

— C'est vrai. J'y ai mis le paquet. C'est mon cadeau de Noël en retard.

— Je te remercie.

Jigs fit un salut militaire avec deux doigts sur la tempe.

— Comme disait Bacall à Bogart, s'il y a quoi que ce soit d'autre, tu n'as qu'à siffler.

— J'y penserai.

— N'oublie pas. Tu n'es pas encore à cent pour cent, c'est sûr.

— Toi, tu as l'air en forme, ce soir, lançai-je.

— C'est samedi soir, mon pote. Tu ne t'en souviens peut-être plus, mais c'est jour de sortie !

— Alors, quels sont tes projets pour la soirée ?

Jigs se passa un doigt sur le menton.

— New York, la ville qui ne dort jamais. Je crois que je vais lui tenir compagnie. Ne t'inquiète pas pour moi, je saurai toujours me remplir un carnet de bal.

Pénétrer dans le bâtiment de Pratt fut simple comme bonjour : il suffit de s'appuyer sur la porte d'entrée et de donner un coup d'épaule. Une odeur âcre m'accueillit dans le couloir. Un tube fluorescent grésillant jetait une lumière blanche et crue du plafond écaillé. Je pris les escaliers et montai jusqu'au dernier étage. L'odeur âcre était moins forte qu'au rez-de-chaussée. Une dizaine d'appliques murales éclairaient tristement le couloir d'une lumière jaunâtre.

Je dégainai mon arme.

L'appartement se trouvait au bout du couloir : 5C. Une télévision était allumée dans l'un des appartements. Babillage. Rires. Babillages encore. Rires encore. Une voix d'homme qui ne venait pas de la télévision se fit entendre et une femme lui répondit, mais je ne compris pas ce qu'ils se disaient.

J'avais amené un sac en plastique. Je le posai par terre et collai mon oreille contre la porte. Je n'entendis rien. Je restai là, l'oreille collée, une bonne minute. Je sentis les bruits du bâtiment, les vibrations, les bourdonnements, le son lointain de la glace que l'on brise. Rien de plus.

Je testai le bouton de porte et réussi à le faire bouger un peu, mais la porte ne s'ouvrit pas. Au bout d'une minute, je frappai à la porte et appelai :

— John !

Pas de réponse. J'essayai de tourner le bouton encore une fois et donnai un coup dans la porte. Elle grinça. Exactement comme me l'avait dit Jigs.

— John !

Je rengainai mon revolver, ramassai le sac et en sortis un maillet en caoutchouc dur. Jigs avait été assez gentil pour l'apporter et me le donner au bar. Je visai le verrou de sûreté, balançai le maillet, ce qui s'avéra suffisant. Le chambranle se fendit et le verrou se tordit sous le coup. Lorsque je tournai le bouton, cette fois, la porte s'ouvrit facilement.

La perversité de l'homme s'étalait dans sa chambre. Des photographies, des coupures d'articles — par centaines — couvraient les murs. Des Asiatiques, jeunes et moins jeunes. Difficile de trouver un centimètre de paroi vierge.

De nombreuses photos avaient été arrachées ou découpées dans des magazines de charme — pour le dire avec style — et représentaient des femmes plus ou moins dévêtues à genoux, bras et jambes écartés, à quatre pattes, chaussées de talons hauts et faisant des cabrioles sur le lit, le dos cambré au-dessus de fauteuils, le regard vide se prélassant dans un hamac, j'en passe et des meilleures.

Aussi nombreuses étaient les photos découpées dans des magazines, disons, normaux. Des mannequins. Des actrices. Des adolescentes asiatiques en costume américain rétro. Les coupures étaient collées sur les quatre murs de la minuscule pièce. Le contour de nombre d'entre elles avait été dessiné au marqueur rouge et, sur certaines photographies, on avait maintenu le marqueur appuyé pour laisser des traces sur les seins et l'entrejambe. En outre, des phallus étaient dessinés un peu partout au marqueur, tels des torpilles éperonnant les images.

En pénétrant un peu plus en avant dans la chambre, je sentis les yeux de ces centaines de filles et de femmes posés sur moi, me suivant alors que je contournai le lit.

Des piles de magazines chiffonnés et de journaux asiatiques étaient amoncelées près du lit.

Ce qui attira mon attention, ce fut un groupe de photos collées ensemble sur la porte du placard situé à gauche du lit. Il s'agissait d'une seule et même photographie. Dix-sept copies du même cliché. Une image couleur découpée dans les pages d'un magazine sur papier glacé, peut-être *People* ou *Us* me sembla-t-il au premier coup d'œil.

Quelque chose dans ce genre. Elle représentait deux femmes. L'une portait une paire de lunettes et marchait sur un trottoir, tête baissée, visiblement chagrinée. Elle essayait à tout prix d'éviter qu'on la prenne en photo.

À côté d'elle, une jeune asiatique chaussée de bottes en cuir et vêtue d'un manteau d'hiver court de couleur rose, les cheveux coiffés en arrière et maintenus dans un foulard jaune éclatant. Je remarquai un foulard identique noué autour de la poignée de porte du placard de Pratt.

L'Asiatique avait passé un bras autour de l'autre femme et la consolait. Sur chacune des dix-sept photographies, l'Asiatique avait été entourée au marqueur rouge et des phallus avaient été dessinés sur certains clichés mais pas tous.

La jeune femme aux lunettes de soleil était Robin Burrell.

L'autre était Michelle Poole.

Je retournai dans le salon et, de l'intérieur, refermai la porte de l'appartement. Je sortis un rouleau de ruban adhésif de mon sac et fis mon possible pour remettre la serrure et le chambranle en place. Personne ne serait dupe, mais je voulais seulement m'assurer de pouvoir coincer le pêne, bien qu'il suffirait d'un coup d'épaule pour ouvrir la porte. Un système d'alarme bien peu efficace…

Je retournai l'un des coussins du canapé râpé et m'installai dans l'intention d'attendre le retour du locataire. Les rats reviennent toujours dans leurs trous. Je sentais la présence de ces centaines de filles et de femmes agglutinées sur les murs. On dit que tout le monde devrait avoir un passe-temps, mais je n'étais pas le moins du monde fasciné par celui de Pratt.

Pas étonnant que Michelle Poole ait eu les chocottes ! Il n'est parfois pas nécessaire de voir quelqu'un pour se sentir ou se savoir observé, les poils dressés dans la nuque.

La peur inexpliquée qui n'attend qu'une chose : se transformer en panique. Dieu seul sait combien de femmes, comme Michelle, ont senti cette paire d'yeux indésirables les consumer alors qu'elles arpentaient la ville. Je repensai au visage de Pratt. Face de Rat. Filant à toute allure dans les rues de la ville entière telle une infection galopante.

Ma main se serra sur le maillet en caoutchouc posé sur mes genoux. Mon pistolet attendait sagement à côté. Les battements du sang dans mes tempes n'étaient pas si grave que ça. Peu importe.

J'étais endormi quand il rentra.

Je m'étais assoupi. Seule ma soi-disant alarme me mit la puce à l'oreille et le grincement de la porte me réveilla.

— Mais qu'est-ce que… ?

La porte s'ouvrit d'un coup. Je tentai tant bien que mal de m'extirper du canapé dans lequel j'étais enfoncé. Mon revolver tomba par terre.

Pratt pénétra dans la pièce. J'étais debout, le maillet tenu fermement dans une main. J'étais l'intrus, mais j'avais le maillet. Pratt avança d'un pas et je vis ses yeux se poser sur le revolver. Il tourna les talons et sortit en trombe de l'appartement. J'entendis ses pas lourds résonner dans le couloir, puis un grognement, et enfin le bruit sourd d'une chute. Suivit d'un grognement. Puis le silence.

Je me penchai, ramassai mon arme. Je vérifiai l'heure à ma montre : deux heures dix du matin. J'avais dormi comme un bébé. Je ne me souvins d'aucun rêve.

Je vérifiai que rien n'était tombé de mes poches ou ne s'était glissé entre les coussins. Je restai là, debout, un moment ; le temps que mon rythme cardiaque se calme et revienne à la normale. Puis, je quittai l'appartement et montai sur le toit.

Il était affalé par terre. En émergeant de la cage d'escalier, je vis que Jigs le tenait par les épaules et le traînait sur le sol de graviers.

— C'est gentil de te joindre à nous, mon chou. Tu veux bien me donner un coup de main ou tu es seulement venu regarder ?

Les mains de Pratt étaient ligotées dans son dos. Son visage était défait. Il faut dire que Jigs est une vraie brute. Son nez et ses lèvres étaient presque impossibles à distinguer. Une seule et unique tache de sang et de cartilage. Il gémissait faiblement.

— Il respire, n'est-ce pas ? Je ne veux pas qu'il s'étouffe avec ses dents.

— Ta gentillesse me touchera toujours, Fritz, dit Jigs avant d'envoyer un coup de pied dans la gorge de l'homme. Il se pencha en avant. Est-ce que tu respires encore, John Michael ? Est-ce qu'on peut t'aider et te libérer les voies ? Il attrapa Pratt de nouveau par les épaules. Aide-moi !

J'attrapai les jambes molles de l'homme et nous le portâmes jusqu'au bord du toit. Jigs positionna Pratt de telle façon que sa tête ensanglantée pende du rebord, cinq étages au-dessus du trottoir. Il lui écarta les jambes d'un coup de pied, se positionna soigneusement, puis l'attrapa par la ceinture.

— À la une, à la deux…

Jigs avança petit à petit, laissant la loi de la gravité faire son travail : le torse commença à pencher. Jigs continua à avancer en se tortillant jusqu'à ce que le corps soit à moitié dans le vide. Jigs avait les talons bien plantés et tenait fermement la ceinture ; il se penchait vers l'arrière aussi loin que nécessaire pour faire contrepoids.

— Chatouille-moi, Fritz. Allez, vas-y…

Venant d'en dessous, Pratt laissa échapper un cri. On aurait dit une souris en pleine délivrance. Même dans la pâle lueur de la lune, je vis le visage de Jigs rougir sous l'effort.

— J'aimerais voir s'il rebondit, Fritz. Dis-moi quand, d'accord ?

Je m'avançai vers le rebord et jetai un regard en bas. Il n'y avait personne sur le trottoir. Personne ne regardait. Le maillet était toujours dans ma main. Je fermai les yeux et vis les dix-sept photographies de Robin et Michelle collées contre la porte du placard.

— Il t'a poignardé, n'est-ce pas ? dit Jigs d'un ton suave et aguicheur. Il a essayé de te tuer, il t'a jeté dans la rivière. Dieu seul sait ce qu'il a pu faire d'autre encore. Je ne pense pas qu'on ait besoin d'un homme comme lui sur cette terre. Vraiment pas.

J'ouvris les yeux. Jigs était tellement penché en arrière que ses cheveux touchaient pratiquement le sol. Ses yeux étaient immenses sous le clair de lune.

— Alors ?

Je secouai la tête.

— Remonte-le.

Je lâchai le maillet, empoignai la ceinture de Pratt et le balançai sur le toit. Il pleurnichait et crachait de la morve et du sang à part égale.

Je saisis le revers de sa veste et le projetai brusquement sur les genoux. Je me collai à deux doigts de son visage dégoûtant.

— Qu'est-ce que tu veux me dire sur Robin Burrell ? Qu'est-ce que tu veux me raconter, Pratt ? Tu peux me le dire à moi, ou alors à mon ami ici présent. Tu vois, c'est à toi de choisir.

Un relent de bière était mêlé à l'odeur du sang. Je dus tourner la tête pour respirer un peu d'air frais. Jigs était debout, en train d'épousseter du gravier à l'arrière de son pantalon. Pratt émit un son.

— Qu'est-ce que tu as dit là ? J'ai rien compris.

— Je l'ai… jamais… touchée.

— Tu n'as jamais touché qui ? Robin ? Ou est-ce que tu me parles de Michelle, maintenant ?

— Personne… J'ai jamais… touché… personne.

— Et je suis censé te croire ? C'est ça ? Te croire sur parole, peut-être ? Je le secouai de nouveau. Entre mes mains, il bougeait comme un pantin. Tu n'as pas une relation très saine au sexe faible, John. Tu en es conscient, non ? Est-ce que Robin Burrell t'excitait ? Est-ce qu'elle t'énervait ? C'était quoi ? Tu étais jaloux qu'elle soit amie avec Michelle ? Est-ce que toi, tu voulais être ami avec Michelle ? Est-ce que Robin se trouvait en travers de ton chemin ?

Ses yeux trouvèrent un semblant de mise au point sur mon visage, un œil plus que l'autre.

— T'es complètement à l'Ouest.

Dans un sursaut, je lui plaquai brutalement la tête au sol. Elle rebondit puis retomba sur les graviers. Je me levai, retournai dans l'appartement de Pratt pour chercher le rouleau de ruban adhésif entoilé que j'avais utilisé pour refixer la serrure.

Dans la cuisine, je remarquai une fenêtre à tabatière. Je retournai dans sa chambre et pris cinq ou six t-shirts dans la commode. De retour sur le toit, je les nouai ensemble. Je localisai la fenêtre à tabatière de la cuisine de Pratt et cassai un carreau.

Jigs et moi attachâmes notre homme à l'aide du ruban adhésif entoilé et des t-shirts noués au cadre en métal de la fenêtre à tabatière. Jigs voulait lui fracasser les genoux et lui fixer les jambes de façon amusante à l'aide du ruban adhésif, mais je le persuadai d'abandonner son idée.

Avant de quitter le toit, je collai un portrait-robot de la police sur le dos de notre homme et y griffonnai un message : LIVRAISON SPÉCIALE JOSEPH P. GALLO. Je descendis les escaliers en compagnie de Jigs jusqu'au rez-de-chaussée, puis appelai la police depuis l'un des snacks que l'on trouve ouverts toute la nuit sur la 23e rue.

J'informai la dame à l'autre bout du fil qu'un paquet attendait Joe Gallo. Je mourais de faim et demandai à Jigs s'il voulait avaler quelque chose. Je comptai prendre un truc plein de glucides, plein de protéines et plein de graisses. Jigs hésita.

— Il faut que je voie un type à propos d'un chien, fit-il en sortant un peigne et en le passant sur ses cheveux noirs et ondulés.

— Quel type ?

— Bon, c'est pas vraiment un type, en fait, répondit-il.

Il me gratifia d'un de ces sourires que toutes les mères craignent.

— Et c'est pas vraiment un chien non plus.

36

L'actrice Greer Garson était perchée sur la branche d'un pommier, faisant entendre son petit rire de clochette et secouant la branche pour faire tomber un maximum de pommes sur le sol. C'est là que j'étais, debout sous sa branche. Des dizaines d'avions de guerre assombrissaient le ciel au-dessus de nos têtes, mais la jolie Mlle Garson ne s'en souciait pas.

Attention, là-dessouuuuuus, chantait-elle alors que les pommes bombardaient le sol. J'en attrapai une dans laquelle j'étais sur le point de mordre à pleines dents lorsque le téléphone sonna et se fraya un chemin jusqu'à ma conscience. Greer Garson et ses pommes s'évanouirent.

Je tirai le téléphone jusqu'au lit en espérant, dans mon esprit embué et coupable, que ce ne soit pas Margo. Ce n'était pas elle. Joe Gallo.

— Je te réveille ?

— Tu me demandes ça avec un sourire dans la voix.

— Je voulais te remercier pour le paquet.

— Le quoi ? Ah oui, le paquet. Pas de quoi.

— Je ne te demanderai pas comment tu as réussi à retrouver la trace de notre petit ami si rapidement.

— J'ai des elfes qui travaillent pour moi.

— Je te fais confiance.

Je rejetai les couvertures et posai les pieds à terre. Je n'utilise pas le mot « ésotérique » très souvent, mais c'est ainsi que me sembla la lumière dans ma chambre. J'ouvris les yeux tant bien que mal. De la neige tombait régulièrement de l'autre côté de la fenêtre.

— Ta livraison spéciale est arrivée quelque peu amochée, fit Gallo. Je suppose que tu as rencontré quelque résistance.

Je tirai le téléphone jusqu'à la fenêtre. La neige en train de tomber était magnifique.

— Joe, c'était il y a tellement longtemps.

— Bon, tu veux me la poser la question à cent boulettes ou est-ce que tu veux que je te dise tout de suite ?

Je connaissais déjà la réponse.

— Pratt n'est pas le coupable.

— C'est une supposition ou tu en es certain ?

— C'est une supposition, répondis-je. Mais ce dont je suis certain, c'est que ma supposition est absolument juste. Ce type avait un faible pour les Asiatiques — enfin, je dis un faible pour rester poli. Robin Burrell le laissait totalement froid : elle n'était vraiment pas son genre. Riddick, n'en parlons même pas.

— Il a un alibi pour le meurtre de Robin. Son contrôleur judiciaire.

Je coinçai le combiné du téléphone entre mon menton et mon épaule afin d'ouvrir la fenêtre à guillotine. Des étincelles blanches de neige sautèrent sous mes doigts, propulsées par un souffle de vent glacé bienvenu.

— C'est un bon alibi. Difficile de trouver mieux.

— Pratt est accusé d'agression et de tentative d'assassinat. J'espère que tu es content.

— Tu m'en vois tout ragaillardi.

— Qu'est-ce que ça veut dire ?

— Rien, laisse tomber. Je faisais le malin. Mais, dis-moi : tu as du neuf sur Bruce Spicer ? Tu lui as mis le grappin dessus ?

— Pas encore.

Gallo marqua une pause.

— Ça ne me gaillardit pas, d'ailleurs.

— On dit ragaillardit…

— Peu importe. Mais on l'aura. Il a téléphoné à plusieurs médias et il a discuté au moins trois fois avec Jimmy Puck. Enfin, « discuté » est un bien grand mot si tu vois ce que je veux dire. Il a plutôt déblatéré son grand discours de lunatique. Megan m'a raconté ce qui s'est passé hier.

— Comme va Nancy Spicer ? Quel est son état ?

— D'après les médecins, elle va s'en sortir. Saint-Vincent s'occupe d'elle et la garde le temps qu'on mette son mari au trou.

— Espérons que ça sera pour bientôt.

— Plus tôt que tu ne le crois, dit Gallo.

— Bon.

Je raccrochai et restai encore une minute debout à regarder la neige tomber. Rien ne pouvait être plus beau. Une partie de moi voulait rester là toute la journée à regarder ce magnifique spectacle.

C'est la partie que le reste de mon être déçoit immanquablement.

37

Rosemary s'éloigna de l'homme allongé sur le lit. Il ne remua pas lorsqu'elle se dégagea du poids mort de son bras. Elle traversa la chambre jusqu'au placard et enfila une robe de chambre en satin vert. En faisant le nœud de sa ceinture, elle remarqua qu'elle s'était cassé un ongle.

— Crotte.

Elle jeta un regard vers le lit. Il n'avait pas bougé, allongé sur le ventre, en travers du matelas. Quel porc ! pensa Rosemary. Un pied pendait à l'extérieur du lit. Taille quarante-sept – elle s'en émerveillait toujours.

Son pied avait une plaque de poils noirs sur le dessus et des touffes raides près des articulations. Un putain d'orang-outang, se dit-elle. Je suis passé d'un cow-boy à un orang-outang. Quelle sera la suite ? Elle rit intérieurement en pensant au pilote automobile turc qu'elle avait récemment rencontré.

Je pourrais peut-être lui demander de renverser et d'écraser mon orang-outang. Elle revit les mains du pilote turc et s'imagina la force nécessaire pour garder le contrôle d'un véhicule lancé en plein virage à une vitesse folle. Elle visualisa ces mains puissantes agrippées à ses épaules, et combien elle devrait se débattre pour se libérer de leur étreinte. Voilà, entre autre, une chose qui l'avait déçue chez Marshall : il n'avait jamais été aussi puissant que son physique le laissait supposer. Elle aurait cru qu'on les élèverait plus robustes dans les ranchs.

Marshal n'avait jamais manqué d'imagination, ça non – il s'était montré mille fois plus créatif sexuellement que son orang-outang endormi – mais, en fin de compte, les idées ne sont bonnes que tant qu'on les met en pratique. Au moins, l'orang-outang avait tenu ses promesses. On ne pouvait pas lui enlever ça.

Rosemary alla dans le salon et vit qu'il neigeait. Elle traversa le carrelage en damier, attrapant en passant des allumettes et un paquet de cigarettes posés sur la table en verre, puis s'arrêta devant les portes vitrées donnant sur la terrasse.

En ce moment, je devrais être à Vail, bordel, pensa Rosemary. Elle fit sortir une cigarette du paquet en s'imaginant les sommets enneigés grouillant de skieurs en tenues bariolées. Les soirées. Les rires. Elle souffla une bouffée de fumée sur le côté. J'ai l'impression d'être en résidence surveillée, pensa-t-elle. Marshall est dans une cellule et moi, je suis dans mon loft, mais c'est une prison dorée.

Je soutiens mon homme. Voilà comment les choses fonctionnent. Elle connaissait le scénario sur le bout des doigts, et elle le détestait.

Elle appuya d'un coup sec sur la poignée et ouvrit la porte donnant sur la terrasse. L'air lui parut glacial. Le surplomb du toit permettait de protéger une partie du bâtiment de la neige. Rosemary eut l'impression que ses jambes gelaient sur place. Ses pieds nus étaient soit brûlants soit congelés ; c'était du pareil au même. Elle avança jusqu'à la limite de la neige, tira une grosse bouffée sur sa cigarette, puis laissa la fumée se déverser de sa bouche selon son propre rythme.

Marshall en chierait dans son froc s'il avait la moindre idée de ce qu'elle avait fait depuis leur rupture. Le pauvre. Quelle vision arriérée du monde. Les hommes peuvent sortir du droit chemin mais les femmes restent fidèles. Marshall savait que ce n'était pas le cas, mais il s'accrochait à cette idée.

Ça avait mis Rosemary dans une colère folle, cette arrogance avec laquelle Marshall avait affiché ses conquêtes, comme s'il était réellement ce grand dieu surdoué que la machine à succès avait fait apparaître comme par magie et vendu si bien au public.

Quelle morgue ! Il n'avait même pas su ce que cela voulait dire lorsqu'elle l'en avait accusé.

Et qui étaient ces moins que rien ? C'est là qu'elle s'était vraiment sentie insultée. Se taper des actrices faciles, d'accord. Mais ces petites pétasses ? Des filles dans leurs T1 minables avec des amis tape-à-l'œil et aucun sens du style. Surtout cette pimbêche aux seins refaits et au petit corps de poupée Barbie. Est-ce que l'on pouvait faire pire ?

Rosemary jeta sa cigarette et s'avança vers le bord de la terrasse. La neige crissa sous ses pieds, tel du verre brisé en mille morceaux. Personne ne pouvait la voir. La neige formait un épais rideau blanc.

Elle défit le nœud et entrouvrit sa robe de chambre, laissant les bords flotter sur ses flancs telles des ailes de satin vert. La neige tomba sur sa peau nue et fondit à son contact.

C'était agréable, comme une douche de murmures, ou une multitude de baisers de ses prétendants…

Megan remplit le chargeur puis le referma d'un coup sec. Elle ajusta ses lunettes de protection et son casque antibruit.

Elle avait l'impression d'être encore dans son rêve, de faire des gestes de façon automatique. Les bruits assourdis des cinq ou six autres tireurs avaient, étrangement, un effet apaisant.

Le stand de tir privé était situé dans le sous-sol d'un bâtiment de taille moyenne sur la 20e rue Ouest. Un endroit où relâcher la pression et tirer quelques balles. Megan se mit en position de tir, stabilisa son bras gauche sur son avant-bras droit, puis vérifia sa ligne de mire sur le canon.

Comme de nombreux policiers, elle préférait les cibles à l'ancienne, les dessins en noir et blanc d'ennemis bien en chair courbés sur leurs pistolets.

Gus. C'était le nom qu'elle avait choisi de donner à ses cibles, depuis le début. Des gouttes de sueur roulaient sur son visage. Ses lunettes de protection s'étaient embuées mais elle s'en fichait. Elle n'avait pas besoin de voir clairement sa cible.

En fait, mieux valait même que Gus reste en peu dans le flou, elle pouvait ainsi lui donner tous les visages qu'elle voulait. Même le sien.

Megan s'entraîna au stand de tir pendant une demi-heure. Elle massacra Gus encore et encore et encore. Il revenait toujours à l'attaque. Frais et dispos, toujours dans la même position. À la fin de la séance, le corps tout entier de Megan était trempé de sueur.

Elle prit le métro jusqu'au Village, se doucha puis mit sa tenue de travail. Avant de partir, elle envoya voler une assiette contre le mur de la cuisine. Lorsqu'elle arriva en centre-ville, elle était de nouveau en sueur.

La neige bordait les petits doigts de pieds de Rosemary. Les yeux toujours fermés, elle était en train de prendre des décisions.

Elle pensa à Vail. Elle pensa à Santorini. Elle pensa à la Toscane où le Turc lui avait dit posséder une maison accrochée à une colline entourée de champs d'oliviers. Elle imagina la terrasse, non pas gelée comme celle sur laquelle elle se trouvait en ce moment, mais cuite par le soleil d'Italie.

Une mer de douces rangées vertes, l'horizon couleur terre de Sienne brûlée.

Mais qu'est-ce qu'elle foutait encore là ?

Rosemary renoua la ceinture de sa robe de chambre. Elle se sentait une femme nouvelle. Purifiée. Fraîche. Sublime, vraiment. Maintenant, il ne lui restait plus qu'à se débarrasser de son orang-outang. Plier cette affaire en espérant qu'il ne ferait pas de scène interminable.

L'histoire de ma vie, pensa Rosemary. Ils lui avaient toujours fait des scènes. Tous des hommes forts, costauds ; mais, à la fin, ils se comportaient comme des bébés. Elle se demanda si elle devait vraiment se donner de la peine avec le Turc. Elle en avait franchement marre des scènes.

Elle retourna dans l'appartement. Plus que toute autre chose au monde, en cet instant, elle avait envie d'être seule. Tout de suite. Elle voulait réfléchir à ce qu'elle allait faire et n'avait pas envie d'une énorme présence hirsute se promenant dans l'appartement. Ces dernières semaines, il était devenu de plus en plus possessif. Il insistait pour passer la nuit chez elle. Il traînait là comme si c'était chez lui, se comportait comme si *elle* était à lui, ce qui, franchement, était une bonne blague.

Fais-le vite, se dit-elle en entrant dans la chambre. La subtilité, n'était de toute façon pas son fort. Alors, vas-y franco, et qu'on en finisse. Ça avait été une aventure agréable, folle, et aussi dangereuse. La meilleure chose à faire était de mettre un point final à cette histoire. De ranger tout ça dans le livre des souvenirs, des amants, et d'être heureuse de s'en tirer à si bon compte.

Il était réveillé et la regarda approcher les sourcils froncés comme s'il savait déjà à quoi s'attendre. Très bien, pensa-t-elle. Cela me facilite la tâche.

Elle ne prit même pas la peine de s'asseoir sur le bord du lit et préféra rester debout, les bras croisés, lui faisant comprendre qu'elle avait désormais pris ses distances.

— Il est temps que tu fasses tes bagages. Cette histoire n'a duré que trop longtemps… On le sait tous les deux. N'en faisons pas tout un plat, tu veux ?

Il tenta de discuter, comme Rosemary s'en était doutée. Il n'avait pas beaucoup d'arguments à avancer et elle essaya de le lui dire. Et puis, sans qu'elle sache comment cela arriva, elle se retrouva par terre. Elle ne l'avait même pas vu sauter du lit. Rosemary le griffa mais elle connaissait bien sa force. Une lutte de fourmis contre des éléphants. Elle tenta de lui échapper en se tortillant mais il l'attrapa par les cheveux et la tira brusquement vers lui, de toutes ses forces. Elle ne trouva pas assez de souffle en elle pour crier. De ses grosses mains, il déchira sa robe de chambre et elle comprit alors ce qu'il avait en tête.

Elle retrouva soudain son souffle.

— *Non !*

Rosemary n'avait pas pour habitude d'entendre la peur sortir de sa propre bouche. Son cri fut suivi d'un coup de poing sur la bouche. Elle eut l'impression que sa lèvre avait explosé et elle sentit le sang couler sur son menton. Elle tenta de lui griffer le visage mais il se recula et elle ne réussit qu'à balayer l'air. Il lui écarta les jambes d'un mouvement brusque. *Hors de question !* Elle savait qu'elle devait le frapper, mais avant qu'elle n'en ait eu le temps, l'orang-outang lui claqua la tête contre le parquet, à tel point qu'elle crut que son crâne allait exploser. Elle sentit toutes ses forces l'abandonner, puis il fut trop tard. Il eut le toupet d'essayer de l'embrasser pendant l'acte, mais elle réussit à détourner la tête. Maigre victoire.

Une fois terminé, il roula à côté d'elle, se mit d'abord à quatre pattes – ressemblant encore plus à la créature brutale qu'il était – et se releva lentement. Elle resta au sol. Le goût de son propre sang, riche, gluant, était dégoûtant, là où quelques minutes auparavant, des étincelles de neige avaient fondu naturellement. Son corps commença à trembler, ce qui, pour Rosemary, était le comble de la honte. Elle ne voulait pas qu'il la voie tressaillir.

Il fit courir l'ensemble de son bras contre sa bouche, comme si la totalité de son membre était nécessaire pour nettoyer ce qu'il y avait là. Du point de vue de Rosemary, gisant à terre, il donnait l'impression de faire plusieurs mètres de haut. Il s'essuya la bouche encore une fois, puis plongea un regard mauvais sur elle avant de lui dire :

— Personne ne t'a encore jamais dit combien tu es moche ?

38

Megan passa la tête par l'entrebâillement de la porte. L'inspecteur de la Criminelle était assis à son bureau et entrouvrait les stores pour regarder la neige tomber.

— Rosemary Fox, commença Megan. Elle est au Centre médical Cornell : elle a une entorse cervicale, des abrasions faciales et des signes très probables de viol.

Gallo relâcha les stores.

— Et qu'est-ce que tu fais encore ici ?

— Je vais vous chercher un plateau, dit le médecin à Megan. Une fois qu'elle vous aura arraché la tête, il faudra bien que vous la posiez quelque part.

— Vous ne lui avez pas dit que vous aviez appelé la police, j'espère ?

— La patiente ne m'a pas explicitement posé cette question. Donc, techniquement, non. Mais compte tenu des circonstances…

— Ne vous inquiétez pas, fit Megan. Disons que j'étais dans le quartier pour une autre affaire et j'ai vu que l'on emmenait Mme Fox dans une ambulance.

— Dans un taxi, corrigea le médecin. Apparemment, elle a pris un taxi devant son domicile et elle est tombée tout de suite en état de choc. C'est le taxi qui l'a amenée ici.

— Est-ce qu'elle a été soutenue par quelqu'un ou est-ce qu'elle marchait seule ?

— Le chauffeur de taxi l'a aidée. Et un aide-soignant, aussi.

— Très bien. Je m'en souviens, maintenant… Le chauffeur de taxi et un aide-soignant. Bon, quels sont les dégâts ?

— J'ai connu pire. Des lacérations faciales. Un traumatisme cervical assez sévère. Un déchirement vaginal. Personnellement, ça ne m'a pas l'air bien beau mais elle me soutient qu'il s'agissait de rapports sexuels consentants. Je sais bien que cette ville connaît quelques excès, mais je suis à peu près certain qu'elle ment.

— Elle cherche à protéger quelqu'un ?

— Je vous laisserai tirer vos propres conclusions.

Megan s'apprêta à sortir. Alors qu'elle était presque à la porte, le médecin ajouta :

— Vous aurez peut-être besoin d'un tabouret et d'un fouet.

— Merci. Je prends le risque.

Megan entra dans la pièce. Rosemary portait une minerve. Elle bougea d'abord les yeux, puis la tête. Son regard s'assombrit. Sa lèvre inférieure faisait le double de sa taille normale et affichait quelques méchants points de suture. Un large cercle sur sa joue donnait l'impression qu'elle s'était disputée avec son bâton de rouge. Un sparadrap rectangulaire blanc était fixé sous son arcade sourcilière gauche.

— Qu'est-ce que vous fichez ici ? Je n'ai jamais demandé à voir la police.

— J'ai vu lorsqu'on vous a amenée, fit Megan.

— Ah bon ? C'est bizarre, pourquoi est-ce que je n'arrive pas à vous croire ?

— Que s'est-il passé, Mme Fox ?

Rosemary émit une sorte de ricanement, mais ses coupures et sa lèvre recousue donnèrent à sa tentative une impression lamentable.

— Rien. Je suis tombée dans les escaliers.

— Les médecins ne voient pas de blessures indiquant une chute. Doit-on penser que vous avez dévalé les escaliers sur la tête ?

— Pensez ce que vous voulez.

Megan tourna une chaise roulante vers elle et s'y laissa tomber.

— Et l'agression sexuelle ? Ça s'est passé où ? Au milieu de la chute, entre deux étages ?

La minerve de Rosemary faisait de son attitude hautaine naturelle une caricature. Megan remarqua qu'elle avait coiffé sa lourde chevelure noire de façon à cacher le collier immobilisateur le plus possible.

— L'agression sexuelle, comme vous l'appelez, n'est que le fantasme d'un médecin lubrique.

— Vous voulez dire que vous n'avez pas été victime d'une agression sexuelle ?

— Si quelqu'un veut bien entendre ce que j'ai à dire, oui, en effet.

— Mais vous avez eu des relations sexuelles récemment. Ce matin même. Le médecin lubrique n'a pas tort sur ce point, n'est-ce pas ?

Rosemary sentit le tremblement poindre à nouveau mais parvint à le calmer. Elle ne supporterait pas que cet incident tourne au film d'horreur. La situation était déjà assez irréelle comme ça.

— Je n'ai pas pour habitude de discuter de ma vie privée avec des inconnus.

— Votre mari est-il au courant que vous voyez quelqu'un d'autre alors qu'il est en prison ?

— Qui a dit que je voyais quelqu'un d'autre ?

— C'est seulement une idée. Vous cherchez visiblement à protéger quelqu'un. J'en déduis qu'il ne s'agit pas d'une aventure d'un soir.

— Oh, arrêtez maintenant, je vous en prie.

— Vous avez réussi, jusqu'ici, à tenir le rôle de la femme parfaite et fidèle, Mme Fox, fit Megan. Vous nous avez presque tous bernés.

Rosemary ne se décontenança pas.

— Marshall a besoin de mon soutien. Vous aurez certainement remarqué que sa réputation a été ternie. Je ne pense pas gagner quoi que ce soit en l'abandonnant ou en me liguant contre lui.

— Revenons à votre agression.

— Je vous ai dit que cela ne regardait que moi.

— À en croire vos blessures, quelqu'un devait vous en vouloir sacrément.

— Moi aussi, je lui en veux sacrément, aboya Rosemary.

Très bien, pensa Megan. On se rapproche.

— Un conseil, Mme Fox. Il va vous falloir une meilleure histoire que « je suis tombée dans les escaliers ».

— Qui dit que je vais avoir besoin d'une histoire ?

— Vous êtes un personnage public. Tout le monde va vouloir savoir ce qui est arrivé à votre joli minois.

— Puisque vous mentionnez cet aspect, il se trouve que je pensais justement amener mon petit minois faire un tour ailleurs, loin d'ici, pendant quelque temps. La terre est vaste, inspecteur. Je sais pouvoir m'y cacher quand il le faut.

— Je croyais vous avoir entendu dire, pas plus tard

qu'à l'instant, que vous ne gagneriez rien à abandonner votre mari.

— Qui vous dit que je l'abandonne ? Mon avocat m'a appris que le juge est sur le point d'ajourner le procès. Marshall devrait être libéré sous caution rapidement. Je ne l'abandonne pas. Je me rendrai peut-être dans un endroit où mon mari pourra enfin jouir d'une intimité dont il a grand besoin.

— Je crains fort que votre mari, même s'il est libéré sous caution, ait l'obligation de rester très visible. Je peux vous assurer qu'on ne lui donnera pas de laisse assez longue pour lui permettre de s'envoler et de vous rejoindre sur votre île déserte. Cela ne marche pas comme ça. Il serait également sans doute plus sage que vous restiez près de chez vous.

Rosemary plissa les yeux.

— J'irai où je voudrai et quand je le voudrai.

Megan n'insista pas. Son esprit s'emballait. Elle devait garder le contrôle et calmement organiser ses idées les unes après les autres.

— Votre vie privée ne me regarde pas, Mme Fox, dit-elle en s'éloignant de Rosemary. Si vous tenez vraiment à ce qu'une agression sexuelle et un viol ne soient pas dénoncés, c'est votre affaire. On ne peut pas forcer une femme à témoigner contre son mari pendant un procès. De la même façon, on ne peut pas forcer une femme à porter plainte contre son amant violent.

— Ancien amant, inspecteur, si vous voulez bien, corrigea Rosemary.

— Ancien amant ? Allons donc ! C'était le bouquet final, le cadeau d'adieu de votre petit ami ?

— C'était ma faute d'avoir laissé cette histoire traîner en longueur, expliqua Rosemary. J'en ai tiré ma leçon.

Traîner en longueur. Megan mourait d'envie de savoir depuis combien de temps durait cette petite histoire. Des mois ? Des années ? Combien de temps exactement après la mise derrière les barreaux de son mari avait-elle pris un amant secret ? Rosemary avait-elle même été infidèle avant que Fox ne soit arrêté pour meurtre ?

— Voulez-vous que je vous raccompagne chez vous ?

Avant même que Rosemary ait le temps de répondre, Megan eut une autre idée.

— Attendez… Non, ce n'est sans doute pas une bonne idée, n'est-ce pas ? Je parie que des photographes traînent toujours autour de votre immeuble. Un seul regard sur vous dans cet état et… Connaissez-vous quelqu'un qui pourrait venir ici et vous amener dans un endroit à l'abri des curieux ? Au moins pour la journée ? Je suis certaine qu'un peu de répit vous ferait du bien.

Rosemary réfléchit à cette idée. Elle l'aimait bien. En fait, elle savait exactement où elle avait envie d'aller. Hamptons. En plein milieu de l'hiver, l'endroit ressemblait à une morgue.

Elle pouvait passer un coup de fil à Gloria et se faire envoyer une voiture. En quelques heures, Rosemary pouvait se retrouver tranquillement assise devant un feu dans cette maison immense et laide, un verre de vin à la main, le regard perdu au-delà des portes vitrées vers l'océan embrumé.

Personne pour lui casser les pieds. Voilà qui lui paraissait alléchant. Elle pourrait réfléchir là-bas, préparer tranquillement sa stratégie. Hors de question qu'elle se tape un nouveau procès, ça c'était clair. Pardon Marshall, mais l'heure avait sonné. Elle pouvait enfin commencer à faire sérieusement des projets et ouvrir un nouveau chapitre de sa vie. Se faire tabasser était peut-être la meilleure chose qui lui soit arrivée.

Rosemary regarda l'inspecteur Lamb et la gratifia de ce qui, en d'autres jours, aurait été son sourire de tueuse.

— Ce n'est pas bête. Pas bête du tout, vous savez ?

Megan passa juste à côté de sa voiture. Elle attendit de voir le véhicule tourner le coin de la rue avant de sortir son téléphone. Question de précaution. Megan décida de remonter l'avenue York dans la neige afin de tirer ses idées au clair. Avant qu'elle ait eu le temps de composer le numéro, l'appareil sonna.

C'était Joe Gallo.

— Je l'ai !

— Qui ça ?

— Ben, qui tu crois ? Spicer ! Tu ne devineras jamais où on l'a pincé… Dans la cathédrale Saint-Patrick. Il a passé la nuit là, et puis ce matin il s'est trompé de toilettes. Une bonne sœur est entrée dans les toilettes des femmes et elle l'a vu, dans l'un des box, en train de déverser toute sa bile sur Jimmy Puck au téléphone. La religieuse est allée chercher les flics stationnés devant la cathédrale. On l'a attrapé sur le trône quelques minutes plus tard. Il affirme ne pas vouloir d'un avocat. Je le mets à mijoter jusqu'à ce que tu reviennes. Quoi de neuf de ton côté, d'ailleurs ? Est-ce qu'on sait qui a tabassé Mme Fox ?

— Elle ne m'a pas donné de nom.

— Quoi ? Qu'est-ce que ça veut dire ? Elle sait qui c'est mais elle ne veut pas dénoncer son agresseur ?

Megan choisit prudemment ses termes.

— Elle est en état de choc, Joe. Et elle est très têtue et quand une femme comme elle décide de la boucler, impossible de la faire changer d'avis.

— D'accord, tu pourras me raconter les détails plus tard. J'ai besoin de toi, ici. Spicer est déjà en pleine ébullition, pire que le Vésuve. S'il a effectivement tué Burrell et Riddick, on n'aura aucun mal à le faire avouer. Ce gars adore se mettre en colère.

Megan rangea son téléphone dans la poche. Bruce Spicer était en garde à vue. Un homme avec un mobile – plusieurs, même, malgré leurs côtés pervers. Megan savait qu'elle aurait dû se dépêcher de retourner à son véhicule, mettre le gyrophare en marche et foncer vers le centre-ville.

L'heure de la mise à mort avait sonné.

Mais non. Elle ferma les yeux et bascula la tête en arrière pour faire face à la neige en train de tomber. Ses lèvres s'entrouvrirent et des flocons atterrirent sur sa langue.

Ce n'est pas lui. Ce n'est pas Bruce Spicer.

Elle le savait au plus profond d'elle-même. Dans son cœur. Dans ses tripes. Oui, cet homme était l'auteur des menaces téléphoniques. Sans aucun doute, l'existence même de Robin Burrell et des autres femmes auxquelles il avait téléphoné – ou essayé de téléphoner – l'avait enflammé au plus haut point. Et il voulait à tout prix que sa femme sorte du jury.

Cet homme était capable de créer le chaos autour de lui, aucun doute là-dessus. Mais ce n'était pas lui. Megan savait qu'elle avait raison.

La personne responsable des massacres n'était autre que l'homme que protégeait Rosemary. Ce qui était pire, bien pire, c'est qu'une terrible erreur avait été commise. Et c'était elle qui l'avait commise.

Marshall Fox non plus n'était pas coupable. C'était cet homme. L'amant de Rosemary Fox. C'était Rosemary elle-même.

— Nom de Dieu.

Megan sortit son téléphone portable en tremblant et composa un numéro abrégé. On répondit au bout de deux sonneries.

— Malone.

Megan faillit raccrocher. Il y avait une façon correcte de faire les choses, selon les règles. Megan le savait bien. Ce n'était pas vraiment le moment de se la jouer rebelle.

Et puis merde.

— Fritz, Megan Lamb à l'appareil. Écoute, j'ai une question à te poser. Je n'ai pas beaucoup de temps.

— C'est bon, vas-y.

Un chasse-neige jaune remontait sur l'avenue York en direction du Nord. La neige projetée en diagonale capturait la lumière ambrée des phares du camion. La lame raclait bruyamment le trottoir ; on aurait dit un râle animal. En voyant la cascade de gros sel humide venir dans sa direction, Megan tourna le dos à la rue et se courba sur le téléphone.

— Est-ce qu'il y a, ne serait-ce qu'une minuscule, une microscopique chance, que je réussisse à te faire enfreindre un tout petit peu la loi ?

39

Ici Mme Fox, dit Margo sèchement. Qui est à l'appareil ?

— C'est Luis, madame. Est-ce que tout va bien ?

Margo me lança un clin d'œil.

— Luis, écoutez-moi bien. Un agent de police va passer dans l'heure qui vient. Je veux que vous lui ouvriez les portes de l'appartement. Vous avez compris ?

— J'ai bien compris, Mme Fox. Est-ce que…

— Luis, faites ce que je vous ai dit. Je vous en prie.

— Très bien, madame. Mais je…

— Merci, Luis. Margo raccrocha le combiné. Alors, je suis une filoute de première classe, non ?

Je m'approchai du canapé tout en nouant ma cravate.

— Splendide.

Margo ajusta le nœud pour moi. J'enfilai ma veste et passai mon pouce sur le rebord de mon chapeau.

— Alors ?

— Tu tiens vraiment à sortir coiffé d'un feutre mou ? On n'est plus en 1930, tu sais ?

— Il neige. Les gens portent des chapeaux quand il neige.

— Heureusement que tu es plus beau que Humphrey Bogart. Excuse-moi, mais c'est la seule chose qu'il me vient à l'esprit quand je vois un feutre mou. Franchement, ça tue.

— Est-ce que je fais assez flic, comme ça, pour toi ?

— Un uniforme aurait largement fait l'affaire.

— Un uniforme aurait surtout risqué de me faire mettre au trou.

Margo haussa les épaules.

— Ça ira.

Je pris un taxi pour traverser le parc. Le chauffeur avait ses opinions sur la neige, mais je fermai mes esgourdes et, avant que l'on arrive au café-restaurant Boathouse, il avait cessé de me les faire partager. J'avais d'autres sujets à ruminer.

Megan Lamb m'avait exposé son affaire rapidement et succinctement. Elle avait insisté sur le fait qu'il ne s'agissait là que d'une théorie, mais le ton de sa voix avait trahi qu'elle y croyait à fond. Et si Rosemary avait déjà un amant à l'époque où son mari − avec qui elle était brouillée − se tapait déjà tout ce qui bougeait ? Et si ces deux amants avaient manigancé un plan qui non seulement vengeait Rosemary − l'élimination des deux amantes de Fox − mais faisait aussi en sorte que la police concentre son enquête sur Fox lui-même ?

Megan n'avait pas eu le temps de peaufiner cette théorie, ni de tâter le terrain pour voir où se trouvaient les faiblesses. Mais elle était convaincante.

Robin Burrell était l'amante numéro trois. Je ne sais pas encore où caser Riddick. Peut-être a-t-il commencé à avoir des doutes sur Rosemary, ou peut-être lui a-t-il fait des avances, et elle a décidé de lui envoyer son gorille ? Une chose est sûre : il faut que je découvre qui est l'amant de Rosemary. Ce type lui a joué un sacré numéro, ce matin. Je ne sais pas pour pourquoi, mais elle est prête à passer l'éponge. Comme disait toujours ma mère : « Ça pue pas bon, tout ce truc. »

J'indiquai au chauffeur de me laisser à un pâté de maisons de l'immeuble de Rosemary. Pas la peine que le portier voie le « Capitaine Nicholas Finn » du département de la police de New York sortir d'un taxi plutôt que de son véhicule de fonction. Nick Finn était l'un de mes amis, à l'époque où je prenais des cours au John Jay College et où j'envisageais de suivre les traces de mon vieux en m'engageant dans la police.

La mort de Nick avait coïncidé avec l'abandon de ces projets. Beaucoup de gens trouvent franchement malsain qu'il continue à vivre dans un tiroir rempli de documents falsifiés, cachés dans mon bureau.

Le portier jeta à peine un regard sur le badge que je lui présentai.

— J'ai voulu appeler la police quand j'ai vu Mme Fox dans cet état, mais je n'ai pas osé. Elle a dit que tout allait bien, mais avec l'air de quelqu'un qui s'est pris un autobus. J'ai appelé un taxi, comme elle l'a demandé. Mais je…

— Luis, l'interrompis-je, il faut que je monte à l'appartement. Si vous voulez d'abord appeler le poste et parler à Mme Fox…

L'homme secoua rapidement la tête.

— Non, non, tout est bien. Je lui ai parlé. Je vais vous ouvrir.

— Nicholas Finn glissa son badge dans la poche de l'imperméable.

Sur les conseils de Margo, il avait laissé tomber le feutre mou.

En entrant dans la chambre, je vis tout de suite les tâches de sang sur la moquette. Une robe de chambre verte était roulée en boule dans un coin.

Je traversai la pièce jusqu'au vêtement et m'accroupis pour l'examiner.

En face se trouvait une cloison en accordéon recouverte de miroirs. Une penderie. J'y vis mon reflet ainsi que celui de la porte de la salle de bains, ouverte, derrière moi.

Au moment où je ramassai la robe de chambre, la lumière changea brusquement et, dans le miroir, j'aperçus un homme sortant de la salle de bains. Son reflet se figea, comme le mien, mais seulement l'espace d'un quart de seconde.

— Mais qui… ?

Il ne termina pas sa phrase et fit deux grandes enjambées dans la pièce en m'envoyant valser de toutes ses forces au moment où je pivotai pour lui faire face. Je m'effondrai contre l'accordéon de miroirs. Avant que je me remette sur pied, l'homme avait déjà filé hors de la chambre.

Je me précipitai dans le salon. Il était en train d'attraper au vol sa veste posée sur le canapé. Il se retourna et se rua à nouveau sur moi. J'allais dégainer mon arme mais le type m'envoya rouler en arrière.

Je heurtai une table basse, renversai une lampe en laiton et un cendrier.

Le gars vira de bord vers la porte d'entrée. J'empoignai la table basse et la jetai sur lui. Elle le cueillit derrière les genoux et il s'étala.

— Merde !

J'attrapai la lampe comme une batte de base-ball et tirai dessus d'un coup sec. La fiche se détacha du mur et le fil se cambra dans les airs telle la queue d'un animal sauvage. Au moment où l'homme sauta sur ses pieds, je bondis en avant et pris mon élan pour donner le maximum de ma force. Malheureusement, il anticipa mon mouvement et sauta de côté, ce qui fait que le coup atteignit sur son épaule et pas sur sa tête. Il pivota et me ficha son poing un peu sous de l'oreille. Il y avait du muscle derrière ce coup-là. Il revint à la charge, bien décidé à m'en mettre un autre. Cette fois, je levai la lampe et la balançai contre son oreille. Pour le prix, je lui décochai deux autres coups droits. Je sentis son nez craquer sous ma seconde frappe. Il tituba et je le suivis de près en lui envoyant quelques coups dans la gorge. Il tenta un revers un peu mou que j'évitai facilement. Avant qu'il puisse en tenter un autre, je levai mon pied aussi haut que possible et le fis claquer contre son genou gauche. Le type hurla. Je sortis mon arme de son étui et, alors que le gars s'effondrait par terre, fis quelques pas en arrière, pour me mettre hors de sa portée.

— Pas un geste !

Mes bras me faisaient mal mais je voulais que le type aperçoive bien mon arme, et qu'il sache qu'elle était pointée sur sa putain de tronche.

— Ne bouge pas, répétai-je alors qu'il faisait une tentative pour se lever. Il se figea. Du sang gouttait de son nez abîmé sur le sol carrelé.

— J'arrive pas… à respirer, dit-il d'une voix étranglée avant de se mettre à tousser.

— Mais si, t'arrives à respirer. La preuve.

Je baissai un peu les bras sans lâcher ma cible. Allonge-toi par terre.

Il ne bougea pas. Je fis un pas en avant et glissai un pied sous son bras pour le déséquilibrer. Il atterrit sur le menton. Je passai derrière lui et appuyai le canon de mon arme contre sa nuque.

— Montre-moi tes mains.

Il obéit et colla ses larges pattes dans le bas du dos. À l'aide du fil de la lampe de chevet, je lui ficelai les poignets et serrai les nœuds au maximum. J'arrachai le fil d'une autre lampe pour lui attacher les chevilles. Rudimentaire mais efficace. Je tirai un fauteuil rembourré et le posai sur le gars à l'envers, comme une carapace de tortue.

Puis, j'allai dans la cuisine, m'aspergeai le visage d'eau fraîche et en profitai pour en boire plusieurs délicieuses gorgées. Je remplis un verre d'eau et décrochai un torchon avant de retourner dans le salon. Mon gaillard n'avait pas bougé.

Je mouillai un coin du torchon, m'accroupis et tapotai délicatement son nez ensanglanté. Il me fixa silencieusement d'un air mauvais. Il sifflait légèrement − sa mâchoire pendait comme un poisson sorti de l'eau − mais il respirait encore.

Je retournai à la cuisine chercher un verre propre et le remplis, cette fois pour moi, puis revins dans le salon. Je le délestai du fauteuil posé sur le dos, sortis le portefeuille de la poche de son pantalon, puis l'aidai à s'asseoir par terre et à s'adosser au mur. Le permis de conduire était au nom de Danny Lyles, résidant à Long Island City, pas très loin du quartier de Charlie Burke.

Je trouvai aussi un passe électronique et deux porte-clefs. De la veste de Lyles, je sortis une fiole de pilules et un sachet de canabis. Épaisse. Sans brindille. Sans graines.

— La loi Rockefeller contre la possession de drogue, ça te dit quelque chose, Danny ? Tu sais qu'une dose comme celle-là, ça peut te gâcher la journée ?

Il ne se démonta pas. Vu sa situation actuelle, et en particulier l'état de son nez, sa journée était déjà fichue. Je poussai du pied un pouf dans sa direction. Le gars sifflait comme un asthmatique. Je pris place sur mon pouf en buvant lentement, avec plaisir, une bonne gorgée d'eau.

— Ahhhh… Très bien, je suis prêt.

40

Danny Lyles était l'ancien chauffeur de Marshall Fox. Ainsi que son ancien garde du corps. Pas immense, mais tout en muscle. Un poids plume. Il avait occupé le poste pendant un peu plus d'un an, une année qu'il m'avait décrit comme étant l'une des plus folles de sa vie.

En plus d'être le chauffeur et le protecteur de Fox, Lyles avait parfois été aussi son compagnon de beuverie et de soirées s'éternisant jusqu'au bout de la nuit. Il se décrivit lui-même comme un « gros fêtard » mais avoua qu'il n'arrivait pas à la cheville de Marshall dans ce domaine.

— Marshall était grave de chez grave côté bringue, mec. Tu peux pas t'imaginer.

Environ un mois avant l'assassinat de Cynthia Blair, Lyles avait assumé de nouvelles fonctions, bien que de façon totalement officieuse et dans le plus grand secret.

Il était devenu l'amant de Rosemary Fox. Il me raconta qu'il ne s'était pas bercé d'illusions le soir où Rosemary lui avait fait des avances.

Il ne connaissait que trop bien sa manière de fonctionner.

Après une séparation de huit mois, Fox avait recommencé à faire du rentre-dedans à sa femme. Il voulait que Rosemary le reprenne, qu'elle donne à leur mariage une seconde chance. Elle tenait Marshall dans le creux de sa main et elle le savait. Lyles me raconta qu'il avait reçu un coup de fil de Rosemary lui demandant de passer chez elle.

Ce qu'il avait fait. Elle l'avait fait asseoir sur le canapé du salon et lui avait demandé que Lyles lui raconte en détail toutes les escapades de son mari au cours des mois qui avaient suivi leur séparation. Lyles avait d'abord hésité, il avait sorti son joker et joué le jeu du fidèle valet.

Mais Rosemary l'avait facilement désarçonné en sortant ses meilleurs atouts. Elle savait toujours jouer de ses avantages.

— Juste derrière toi, mon pote. Là, sur le canapé. C'est clair qu'il n'y a pas plus pénible qu'elle… Mais je ne connais personne qui a de la marchandise comme elle, je te jure.

Lyles m'avoua être au courant, depuis le début, de la liaison entre Fox et Cynthia. Et il était pratiquement certain d'avoir été le seul à savoir.

— Je le conduisais partout et savais tout ce qu'il faisait. Je te jure, quand il a appris qu'elle était en cloque, il s'est bourré la gueule comme jamais. Il était trop en colère. Ça m'a foutu les boules pour lui. Même si je me tapais sa meuf, on continuait à faire la bringue ensemble. Bon, il ne savait rien, c'est sûr. Il y avait aussi une autre fille que je voyais en même temps. Tracy Jacobs. Tu vois certainement qui c'est, elle commence à être connue depuis qu'elle joue dans *Century City*. Elle joue la femme qui se tape le vieux, celle qui est complètement à côté de la plaque. Casting parfait, mec.

Cette fille ne sait même pas jouer, et puis on lui file un rôle en or dans une série comme ça ! Bref. Un soir, le lendemain où Marshall avait appris que Cynthia était en cloque et qu'elle comptait garder le môme, il est venu avec Tracy et moi. Mais il s'est franchement mal comporté. Il s'est bourré la gueule comme jamais et a gobé des amphètes. Il était dans un état terrible. Tout ça, c'est arrivé avant que Tracy soit prise dans la série : elle n'était pas connue à l'époque, elle était une rien du tout pour Marshall. C'était seulement une mauvaise actrice à l'eau de rose qui traînait avec Fox.

Lyles m'expliqua qu'à un certain moment, Marshall avait mis la pression sur Tracy. D'abord, il avait critiqué tout ce qu'elle disait, puis il avait commencé à la draguer.

— Il est comme ça, parfois. C'est sa tactique. D'abord, il sort son côté méchant, et puis après il fait du rentre-dedans. Tracy s'est sentie très mal, ça lui a foutu les jetons. J'ai dû retenir Marshall pour pas qu'il aille trop loin… Il a un côté comme ça, il peut faire peur. Tu ne voudrais pas connaître les détails ! À la fin, tout s'est calmé, plus ou moins ; mais, franchement, la soirée était plombée. Et puis, quand j'ai ramené Tracy devant chez elle, Marshall est soudain sorti de la voiture et il a recommencé à la faire chier. Mais bon, comme je te l'ai dit, tout ça c'était à cause de cette histoire avec Cynthia. Il avait besoin de passer ses nerfs sur quelqu'un, c'est tout. Bref, j'ai dû le ramener à la voiture. Tracy n'a plus jamais voulu me voir après ça. Bon, d'un côté, je la comprends. Le problème, c'est que j'ai aussi été viré à cause d'elle. C'est drôle, non ?

Je retournai dans la cuisine pour chercher de l'eau. Je tentai d'appeler Megan mais personne ne répondit.

Quand je revins dans le salon, Lyles tirait sur le câble de la lampe.

— Détache-moi, mec. J'ai la circulation coupée !

— Continue ton histoire. Si elle me plaît, on en rediscutera.

Il grommela mais poursuivit. Lyles me raconta que plusieurs jours après la découverte du corps de Cynthia au pied de l'obélisque de Cléopâtre, il avait reçu un appel de Tracy Jacobs. Elle était bouleversée et disait vouloir contacter la police pour raconter les violences que Marshall lui avait fait subir.

— Le truc, c'était qu'elle n'était même pas au courant que Marshall avait mis Cynthia en cloque. Tout ce qu'elle savait, c'est qu'il lui avait foutu les boules le soir où on était sortis tous ensemble. J'ai réussi à la convaincre de ne pas appeler les flics. J'ai menti et lui ai dit que Marshall avait un alibi pour le soir où Cynthia avait été tuée. Le hic, c'est qu'il n'en avait pas. Cynthia était bien passée chez lui le soir du meurtre, mais je n'allais certainement pas le dire à Tracy. Elle m'a quand même dit que c'était de son devoir de parler à la police et tout ça, alors je l'ai convaincue d'attendre un jour. Je ne savais pas quoi faire. Marshall est peut-être barjo, mais il n'a pas tué Cynthia.

— Comment tu peux en être aussi sûr ?

— Je le sais, c'est tout. Et avec toutes les merdes qu'il avait sur le dos, la dernière chose qu'il lui fallait, c'est que Tracy le dénonce aux poulets. Alors, j'ai appelé M. Ross.

— Alan Ross ?

— Ouais, le patron de Marshall, si on veut.

— Pourquoi lui ?

— C'est toujours vers Ross que Marshall se tourne quand il a un problème à régler. Ross connaît tout le monde, il en a dans le ciboulot. C'est le genre de type qui a toujours une solution. Je me suis dit que c'était une bonne idée.

— Et qu'est-ce que Ross a dit ?

— Qu'il allait tout régler. Exactement comme je pensais. Toujours cool, le gars. Il m'a demandé le numéro de Tracy et il m'a dit de ne pas m'en faire.

— Et ça s'est arrêté là ?

— Non, malheureusement, ça ne s'est pas arrêté là. Tout d'un coup, Marshall m'est tombé dessus, disant qu'il voulait me tuer. Il m'a dit que Tracy l'avait appelé, et aussi son avocat, menaçant de raconter à la police non seulement qu'il se tapait Cynthia mais qu'en plus il l'avait foutue en cloque. Je te jure, j'avais jamais rien dit là-dessus à personne ! Surtout pas à Tracy. Même pas qu'ils couchaient ensemble. Tracy l'avait pas appris par moi, c'est sûr. Mais Marshall était prêt à m'arracher la tête. Il m'a viré tout de suite et il m'a dit que s'il me revoyait un jour, il me tuerait ! Entre-temps, Tracy s'est cassée à Los Angeles et s'est retrouvée dans *Century City*. Complètement dingue, cette histoire. Le monde du show-biz, c'est vraiment la folie !

Je pris une minute pour analyser ces informations. Et encore une minute.

Un truc me turlupinait. Je sentais bien que le gars me disait la vérité, mais quelque chose ne tournait pas rond. La même chose que Danny Lyles avait trouvé bizarre.

— Tu es sûr de n'avoir jamais dit à Tracy Jacobs que Marshall Fox et Cynthia Blair couchaient ensemble ? Elle vous a peut-être entendu en parler, alors ?

— Non, je suis sûr que non. Marshall était complètement stressé sur ce sujet. Et les histoires de polichinelle dans le tiroir, ça le faisait flipper à mort. Je n'ai jamais vu quelqu'un d'aussi parano à l'idée de devenir papa. En plus, il faisait déjà tout pour que Rosemary accepte de se remettre avec lui. La dernière chose dont il avait envie, c'est que son histoire avec Cynthia se sache.

Je me levai, allai jusqu'aux portes vitrées donnant sur la terrasse et regardai la neige tomber. Un paquet de cigarettes était posé sur une table en fonte, à moitié recouvert de neige. Une minute ou deux plus tard, je retournai auprès de Lyles.

— Et Tracy Jacobs ? Elle est où, maintenant ? Á Los Angeles ?

Lyles se redressa et s'adossa un peu plus confortablement contre le mur.

— Ouais, c'est là qu'elle était. Sauf que je suis tombée sur elle pas plus tard que la semaine dernière. Elle était revenue à New York rendre visite à quelqu'un. Il n'y a pas de tournage de *Century City* en ce moment. On peut pas dire qu'elle avait une envie folle de me parler…

— Elle est toujours là ? Tu as une idée de l'endroit où elle crèche ? Comment je peux la joindre ? Tu as son numéro de portable ?

— Ouais, et puis quoi encore ? Un café et l'addition ? grommela-t-il. Tu veux parler à Tracy ? Bien sûr, je peux te dire où elle créchait. Je sais pas si elle y est encore, mais il va falloir me détacher d'abord, mec. Fini la rigolade. Fini les extras.

J'allai dans la cuisine chercher un grand couteau. Inutile de dire que Lyles n'avait pas l'air rassuré en me voyant revenir.

Un badge falsifié de capitaine de police… voilà le genre de choses qu'on évite de montrer si l'on peut faire autrement.

Je sortis donc ma carte de détective – moins impressionnante il est vrai – et la levai devant la porte ouverte autant que le permettait la chaînette.

— Bonjour. Je cherche Tracy Jacobs.

La jeune femme qui me dévisagea avait les yeux verts, les cheveux acajou et un minuscule brillant dans une narine.

— Tracy n'est pas là.

— Mais elle est encore à New York, dis-je.

Une affirmation, pas une question.

Les yeux verts se plissèrent. Ils étaient très jolis, en amande, les paupières lourdes qui faisait penser à quelqu'un de perpétuellement fatigué. Ou perpétuellement défoncé.

— J'ai pas dit ça.

— Si elle avait quitté New York, vous m'auriez dit « elle n'est plus là » ou « elle est repartie », quelque chose dans le genre. Mais vous avez dit « elle n'est pas là ».

Les yeux verts marquèrent une pause, le temps de me dévisager.

— Vous vous croyez malin, c'est ça ?

— Je suis plutôt malin, mais c'est à cause de mes années d'expérience dans ce genre de situation. C'est à la portée de tout le monde.

La jeune femme esquissa un sourire.

— Montrez-moi votre carte, encore une fois.

Je la tins près de mon visage.

— C'est bon. Il n'y a pas marqué que vous êtes un violeur en série ou autre chose dans le genre. Attendez.

La porte se referma et j'entendis la chaînette glisser. La porte se rouvrit, cette fois en grand. Une femme d'une petite trentaine d'années se tenait devant moi.

Elle était vêtue d'un justaucorps bleu marine et d'une chemise blanche masculine de style Oxford largement déboutonnée en haut, bien qu'aucun homme n'ait jamais porté une telle chemise de cette façon.

— Je me présente : Jane.

— Fritz Malone.

— Je sais. C'était marqué sur votre carte.

41

Jane s'installa sur le grand fauteuil en velours et dissimula ses pieds sous ses fesses. Je m'assis dans un fauteuil à bascule en bois. L'appartement était propre et joliment décoré.

Je remarquai plusieurs posters de productions théâtrales accrochés aux murs, ainsi qu'une grande photo de Jane coiffée d'une perruque exubérante, atterrissant dans une pantomime exagérée sur les genoux de Falstaff.

En toile de fond, on reconnaissait le célèbre parapet en pierre et le ciel bleu du crépuscule.

— Delacorte ? demandai-je en pointant un doigt sur l'agrandissement.

— L'an dernier. C'est Tim Robbins. Il a magnifiquement bien interprété Falstaff. Qui l'aurait cru, hein ?

— Désolé, je l'ai raté. En tout cas, si vous jouez Shakespeare dans le parc, c'est que ça va plutôt bien pour vous. Un million de serveuses vous envient !

— Hé bien, hé bien… Vous avez de l'humour, et un talent pour la scène, on ne vous l'a jamais dit ?

— Écoutez, Jane, il faut absolument que je parle à Tracy.

Elle me répondit par une moue théâtrale.

— Shakespeare n'est pas assez bien pour vous, c'est ça ? Tout le monde veut la star du petit écran. Pourquoi voulez-vous voir Tracy ? Elle a des soucis ?

— Je crois savoir que Tracy et vous étiez colocataires à l'époque où elle habitait encore New York.

— C'est juste, chef. Tracy et moi, on tirait le diable par la queue en rêvant d'une carrière dans le cinéma.

— Jouer Shakespeare dans le parc, on ne peut pas dire que ce soit tirer le diable par la queue.

— D'accord. *Elle* tirait le diable la queue. Vous voulez que je sois franche avec vous ?

— Allez-y.

Elle avait déjà préparé sa tirade.

— Pour Tracy, la seule façon de voir l'intérieur d'un théâtre digne de ce nom, c'était d'acheter un billet. Ce n'est pas méchant de ma part, c'est juste réaliste. Tracy et moi sommes restées colocataires de cet appart pendant deux ou trois années. Moi, j'ai rapporté à la maison une nomination pour les OBIE. Elle, elle s'est ramenée avec de l'herpès.

— Oh là, ça sent le règlement de compte à plein nez, ça.

— Désolée, je ne suis qu'une petite vieille de trente-deux ans, aigrie et fatiguée. Au moins une dizaine de directeurs de théâtre régionaux se porteraient garants de mon talent, mais devinez qui est devenue une star du petit écran ? Tracy est la gourde de service de cette série télé débile. Mais vous croyez qu'elle s'en rend compte ? Même pas. C'est la plus grosse blague du siècle. Tracy Jacobs, membre de *Argosy* ? Excusez-moi, mais franchement, on est en plein délire, là. C'est pire qu'Alice au pays des merveilles !

— C'est quoi, *Argosy* ?

— Une agence de talents qui n'emploie que la crème des crèmes.

— Et Tracy ne fait pas partie de la crème des crèmes ?

— En tant qu'actrice ? C'est de la crème allégée. Caillée.

— Vous êtes réellement aigrie.

— Je ne suis qu'une salope extrêmement jalouse. Il y en a plein la capitale des filles comme moi.

Jane me proposa une tasse de Lapsang Souchong, un thé qui sent le fumé. Je m'abstins.

— Il faut vraiment que je lui parle.

— Tracy est partie à Paris. Le tournage de la série télé fait relâche en ce moment. Elle est venue passer une semaine ici, et puis direction Paris. Elle n'y avait encore jamais mis les pieds. Vous savez quoi ? Écoutez bien… Elle m'a dit que le personnage qu'elle joue dans la série connaît Paris et elle s'est dit que ce serait une bonne idée si elle allait y faire un tour pour être plus convaincante.

Elle leva les yeux au plafond.

— Personnellement, je n'ai jamais été serveuse à l'époque d'Élizabeth d'Angleterre !

— C'est ce qu'on appelle le travail d'acteur, répondis-je.

— Ah, ne me lancez pas sur ce sujet.

— Quand est-ce que Tracy devrait rentrer de Paris ?

Jane consulta sa montre.

— Votre timing est impressionnant, je vous l'accorde. Si les conditions météos ne ralentissent pas le trafic aérien, elle devrait atterrir dans une heure environ.

— Que savez-vous sur ses relations avec Danny Lyles ? demandai-je.

Elle fit une grimace, très expressive.

— Vous le connaissez ?

— On s'est rencontré ce matin.

— Si vous voulez prendre une douche, ne vous gênez pas : je comprendrais tout à fait.

— Combien de temps Tracy et Lyles sont-ils sortis ensemble ?

Elle haussa les épaules.

— J'en sais trop rien. Pas plus de deux mois, à mon avis. Ils se sont rencontrés dans le quartier des stars. Tracy adorait se promener dans les lieux à la mode. Mais bon, si tout ce qu'elle est arrivée à trouver là-bas, c'est un gigolo tel que Danny Lyles, elle aurait mieux fait de rester sagement à la maison à crocheter des napperons. Je suis à peu près sûre d'une chose : Tracy a pensé qu'en mettant le grappin sur Danny Lyles, elle copinerait avec la clique de Marshall Fox.

— D'après Lyles, Tracy a effectivement rencontré Fox.

— Bien sûr qu'elle l'a rencontré. C'est pas difficile de rencontrer une star. Franchement, c'est lamentable. Tracy se disait qu'en couchant avec Danny Lyles, elle ferait avancer sa carrière, et le pire, c'est qu'elle a eu raison.

— Qu'est-ce que vous entendez par là ?

— *Argosy*. La série télé. Mademoiselle en voyage à Paris. Tout le tralala. Si elle n'avait pas rencontré Alan Ross, rien de tout ça ne lui serait arrivé. Si vous...

— Doucement, là. Une minute. Qu'est-ce que Alan Ross vient faire dans tout ça ? Lyles m'a raconté qu'il avait juste donné le numéro de Tracy à Ross...

— Ouais, il a bien fallu qu'il ait eu son numéro par quelqu'un. Ross a appelé Tracy et il lui a demandé de venir le voir à son bureau. Et tout d'un coup, qu'est-ce qui arrive ? Mademoiselle y retourne le lendemain pour passer une audition. Voilà ce qu'elle m'a dit, en tout cas. Quand je suis rentrée à l'appart', elle était installée sur le canapé, une bouteille de champagne débouchée, un rôle en or dans *Century City*, un billet d'avion pour Los Angeles et une promesse de Ross que sa femme l'inscrirait dans la base de donnée d'*Argosy*. Il y a des gens qui tueraient pour obtenir un rendez-vous avec Gloria Ross.

Jane se pencha tant en avant que je crus qu'elle allait tomber de son fauteuil.

— Il faut que vous compreniez une bonne chose : notre amie Tracy n'avait... même pas... d'agent !

Elle se balança en arrière, l'air absolument dégoûté.

— Je lui ai parlé franchement en lui demandant si elle avait couché avec Ross. Au début, elle a cru que je plaisantais, mais moi j'étais sérieuse. C'est la seule chose qui aurait logiquement pu expliquer ce revirement de situation. Tracy m'a juré que ce n'était pas ça. D'après elle, Ross avait dans ses tiroirs un rôle parfait pour elle. Qu'est-ce que j'en sais ? Ce type est peut-être un génie... En fait, c'est le rôle d'une femme qui se fait entretenir, et pas une lumière avec ça. Alors, c'est peut-être effectivement un rôle sur mesure pour elle. Quand même, il y a des tas de comédiennes qui auraient tué pour obtenir ce rôle. Enfin, des comédiennes de renom, je veux dire, pas une inconnue.

— Quelle est votre version ? Vous croyez que Tracy a couché avec Ross ?

— Cette histoire est trop bizarre. Un type comme lui n'a pas besoin d'une Tracy Jacobs ou, disons-le autrement, il n'a pas besoin de lui promettre la lune s'il veut la mettre dans son plumard. D'après ce que ma raconté Tracy, il l'a convoquée le lendemain dans les studios de la chaîne pour une audition qui, personnellement, m'a semblé être la plus minable qu'on ait jamais vu. C'est lui qui a filmé et fait la prise de son. Elle a lu un monologue, un texte cucul la praline comme on n'en fait plus, elle me l'a montré. Et dire qu'il y a des gens qui se font un paquet d'argent pour écrire ce genre de merde ! Je ne veux pas dire que *Century City* soit du David Mamet, mais quand même. Et sur cette base-*là*, on lui refile un rôle dans une série comme *celle-là* ?

Jane prit ses genoux entre ses bras et les serra.

— Mais bon, qu'est-ce qu'on s'en fout, hein ? Moi, j'ai toujours Tim Robbins, n'est-ce pas ?

Avant de partir, je demandai à Jane à quel aéroport Tracy était censée atterrir. Kennedy. Vol Air France. Sur le pas de la porte, elle m'informa qu'elle ferait une apparition dans une émission télé au mois de février à Chelsea.

— Je joue une lesbienne mormone qui tient un orphelinat à Kaboul. Il y a aussi pas mal de musique. Ça peut être super, comme ça peut être très nul. Si ça vous intéresse, je pourrais sans doute vous avoir des invitations.

Je lui répondis que je m'en souviendrai.

— Vous voulez rire, dit-elle d'un ton sans expression. Vous m'avez déjà rayée de votre mémoire. Ce n'est pas grave, ça m'a fait plaisir de papoter avec vous.

Dans la rue, je hélai un taxi. En remontant lentement la 6e avenue, j'appelai Margo.

— Je te lance un nom, lui dis-je quand elle décrocha. Tu me dis ce qui te vient en tête. Association libre.

— D'accord. Envoie.

— Tracy Jacobs.

— Tracy Jacob. Facile. Actrice. Série télé. Ressemble à une centaine d'autres actrices.

— Est-ce que j'ai déjà regardé la série dans laquelle elle joue ?

— *Century City* ? Tu l'as vue un jour chez moi et ton seul commentaire a été « la vie est trop courte ». Ce n'est pas aussi mauvais que ça quand on compare avec les autres séries du même style. Une bonne poire comme moi reste toujours devant. Mais Tracy Jacobs, c'est franchement le maillon faible. Elle est jolie, mais sans plus. Pourquoi tu me demandes ça ?

Je lui fis un rapide résumé de ce que m'avaient appris Jane et Danny Lyles sur l'ascension fulgurante de Tracy. Elle m'écouta sans m'interrompre. Sur la 23e rue, la camionnette de livraison de fleurs devant nous dérapa légèrement. Mon chauffeur braqua le volant vers la gauche, puis vers la droite et écrasa la pédale de frein. Nous glissâmes à côté de la camionnette placée légèrement en diagonale. Le chauffeur lança une insulte de son cru.

— Quelqu'un dans cette histoire ne dit pas la vérité, conclut Margo. Si Tracy Jacobs a effectivement appelé les flics et leur a parlé de Marshall Fox et de Cynthia Blair, elle ne pouvait qu'être au courant. Elle a peut-être entendu Fox raconter quelque chose à son chauffeur.

— Non, justement. Lyles m'a juré que c'était impossible. Il m'a dit qu'elle avait menacé d'appeler la police pour raconter les tendances violentes de Marshall. C'est à ce moment que Alan Ross l'aurait contactée et lui aurait proposé un rôle dans cette série. Toujours d'après Lyles, Tracy aurait appelé aussi bien Fox que

Riddick peu de temps après et leur aurait dit qu'elle savait que Cynthia Blair était enceinte et que si Fox ne se dénonçait pas à la police, elle s'en chargerait.

— Est-ce qu'elle essayait de leur soutirer de l'argent ? Elle a voulu leur extorquer du fric ?

— Lyles n'en savait rien. Mais sait-on jamais, il était déjà hors circuit à ce moment-là.

— Qu'est-ce que tu comptes faire, maintenant ? Prendre un taxi jusqu'à la 71ᵉ rue et ressasser tout ça avec ta chère et tendre pendant que la terre continue de tourner ?

— Je prends une option pour une prochaine fois. J'ai rendez-vous avec Alan Ross.

La femme au bureau de la sécurité décrocha son téléphone et fit glisser un badge dans ma direction.

— Signez ici. Votre nom, s'il vous plaît et… Oh, le voilà.

Elle pointa un doigt en direction des portes d'entrée.

— Vous voyez ce monsieur, là-bas ?

Au milieu des portes à tambour se dessinait une silhouette vêtue d'un long manteau gris et coiffée d'un chapeau.

— Merci.

Je tournai aussitôt des talons et me dirigeai vers les portes à tambour ; au même moment, un véhicule argenté se gara devant l'entrée. Le chauffeur sortit et Ross s'installa derrière le volant. J'étais au beau milieu des portes à tambour lorsque la voiture tourna le coin de la rue. Le taxi que j'avais pris pour venir était toujours le long du trottoir. Le chauffeur était occupé à griffonner quelque chose dans un carnet. J'ouvris grand la porte arrière et grimpai sur le siège.

— Vous voyez cette voiture argentée ? Suivez-la, de près.

Le chauffeur se retourna sur son siège.

— Ah, c'est vous.

— La voiture argentée.

— Vous plaisantez, n'est-ce pas ?

— Allez-y, je vous dis !

Ross suivit la 66ᵉ rue à travers le parc. Arrivé à Lexington, il se dirigea vers l'est en direction du fleuve. Je n'eus pas besoin de dire au chauffeur de se tenir à une distante prudente : qui, à New York, en voyant un taxi jaune collé à son pare-chocs, penserait être suivi ? Nous étions aussi anodins que la neige.

— On dirait qu'il va vers le tunnel, annonça mon chauffeur.

J'avais la même impression – le tunnel de Queens Midtown. Et je savais désormais exactement quelle était la destination de Ross. Avant d'entrer dans le tunnel, j'essayai d'appeler Megan. J'obtins sa messagerie automatique au moment où le signal faiblit.

— Le mauvais garçon de Rosemary s'appelle Danny Lyles, c'est l'ancien chauffeur de Fox. Ces gens sont tous assez intimes les uns avec les autres. Mais laisse tomber Lyles et concentre-toi sur Alan Ross. Il faut secouer tous les cocotiers qui portent le nom de Ross et regarder ce qui en tombe, ajoutai-je. Et réponds au téléphone de temps en temps, bordel !

L'entrée du tunnel se rapprocha. J'ai un problème avec les tunnels, surtout ceux qui passent sous l'eau. C'est sombre, c'est clos, et je n'aime pas ça. Je pris une profonde inspiration avant notre plongée dans son trou béant.

42

Ross se gara dans un parking de jour. Je fis arrêter le taxi devant l'entrée. Le parking n'était pas plein et je n'eus pas de mal à garder un œil sur ma cible. Je réglai la course et pris Ross en chasse, à une centaine de mètres de distance. Dès qu'il pénétra dans le terminal, je courus jusqu'à la porte qu'il avait empruntée et lui emboîtai le pas.

Il s'arrêta devant une rangée de moniteurs affichant les vols. Je me dirigeai aussitôt vers le guichet automatique d'embarquement électronique le plus proche et mimai la confirmation d'un enregistrement. Ross garda le regard fixé sur l'écran pendant un bon moment, puis se détacha brusquement et vira dans ma direction. Je me penchai un peu plus sur le guichet automatique. L'image d'une hôtesse de l'air dans son uniforme pimpant s'afficha. *Que puis-je faire pour vous ?*

Ross passa juste à côté de moi. Je comptai jusqu'à dix avant d'aller à mon tour jusqu'à la rangée de moniteurs. Vol Air France 8830 en provenance de Paris.

Comme la plupart des autres vols affichés, l'avion d'Air France était retardé. D'au moins quarante minutes. Porte C3.

Pendant que je consultai les moniteurs, plusieurs autres vols affichèrent un retard. De sourds grognements se firent entendre autour de moi.

Tracy voyageant sur un vol international, tous les passagers devraient passer par la douane qui, je le savais, se trouvait à l'étage au-dessous. Apparemment, Ross était aussi au courant.

J'empruntai l'escalier roulant et le vis s'arrêter près des barrières de sécurité derrière lesquelles les passagers émergeraient. Il enleva son manteau, le plia et le posa sur son bras. Il resta là plusieurs minutes, consulta sa montre, posa son manteau sur l'autre bras, puis se dirigea vers une rangée de sièges noirs où il finit par prendre place.

Il fallait que je prenne une décision. Mon instinct me disait de rester calme et d'attendre que les passagers d'Air France commencent à se déverser par les portes de la douane et de l'arrivée des bagages. J'étais très curieux d'être le témoin des retrouvailles entre Alan et Tracy.

On peut déduire beaucoup de choses par la façon dont deux personnes se saluent – que ce soit une poignée de main, une tape sur l'épaule ou une pelle roulée à pleine bouche. Ma curiosité était loin d'être désintéressée. À en croire la belle Jane, et qui voudrait douter de la belle Jane ? la rencontre des étoiles de Alan Ross et de Tracy Jacobs laissait supposer une trajectoire loin d'être naturelle…

Une inconnue dépourvue de talent se retrouve gratifiée d'un rôle sur mesure dans une série télévisée très connue, quelques jours seulement après avoir menacé de dénoncer à la police l'un des plus gros talents de la chaîne. De mon point de vue, un rôle en or à la télé plus une inscription dans l'agence de talents la plus prestigieuse du pays, ça ressemble fort à une invitation à se taire en échange d'avantages en nature.

J'avais moi-même fait l'expérience de la générosité de Ross et de ses billets verts. Avait-il pris des mesures radicales pour protéger son vilain garçon de Marshall et, pour cela, donné un rôle dans *Century City* à Tracy Jacobs ? Ou bien en savait-il plus qu'il ne voulait bien le dire à la police sur les meurtres de Cynthia Blair et de Nicole Rossman ?

Lorsque je l'avais rencontré à son bureau, Ross avait voulu que je déniche des informations pour lui à ce sujet. Il semblait pourtant qu'il avait déjà dans ses poches pas mal de renseignements…

J'envisageai brièvement d'utiliser une vieille tactique : attendre l'arrivée des passagers et envoyer Ross dans une autre partie du terminal afin de pouvoir accueillir seul Tracy Jacobs et lui faire cracher quelques réponses. Mais je me souvins très vite d'un détail important : je ne savais même pas à quoi elle ressemblait ! Voilà ce que c'est de ne pas regarder souvent la télévision…

Mon téléphone sonna. Megan. Je me cachai derrière une rangée de livres d'où je pouvais garder un œil sur Ross.

— Je commençais à penser que tu avais pris le reste de ta journée !

— J'ai réglé certains trucs laissés en plan. L'interrogation de Spicer a été un flop total. Les gradés nous ont passé un sacré savon. Tu es où ?

— Aéroport Kennedy. Alan Ross y attend Tracy Jacobs.

— J'ai eu ton message. C'est quoi, cette histoire avec Ross ?

— C'est ce que j'essaie de comprendre. Tu sais qui c'est, Tracy Jacobs, n'est-ce pas ?

— L'actrice ? Qu'est-ce qu'elle vient faire là-dedans ?

— C'est elle qui a appelé Fox et Riddick, et qui a mis la pression sur Fox pour qu'il avoue sa liaison avec Cynthia. Tracy couchait avec le chauffeur de Fox. Sauf qu'il jure que l'info sur Cynthia n'est pas venue de lui… Et moi, je le crois.

— Pourquoi est-ce que Ross attend Tracy à l'aéroport ?

— Aucune idée. Tu veux que j'aille le lui demander ?

— Non, ça ira. Elle arrive d'où ?

— Paris. Elle comble ses lacunes culturelles.

— Et toi, tu en penses quoi de tout ça ?

— J'en sais rien. Tout ce que je sais, c'est que Ross m'a fait venir dans son bureau il y a deux jours et m'a donné une enveloppe bourrée de billets. Il voulait soi-disant que je mène une enquête parallèle sur les assassinats de Burrell et de Riddick… En vérité, il voulait surtout que je lui raconte comment vous vous en sortiez.

— Qui ça, vous ?

— Les flics. La police. Il voulait avoir des comptes rendus sur l'évolution de la situation.

La ligne resta silencieuse pendant quelques secondes.

— Écoute, dès qu'elle arrive, je veux que tu les suives de près. Appelle-moi dès qu'ils se mettent en route vers le centre-ville.

— Et si jamais ils ne vont pas en centre-ville ? Il y a tout un tas de motels discrets sur le chemin.

— Tu crois qu'ils couchent ensemble ?

— Quelqu'un m'a laissé entendre que c'était probable. Pour le moment, tout ce que je sais, c'est que Ross semble avoir installé Mlle Jacobs plutôt confortablement. C'est lui qui lui a filé le rôle dans *Century City*. Je pense que ce serait une bonne idée de savoir pourquoi.

— Ben mince alors… Bon, où qu'ils aillent, ne les lâche pas d'une semelle et tiens-moi au courant.

Je raccrochai. Ross était toujours assis sur sa chaise en plastique. Je vérifiai l'heure à ma montre, j'avais plein de temps devant moi. J'attendis quelques minutes dans la file avant d'avoir un taxi.

Lorsque je dis au chauffeur que je voulais seulement qu'il me conduise jusqu'au parking de location de voitures, il voulut me virer. Je sortis assez de billets de mon portefeuille pour le convaincre de m'y amener.

Au guichet de location de véhicules, la file était plus longue que prévu. Et avant que j'obtienne une voiture, l'avion de Tracy Jacobs – sauf changements imprévus – avait dû atterrir. Je repérai la voiture de Ross et garai la mienne à proximité. L'attente fut courte, quinze minutes à peine.

Ross arriva, traînant une valise à roulettes. À ses côtés marchait une jeune femme dont les vêtements n'étaient pas vraiment appropriés pour une tempête de neige. Elle tenait un magazine au-dessus de sa tête. Ils arrivèrent à la voiture et il lui ouvrit la portière côté passager. Elle s'engouffra à l'intérieur. Ross ouvrit le coffre et y glissa la valise.

Avant de refermer, il enleva son manteau, puis plongea la tête dans le coffre et en sortit quelque chose que je ne distinguai pas, et qu'il glissa dans les plis de son manteau. Il marqua une pause et regarda autour de lui. Son regard balaya l'endroit où j'étais garé, mais j'étais trop loin pour apprécier avec précision l'expression de son visage.

Il monta dans la voiture, démarra et fit marche arrière. Cette manœuvre rapprocha sa voiture de la mienne. Le coffre s'ouvrit lentement et les feux arrière s'allumèrent. Ross sortit, alla refermer le coffre, et s'assura cette fois qu'il était bien fermé. Il regarda de nouveau tout autour de lui.

Une chose était sûre : j'étais content de tenir ce coco à l'œil.

43

Les conditions météorologiques se dégradèrent toujours plus à mesure que la voiture progressait vers l'est. Aux abords de Melville, on se serait cru en pleine expédition polaire. Des semi-remorques, ainsi que des dizaines de voitures particulières et de 4x4, étaient parqués sur les bas-côtés.

Il n'était pas rare d'apercevoir une voiture bloquée en plein milieu de la voie centrale après avoir dérapé dans la neige, ses feux de détresse clignotant d'un orange anémique.

Au milieu du brouillard blanc tourbillonnant on devinait parfois des chasse-neige. Du sel fouettait la carlingue de la voiture de Ross.

Il transpirait comme un homme en plein désert et un mal de tête lui serrait le crâne comme un étau à force de plisser les yeux face au mur blanc placé devant lui. Ce qu'il voulait, c'était du silence. Et du temps pour réfléchir.

Mais c'était sans compter avec l'actrice surexcitée assise à côté de lui. On aurait cru que la jeune femme avait inventé Paris tant elle était intarissable à ce sujet. Ross n'aurait su dire combien de fois il s'était rendu dans la ville lumière… des dizaines ? Avant qu'ils arrivent à destination, Tracy réussirait sans doute à l'en dégoûter pour toujours.

Ross conduisait avec une lenteur épuisante. Il ne voulait pas courir le risque d'être arrêté par la police ou de perdre le contrôle comme les cinq ou six voitures qu'il avait déjà dépassées en travers de la route.

Au milieu de cette tempête de neige, la voiture était presque invisible. C'est une bonne chose, pensa-t-il. D'une certaine façon, on ne pouvait pas espérer mieux.

Non seulement ici, sur cette satanée voie rapide de Long Island, mais également une fois arrivés à destination. L'invisibilité serait un atout précieux. Ross sourit à cette pensée.

Cela répondait à son sens de la perfection. Tout ce qu'il voulait désormais, son seul but, c'était de faire disparaître ses problèmes et son mal de tête. Il se sentait comme un ours polaire dans une tempête de neige, présent sans être là ; visible et invisible dans le même temps.

Il jeta un regard vers Tracy Jacobs en train de lui raconter tout un tas de choses qu'il n'avait pas envie d'entendre sur le Musée d'Orsay. Mais en voyant qu'il la regardait, elle s'arrêta net. Les surprises ne cessaient donc jamais ?

— Tu as l'air heureux, tout d'un coup. Qu'est-ce qui te fait sourire comme ça ? demanda-t-elle.

— J'adore t'écouter raconter tes aventures, répondit Ross d'un ton suave. C'est beau de voir une jeune femme s'émerveiller comme tu le fais. C'est tellement beau que tu ne sois pas blasée.

Un large sourire s'épanouit sur le visage de Tracy.

— Tu sais ce que j'ai pensé en voyant La Joconde ? La vraie Joconde ?

— Non. Dis-moi.

— Je me suis dit – pour de bon – je me suis dit, tout ça, c'est grâce à Alan Ross…

Ross hésita.

— Tu veux dire *Leonard de Vinci* ?

Tracy s'esclaffa. Seigneur, ce rire horrible. Les professeurs de chants et de maîtrise de la voix travaillant sur *Century City* n'avaient pas réussi à faire des miracles.

— Alan, tu sais très bien ce que je veux dire. Pas seulement Paris. Tout le reste, aussi. Je te dois ma vie.

Alan Ross concentra de nouveau son attention sur la route glissante. *Oui, ma chère, en effet*, pensa-t-il. *Tu ne crois pas si bien dire.*

44

Megan était en train de gratter la neige sur son pare-brise lorsqu'elle reçut l'appel de Fritz.

— Ils se dirigent vers Long Island. Robin m'avait dit que Ross et sa femme ont une maison à Hamptons. Je dirais que c'est là qu'ils vont.

— À Hamptons ? Par ce temps ?

Megan leva les yeux et aperçut Brian McKinney sortir du poste de police. Elle lui tourna le dos. L'interrogatoire de Bruce Spicer avait été un vrai fiasco. Spicer n'avait pas traité Megan de « salope » une fois, mais des dizaines.

Brian McKinney et quelques autres avaient trouvé tout ce cirque terriblement amusant et s'étaient agglutinés contre la glace sans tain afin de profiter du spectacle et d'entendre Megan se faire bombarder de toutes sortes de noms d'oiseaux.

L'interrogatoire n'avait mené nulle part. Megan savait qu'elle aurait pu le cuisiner mieux que ça, mais sa tête était ailleurs.

Malone lui posa une question, mais la connexion n'était pas bonne.

— Répète, Fritz. J'ai pas entendu.

— … trouve l'adresse… Hamptons. Comme ça…
le suivre.

— Quoi ?

— L'adresse de Ross.

— Tu veux que je te trouve l'adresse de Ross ? À
Hamptons ? La réponse de Fritz fut inintelligible.
Qu'est-ce que tu crois qu'il va faire là-bas ?

Il y eut de nouveau de la friture sur la ligne. Megan
répéta sa question. La voix de Malone résonna
soudain. Puissante.

— … RIEN DE BON !

Megan ouvrit la porte côté conducteur d'un coup
sec, jeta le racloir sur le siège passager et se glissa
derrière le volant. Dans le rétroviseur, elle aperçut
McKinney monter dans sa voiture.

— J'arrive, beugla-t-elle dans le téléphone. Je te
rappelle dès que j'ai l'adresse. Ne le perds pas de vue,
coince ce salopard. Suis-le jusqu'à Montauk s'il le
faut. J'arrive.

— La circulation est catastrophique. Pas nécessaire
que tu…

Elle jeta son téléphone sur le siège, tourna la clef de
contact et fit hurler le moteur. McKinney s'était arrêté
à sa hauteur. Il lui fit signe de descendre sa vitre. Elle
appuya sur l'accélérateur, braqua le volant, et sortit en
trombe de sa place contre le trottoir.

Trop de questions. Ross en avait marre d'aligner
les bobards les uns derrière les autres. À l'aéroport,
il avait raconté à Tracy qu'il l'emmenait à une soirée
d'anniversaire surprise organisée pour Gloria dans
leur maison de Hamptons. N'importe qui d'autre
que Tracy aurait posé la question qui s'impose (« Par
ce temps ? »), mais en dressant une liste fictive des

soi-disant invités, Ross avait enflammé la curiosité de Tracy. Elle avait pratiquement passé les quarante premières minutes du trajet à s'extasier d'avance sur la nouba.

C'est seulement lorsqu'ils arrivèrent au niveau de la sortie de Central Islip que Tracy demanda pourquoi la fête n'avait pas lieu dans la résidence principale des Ross à Westchester. Et, d'ailleurs, l'anniversaire de Gloria n'était-il pas au mois de mars ?

Où passait le syndrome du décalage horaire quand on en avait besoin ? Ross n'avait qu'une envie, qu'elle la ferme.

Ses tempes battaient ; il s'imagina en train d'attraper le cou de la bavarde avec sa main droite – tout en conduisant prudemment de la main gauche – et de lui enfoncer le pouce dans la trachée, aussi fort qu'il le pouvait. Trop, c'était trop, vraiment trop !

Il jeta un regard vers Tracy, assise bien droite dans ce truc sexy qu'elle s'était acheté sur les Champs-Élysées. D'accord, concéda Ross, une petite gloire et beaucoup d'argent n'avaient pas fait le moindre mal à la petite.

Comparé à l'étrange jeune femme à la voix stridente qui s'était assise dans son bureau au printemps dernier, celle qui n'avait pas arrêté de déblatérer sur la violence et la dangerosité de Marshall Fox, la Tracy assise à côté de lui était quand même largement mieux.

La nouvelle coupe de cheveux, le nez refait, les sourcils redessinés... Son visage n'avait pas un grand éventail d'expressions – surtout pour une soi-disant actrice – mais il était radieux, frais, gourmand. Bien sûr, Ross aurait pu envisager de coucher avec elle s'il en avait eu envie, mais ce n'était pas le cas.

Ce serait pourtant facile… Arrêter la voiture sur le bas-côté. Lui sortir un petit baratin. Lui rappeler qui l'avait amenée à ce qu'elle était aujourd'hui et qui avait le pouvoir de tout lui retirer. Facile. Ross était à quatre-vingt-dix pour cent fidèle à sa femme. Diable, dans leur business, il était respecté et considéré comme un gars bien.

Et depuis le fiasco avec Cynthia, il n'était plus sorti du droit chemin. Pas une seule fois.

Ce n'était pas prévu. Peut-être plus tard, il y penserait. Qui sait ? Peut-être que, bizarrement, cela rendrait ses projets plus faciles.

Elle était déjà entrée dans sa vie plus intimement qu'elle n'aurait dû. Je lui ai déjà donné ça, pensa Ross. Peut-être encore un dernier moment étourdissant avant que tout prenne fin.

Il y réfléchirait.

Tracy fit glisser les paumes de ses mains sur ses cuisses, sur le plat de sa jupe.

— Est-ce que je pourrais te parler de la série ?

— La série ?

— Ben, de mon personnage, en fait.

— Tu sais, Tracy, ce n'est vraiment pas facile de se concentrer sur la route. Si ça ne te dérange pas, je préférerais qu'on attende d'arriver à la maison.

— Pas de problème. Ça peut attendre. Il s'agit seulement d'approfondir un peu Jennifer. Je trouve qu'elle n'atteint pas tout son potentiel.

Ross la gratifia d'un sourire paternel.

— Mais ça peut attendre.

— Bien sûr. Ça peut attendre.

Ross fixa son regard sur la neige tourbillonnante. Il pensa à Gloria. Elle était à Los Angeles. Heureusement, elle n'arriverait pas à le joindre puisque son portable était éteint. La messagerie recueillerait des tonnes de messages. Ross passait la moitié de sa journée au téléphone.

Si les choses ne se passaient pas comme prévu, ce serait un gros problème. Il faudrait qu'il disparaisse pendant quelque temps. S'il devait en arriver là, il trouverait une solution. Il était devenu bon à ce petit jeu-là. L'organisation. Il savait très bien manipuler les gens, les bouger comme les pièces sur un jeu d'échec.

C'était tout un art. Ross était doué pour ça. Il avait uniquement confié son sentiment à Gloria : il était convaincu que c'était un art et il se considérait en quelque sorte comme un artiste.

Comme Picasso. Beethoven.

Il sourit intérieurement et laissa courir ses doigts sur la rangée de disques compacts entre les deux sièges avant ; il choisit la septième de Beethoven et glissa le CD dans le lecteur. La musique envahit les haut-parleurs comme une fumée asphyxiante.

— C'est joli, s'exclama Tracy. C'est quoi ?

— C'est Richard Strauss.

— Ah ouais ? C'est joli.

Ross lança un regard furtif sur les jambes de la jeune femme. Une fois arrivés à destination, si l'envie lui prenait, il pourrait les ficeler comme un bretzel. Qui pourrait l'en empêcher ? Elle ?

— Oh, Alan ! Je suis tellement contente que tu sois venu me chercher à l'aéroport. J'espère qu'on arrivera bientôt. C'est trop bien. Pour de bon. Et je t'aime tellement, c'est vrai.

Ross se pencha vers elle et lui tapota la cuisse.

— Moi aussi, je t'aime, mon chou. Tu es unique.

Il laissa sa main posée sur sa cuisse pendant quelques secondes. Le souvenir des cuisses fermes de Cynthia lui revint en mémoire, pendant l'instant furtif où il les avait caressées, tout en ravalant ses larmes. Tout était de sa faute à elle. Ce dédale infernal, stupide, sans fin, tout était la faute de cette douce et exaspérante jeune femme morte.

Tracy sourit et il lui pressa un peu plus fort la cuisse. Bon sang, que c'était agréable. Cette petite était vraiment un spécimen, on ne pouvait pas lui enlever ça.

Il fallait vraiment qu'il réfléchisse bien à la façon dont tout ça devait se terminer.

45

Une centaine de milliers de dollars avaient été dépensés rien que pour la salle de bains principale. Toutes les installations sanitaires étaient de la ligne Bagni. Huit mille dollars rien que pour le pommeau de douche. Vingt-deux centimètres de diamètre. En chrome. Gloria avait montré à Rosemary les nombreux jets différents. Mais c'était les buses en chrome, sur les murs opposés de la douche, avait-elle expliqué, qui faisaient réellement toute la différence. Des jets d'eau massant des épaules jusqu'aux genoux ou, si on préférait, une brumisation énergique. Il suffisait de régler la puissance. Le marbre était italien, crème veiné de rose. En haut, une sorte de conduit de cheminée s'élevait sur environ six mètres jusqu'à une fenêtre à tabatière dont l'ouverture s'effectuait par une télécommande installée à droite de la douche.

Le trajet pour sortir de Long Island s'était déroulé dans un flou total. Trois fois merci au Démérol qu'on lui avait administré à l'hôpital. Rosemary avait demandé au chauffeur de s'arrêter à Paragon Sports et d'aller lui acheter plusieurs pantalons de joggings – des légers, ainsi que des plus épais –, quelques sweats, des t-shirts et plusieurs paires de chaussettes en laine bien chaudes. Si nécessaire, Gloria avait tout un tas d'autres vêtements dans ses penderies et ses commodes. Rosemary avait vu une robe en flanelle qui lui avait bien plu et qui ferait très bien l'affaire.

Rosemary régla la température et entra dans la douche. Son corps résonnait encore des brutalités de Lyles. Mais qu'est-ce qu'il lui avait donc pris, à celui-là ? Elle ne comprenait pas.

S'était-il vexé qu'elle lui dise de prendre ses affaires sous le bras et de ficher le camp ? Qu'est-ce qui ne tournait pas rond chez les hommes ? Cette lesbienne, cette femme inspecteur, avait peut-être après tout raison. Peut-être faudrait-il n'avoir à faire qu'avec le sexe dit faible, mais intelligent. Rosemary tourna un peu plus le robinet et rajouta de la pression.

Ah, Seigneur… comme c'était agréable. Elle n'avait pas encore branché les deux buses en chrome.

D'accord, les hommes étaient utiles. Ne soyons pas bêtes. Ils peuvent être funs. Il suffisait de mettre la main sur le bon et cela pouvait même devenir plus que fun. Bon sang, pensa-t-elle en levant prudemment la tête sous les jets d'eau à huit mille dollars pour regarder tomber les flocons de neige de l'autre côté du lointain vasistas. Je suis prête à sortir de l'écurie. *Qu'est-ce que j'ai fait de ma vie, de toute façon ?* L'année qui venait de s'écouler lui semblait aussi floue que les trois dernières heures.

Elle se sentait encore dans le brouillard, mais avait l'impression qu'elle en sortirait bientôt.

Rosemary devait faire attention à son cou. Pas de mouvement brusque. Il faudrait plusieurs jours avant que les hématomes sur son visage disparaissent. De toute façon, elle n'avait pas prévu de voir qui que ce soit, elle était en plein temps mort. Rosemary. Une immense maison vide. Un océan. Il pouvait bien neiger cinq mètres, dix mètres, peu importe. L'âge de glace pouvait bien revenir. Elle n'en avait que faire.

En baissant les yeux, elle remarqua un bleu sur sa cuisse droite. Le salopard, pensa-t-elle. Elle saisit le pain ovale de savon translucide et commença à frotter l'hématome, comme pour le gommer avec de la mousse. Elle frotta dans le sens des aiguilles d'une montre, ensuite dans le sens inverse, puis de nouveau dans les deux directions. Enfin, elle laissa tomber le savon à ses pieds. Il faut absolument que je dorme, pensa-t-elle.

Ou peut-être avait-elle dit cela tout haut, elle n'en était pas sûre. Les jets d'eau commençaient à la brûler. Elle avait l'impression que sa peau était en feu.

— Allez… un coup de gros jet et au lit.

Rosemary tourna le robinet des buses en chrome et l'eau gicla avec une force inattendue. Trop fort. Et bien trop chaud. Brûlant. Rosemary pivota brusquement pour s'échapper. Et se tordit le cou. La douleur se propagea dans tout son corps. Un cri fusa. Il résonna jusque dans les étages supérieurs de la maison vide et dans les escaliers. Il s'éleva jusqu'à la fenêtre à tabatière au-dessus de sa tête et dehors, dans le monde blanc et silencieux où le son se perdit.

Un bruit lointain. Bref. Presque inaudible.

Et puis plus rien.

46

Après être sortie du tunnel traversant le centre-ville, Megan appela Ryan Pope et lui expliqua ce qu'il devait faire pour elle. Et lorsqu'il demanda pourquoi, elle répondit tout simplement de *lui rendre ce foutu service sans poser de questions !*

— Ça a quelque chose à voir avec Fox, n'est-ce pas ?

Megan soupira.

— Ryan, tout ce que je fais ces derniers temps a quelque chose à voir avec Fox. Même mon petit-déjeuner. Alors, trouve-moi cette adresse et file-la-moi, c'est tout ce que je te demande.

Megan raccrocha, dépassa une Mini Cooper d'une lenteur affolante et se prépara à un trajet stressant. Pope rappela quinze minutes plus tard.

— Ça se trouve à East Hampton.

Il lui donna l'adresse complète. Il voulut lui poser une question, mais Megan interrompit immédiatement la communication pour appeler Malone.

— Je l'ai. East Hampton. Dix-sept Skyler Drive.

Malone la remercia.

— Je vais enfin pouvoir le doubler. Ross conduit plus mal qu'une vieille mémé.

— Qu'est-ce que tu vas faire ?

— Filer sur les lieux. Je veux être sur place à l'arrivée de Ross et de sa starlette. Je laisserai la voiture à quelques pâtés de maisons de là.

— Ne tente rien avant que j'arrive.

— Je ne compte pas faire quoi que ce soit. On ne sait même pas ce qui se trame. Je veux juste être sur place et garder un œil ouvert.

Megan posa son gyrophare sur le tableau de bord. Elle ne tenait pas à attirer l'attention de la police sur l'autoroute, mais quelques coups de gyro de temps en temps lui seraient certainement utiles pour dégager la voie à certains endroits.

C'était la fin. Oui, la fin. Elle en était certaine. Elle tendit les doigts et les écarta le plus possible, puis laissa retomber une main sur le siège. Un vieux réflexe. Un signal en direction d'Helen.

— Ta main, murmura-t-elle.

Elle se figea une seconde puis serra le poing aussi fort que possible.

Oui, c'était la fin.

47

La Chevrolet Suburban noire roulait trop vite. Je jurai entre mes dents en la dépassant. Parce qu'ils sont assis plus haut que les autres, les gens pensent qu'ils naviguent dans je ne sais quelle bulle protectrice. La Suburban se déporta brusquement sur ma voie et me força à piler. Ma voiture de location dérapa. Je réussis à la maîtriser et à la remettre dans l'axe.

— Connard !

Un semi-remorque roulait devant la Suburban et maintenait une vitesse raisonnable. La Chevrolet tenta de le dépasser, mais le semi-remorque était trop près et la voiture dérapa et rebondit contre les roues arrières du camion.

— Merde !

J'appuyai plusieurs fois sur les freins pour éviter de déraper. La cabine du camion fit un crochet vers la gauche, en plein sur la trajectoire de la Suburban. La remorque continua sa course tout droit, en oscillant d'un côté et de l'autre plusieurs fois, avant de se coucher lentement sur son flanc. À l'instant où elle heurta le bitume, un nuage de neige s'éleva. Au même moment, la Suburban dérapa en pivotant de près de

180 degrés. Le semi-remorque rebondit de nouveau sur la voie avant d'atterrir en plein sur la voiture.

Elle glissa sous le camion qui sembla se plier et s'enrouler tout autour d'elle. Des étincelles fusèrent des deux véhicules alors que le métal raclait le sol. La scène aurait été presque belle à regarder si elle n'avait été si terrible.

Je réussis à m'arrêter à une quinzaine de mètres après le drame. Dans le rétroviseur, je vis la Volkswagen qui circulait derrière moi zigzaguer pour éviter l'arrière de ma voiture.

J'aperçus également les appels de phares du véhicule qui la suivait. Des coups de klaxons retentirent et les appels de phares redoublèrent. Une voiture glissa sur le bas-côté. *Crac. Vlan. Boum.* Je retins mon souffle, les mains crispées sur le volant. Personne ne me rentra dedans. Je tournai la tête et jetai un regard en arrière.

Des voitures dans tous les sens... on aurait dit un parking de matelots ivres.

48

Ross vit surgir devant lui le flamboiement des lumières rouges et jaunes qui embrasaient l'air. Il appuya calmement sur la pédale de frein.

— Qu'est-ce qui se passe ? demanda Tracy le cou tendu vers l'avant, comme si quelques centimètres de plus permettaient d'avoir une meilleure vue.

— Un accident.

Ross passa sur la voie de droite tout en continuant de ralentir. Devant lui se trouvaient une bonne dizaine de véhicules, peut-être plus. Tous à l'arrêt. Un semi-remorque était couché sur le côté, en travers de la voie qu'il bloquait, au milieu d'un tourbillon de neige. On aurait dit une baleine échouée sur le sable. Un véhicule en partie disloqué était coincé sous la remorque. Un baleineau. Ross jeta un regard dans son rétroviseur. La circulation se rapprochait lentement à l'arrière, dans une minute, il serait coincé.

— Accroche-toi, ordonna-t-il en enclenchant la marche arrière et en passant un bras derrière le siège passager pour regarder derrière lui.

Tracy prit peur.

— Qu'est-ce que tu fais ? Tu ne vas pas faire marche arrière, ici, quand même ?

Non, je suis en train de danser le Charleston.

Ça suffit, pensa Ross en manœuvrant en partie sur la bande d'arrêt d'urgence en passant à quelques centimètres d'une camionnette, je ne veux plus rien avoir à faire avec cette cruche. Elle ne m'a causé que des ennuis depuis qu'elle a croisé mon chemin.

Ses yeux se figèrent sur le siège arrière, où il avait posé son manteau. Un bout du pied-de-biche qu'il avait sorti sur le parking de l'aéroport dépassait. Il rabattit un pan de tissu sur le métal. Le véhicule fit une dangereuse embardée mais Ross redressa le volant à temps pour éviter le fossé.

— Est-ce que tu vas prendre une autre route ? demanda Tracy.

— Tout à fait, répondit Ross d'une voix calme. La sortie se trouve environ à huit cents mètres derrière nous. La circulation risque d'être lente, mais si on reste ici on va moisir sur place.

Il jeta un regard rapide vers la jeune femme. Elle était assise bien droite, les yeux grands ouverts, secouant la tête dans tous les sens et regardant dans toutes les directions à la fois. Pauvre petite idiote, elle ne le savait pas encore, mais elle allait de toute façon moisir sur place.

49

Le ciel était gris et noircissait chaque minute un peu plus lorsque Ross s'engagea finalement dans l'allée menant à la villa. Il eut un instant de panique, craignant que la voiture reste coincée dans la neige non déblayée.

Cela aurait été une catastrophe si quelqu'un l'avait remarqué en passant.

Il y avait eu un autre accident, cette fois sur la route 27A. Pas aussi grave que celui sur la voie rapide de Long Island, il n'avait concerné que trois voitures mais avait tout de même bloqué la circulation pendant près de quarante minutes. Ross n'en avait pas apprécié une seule seconde.

Il appuya sur la télécommande et la porte automatique du garage s'ouvrit dans un grondement. Ross gara la voiture près de sa précieuse Cadillac crème 1968. Il éteint le moteur et posa les mains sur ses cuisses.

Le calme, enfin.

Tracy bascula la tête en arrière, sur l'appui-tête.

— Bon sang, on dirait qu'on a conduit pendant des jours et des jours. Tu t'es débrouillé comme un chef.

Ross resta silencieux, immobile. Le regard perdu

devant le pare-brise sombre. Des images lui traversèrent l'esprit.

Cynthia Blair sortant du bâtiment de Marshall Fox.

La jeune Rossman, si naïve, si crédule, montant dans sa voiture.

L'immense arbre de Noël de cette pauvre quaker.

— Alan ?

Tracy se tourna pour regarder par la vitre arrière de la voiture. Le jour s'assombrissait.

— Heu… où sont les autres ? Quand la fête doit-elle commencer ?

Maintenant.

Ross posa son épaule contre la portière côté conducteur.

— Ils vont arriver. Il faut qu'on prépare tout. Le traiteur devrait être là d'un instant à l'autre. Viens, je veux te montrer quelque chose, c'est la grande surprise.

Il sortit de la voiture, ouvrit la portière arrière et prit son manteau ainsi que le pied-de-biche caché dans les plis.

La jeune femme sortit à son tour de la voiture. Ross enfila son manteau, fourra sa main gauche dans la poche et glissa le pied-de-biche à l'intérieur des pans, sous son bras.

Tracy le rejoint, frissonnant dans son blazer chic et trop léger.

— C'est quoi, la surprise ?

— Elle se trouve dans le hangar à bateaux.

Tracy serra ses bras contre son torse et mima un tressaillement de froid.

— On pourrait d'abord entrer et me trouver un sweat ou quelque chose dans le genre…

Ross passa un bras autour des épaules de la jeune

femme et la serra contre lui. Elle répondit par un gloussement.

— Allez, tu es solide comme fille, s'exclama Ross. Je te tiendrai chaud. Viens, ce ne sera pas long.

Ils quittèrent le garage et Ross actionna la fermeture automatique de la porte. Ils contournèrent l'imposante villa.

Avec la neige et la maigre lumière de la fin du jour, l'eau n'était presque plus visible. Le hangar à bateaux, repeint l'été précédent, était l'unique élément de couleur. Ils traversèrent l'immense jardin.

— Alan, mes chaussures sont complètement trempées… Si ça continue, elles seront bonnes à jeter. Rentrons ! Je suis certaine que Gloria a une paire de bottes ou autre chose que je pourrai utiliser…

Sa requête n'était pas incongrue. Un rapide détour par la maison et hop, de nouveau dehors. Mais Ross était fatigué. Maintenant qu'il n'était plus assis derrière le volant, il sentait tout le poids de la fatigue peser sur ses épaules et n'avait qu'une envie : dormir. Dormir du sommeil du juste.

Il ne s'agissait peut-être que d'un détour de cinq minutes, mais trop, c'était trop. Il rit à l'idée qu'il avait même envisagé de pouvoir prendre un peu de bon temps avec cette fille avant de terminer son affaire.

— Alan ? fit Tracy en baissant l'épaule et en tentant de dégager son bras.

Ross fut plus rapide et il resserra son emprise.

— Alan ! Lâche-moi ! Arrête !

Elle essaya de nouveau, le repoussant d'une main sur le torse. Elle réussit à se dégager mais il la rattrapa par le bras avant qu'elle ait le temps de s'enfuir.

— Qu'est-ce que tu fais ? Lâche-moi ! Alan ! Ce n'est vraiment pas drôle !

Vu de loin, on aurait pu croire qu'ils dansaient. Astaire et Rogers. L'homme, vêtu du long manteau, se penchait légèrement en avant pour soutenir le poids de la femme au bout de son bras, telles des ailes en train de se déployer.

Mais il n'y eut rien de gracieux dans l'apparition soudaine de la barre en métal noir ou dans la façon dont elle s'abattit sur la tête de la jeune femme. Encore et encore…

Non, vraiment rien de gracieux.

50

M egan ne réussit pas à se connecter au réseau. La dernière fois qu'elle avait parlé à Malone, il était coincé dans un embouteillage, à cause d'un accident. Megan avait emprunté la route 27A pour éviter le chaos. Mais, là aussi, elle avait vu plusieurs dépanneuses des deux côtés de la route, en train de remorquer des voitures.

Elle s'arrêta à l'entrée de l'allée, devant la villa des Ross. Des traces de pneus dans la neige menaient jusqu'au garage dont la porte était fermée. Megan décida de laisser sa voiture et de s'approcher de la maison à pied. Le vent soufflait fort et lorsqu'elle ouvrit sa portière, un tourbillon de neige s'engouffra dans l'habitacle et lui cingla le visage.

Aucune lumière ne semblait allumée dans la maison. Megan s'agenouilla et inspecta les traces de pneus paraissant assez fraîches.

La voiture dont elles provenaient n'était certainement pas arrivée depuis longtemps.

En s'approchant du garage, Megan aperçut deux traces de pas contournant la villa. Elle les suivit à travers le portillon en bois menant au jardin. Elle continua d'avancer en scrutant les traces. Elle ne put s'empêcher de repenser à la soirée – un an plus tôt – lorsqu'elle avait repéré le Suédois dans son hangar à bateaux, à la marina de Sheepshead Bay.

Avançant furtivement dans le noir, le long de la jetée, posant ses pieds aussi silencieusement qu'un chat, le cœur battant sourdement dans sa poitrine – tout, exactement comme aujourd'hui. Elle tenta d'empêcher les souvenirs de remonter à la surface, mais ils refusèrent d'obéir.

À travers la neige tourbillonnante, on devinait une petite structure sombre vers laquelle les traces semblaient mener. Un hangar à bateaux. Elle vit une lumière s'allumer à travers l'une des fenêtres. Un éclair jaunâtre, furtif, et puis plus rien. Et, de nouveau, l'éclair réapparut. Une torche. Quelqu'un balayait l'endroit avec une lampe torche.

À une trentaine de mètres du hangar, Megan s'arrêta net. Les pas dans la neige cessèrent leur cheminement parallèle et la neige se brouilla. Quelques mètres plus loin, elle vit une tâche sombre sur le sol. Elle s'accroupit et ramassa dans ses mains un peu de neige : une pellicule noirâtre lui colla à la peau.

Megan épousseta son manteau, souffla dans ses paumes, et posa la main sur son étui en défaisant la bride de sécurité. Son arme lui parut lourde, comme si elle prenait en main une brique en plomb.

Son cœur ne se contentait plus de tambouriner dans sa poitrine, il semblait s'être élargi pour occuper son torse tout entier.

Plus besoin d'avancer à pas feutrés. Des traces sombres tâchaient la neige le long d'un sillon, l'empreinte d'un corps que quelqu'un avait traîné... Megan leva un bras devant son visage pour protéger ses yeux du tourbillon de flocons.

Elle entendit une voix exhaler un murmure angoissé. Ce ne pouvait être que le sien.

Helen.

Ross décida de prendre le Boston Whaler. Il aurait préféré le Chaparral, surtout par ce temps, mais l'élégant petit bateau à moteur n'était sans doute pas le plus adapté à ses besoins immédiats. Même si ce serait difficile, il allait réussir à sortir le Boston Whaler en ramant jusqu'à une certaine distance avant d'allumer le moteur. Le reste, ce serait juste du nettoyage. Ce qu'il avait à faire n'était pas bien joli joli… Le Chaparral avait des sièges en cuir blanc, des coussins couleur crème, un tableau de bord capitonné alors que le Whaler serait bien plus facile à nettoyer.

Tout ce que voulait Ross, c'était en finir avec ce bastringue, rentrer et se mettre au lit. Il attrapa par le bras le corps étendu de Tracy Jacobs et le tira le long du quai à côté du bateau. Machinalement, il jeta un regard à travers l'une des fenêtres du hangar à bateau ouvrant sur l'arrière de la maison et sa chambre à coucher. Une lumière y était allumée. L'espace d'un instant, Ross fut submergé par la panique.

Du calme, se dit-il, ce doit être la minuterie. Concentre-toi. Une chose après l'autre… tu sais comment il faut agir.

Il repensa à Cynthia. Là, rien n'avait été prévu et il n'avait pas eu assez de temps pour mettre en place le type d'organisation dont il était habituellement si fier. Mais après que tout avait été terminé, il avait eu une petite minute pour réfléchir. Le coup de la main sur le cœur, c'était bien pensé.

Problème. Planification. Exécution. Selon Ross, une personne intelligente pouvait accomplir tout ce qu'elle voulait. Absolument tout. Il suffisait de maîtriser la situation. Planifier. Exécuter et protéger ses arrières. La vie était si simple, en fait.

Ross ne savait pas si Tracy était morte, mais cela n'avait pas d'importance. Elle était froide, c'était ça l'important. C'était de sa faute si elle s'était reçu ces quelques coups de pied-de-biche en plus... Elle s'était montrée tellement *exaspérante*. Pas seulement aujourd'hui, mais en général. Après tout ce qu'il avait fait pour elle ! Il lui avait donné une *vie*, bon sang. Si seulement elle était restée chez elle, de l'autre côté du pays.

Ross marqua une pause et regarda la tête massacrée à ses pieds. Il avait envie de vomir. Il n'aurait pas dû la frapper aussi fort. C'était Fox, merde ! C'était lui le responsable de tout ça, lui et son ego surdimensionné. Et Cynthia aussi, bien entendu. Tous les deux. Ross se demandait encore comment ces deux-là avaient réussi à mener leur petite relation sans qu'il ne se rende compte de rien. Le secret, et surtout la trahison, c'était ça qui l'avait mis dans une colère noire.

Combien de fois Ross était-il passé pour un parfait crétin devant Cynthia Blair, la suppliant de prendre au sérieux les sentiments qu'il avait pour elle ? Elle n'avait aucune idée de l'intensité avec laquelle elle l'avait subjugué. Vraiment aucune idée. Elle n'avait jamais vraiment écouté, n'avait jamais entendu.

Cynthia s'était juste déclarée « flattée ». Flattée ? Ross flattait des gens tous les jours. Il était capable de flatter un bloc de béton s'il le fallait. Cynthia n'avait rien compris. Il *fallait* qu'elle soit à lui, c'était un fait non négociable. Un *besoin*. Ross s'était occupé de la carrière de Cynthia au sein de la chaîne. Il avait suivi son évolution, l'avait formée, l'avait aidée à développer ses compétences, à être plus incisive dans son travail. Et cela n'avait-il pas payé quand il avait fait venir Marshall ? Ses deux créatures. *Ses* créatures. Cynthia lui était redevable.

Ross tenait beaucoup à la dynamique que Gloria et lui avaient réussi à imposer dans leur branche d'activité. Ils étaient devenus une véritable équipe de choc. Mais ça, c'était au début. Ross voulait s'enivrer à nouveau et cette fois avec Cynthia. Il en avait besoin. Il fallait qu'il recommence tout, avec du sang frais.

Si Cynthia avait bien joué ses cartes, elle aurait pu aller loin. Ross avait prévu de la soutenir sur la route du succès, c'était aussi simple que ça.

Et si ce qu'il fallait pour cela c'était de la patience, eh bien il était prêt à patienter. La force naît de l'action, mais elle peut aussi naître de la patience.

Ce que Ross n'avait pas prévu, c'était de trouver Cynthia sortant en larmes du bureau de Marshall une nuit d'avril. Il n'avait pas non plus prévu qu'ils traverseraient ensemble Central Park, ni qu'elle lui avouerait sa relation avec Marshall. Cynthia l'avait laissé la prendre dans ses bras pendant qu'elle lui racontait ces détails sordides. Les mots s'étaient entrechoqués dans l'esprit de Ross. *Marshall. Cynthia. Amants. Liaison.*

Cynthia avait laissé Ross entrer dans son intimité comme jamais auparavant. Elle lui avait dit qu'elle lui faisait confiance, qu'il était la seule personne dans sa vie en qui elle avait réellement confiance, que le fait qu'ils se soient rencontrés à cet instant précis était un véritable miracle, un signe du destin. Ils avaient traversé la partie sud du parc bras dessus, bras dessous, dépassé le plan d'eau, avant de s'arrêter devant la statue d'Alice au pays des merveilles, terriblement inquiétante au clair de lune. Surtout celle du Chapelier, avec son gros nez et ses mauvaises dents.

Ils avaient continué, en remontant vers le nord, et en marquant une pause au pied de l'obélisque de Cléopâtre. C'est là que Cynthia avait dit qu'elle devait lui confier autre chose. Elle était prête à lui révéler s'il jurait de ne rien dire à personne. Elle voulait régler cela toute seule. Sa décision était prise et elle était prête à en supporter les conséquences.

En fait, elle était même heureuse.

Cynthia avait pris les mains de Ross, les avait posées sur son ventre et les avait laissées là. Ce contact l'avait électrifié. Il s'était même permis de caresser tout doucement ce petit ventre encore plat. Il avait massé la chair souple du bout des doigts.

Puis, elle lui avait souri. Ross n'avait jamais vu Cynthia sourire de cette façon. D'un sourire parfaitement angélique.

— C'est parfait, Alan. C'est tellement bien que tu sois le premier à savoir, on ne pouvait pas rêver mieux. Parce que, en fin de compte, si on y réfléchit bien, sans toi, rien de tout ça ne serait arrivé. Sérieusement. Tout ça est arrivé grâce à toi.

Elle avait serré l'une de ses mains, l'aidant à masser son petit ventre un peu plus fort en lui annonçant la merveilleuse nouvelle.

Tracy Jacobs laissa échapper un léger râle perdu dans un gargouillis. Ross la tapota du bout de sa chaussure. Mince alors, pensa-t-il, de l'ADN un peu partout sur mes Lazzeris… Allons, bon. Elle était vivante… À peine. Peu importe. Il lui fallait juste du ruban adhésif entoilé autour des chevilles et des poignets, par prudence. Et surtout sur la bouche.

Ross pointa sa lampe torche contre le mur où étaient accrochés des outils. Le ruban adhésif était exactement à sa place. Il attacha les chevilles de la jeune femme, puis ses poignets. Il lui écarta ces satanés cheveux du visage et la laissa pousser un dernier grognement avant de lui coller un gros morceau de ruban sur la bouche. Il se dit que la meilleure des choses − et la plus sympa − serait de lui coller un morceau de ruban adhésif également sur les yeux. Elle n'avait vraiment pas besoin de voir la suite.

Ross se redressa. Bon Dieu, ce que ses genoux lui faisaient mal. La vieillesse n'avait vraiment pas que du bon. Il tourna sa torche vers l'eau sombre qui léchait les flancs du Whaler − de fines couches de glace s'y étaient formées − puis balaya de nouveau le mur et décrocha la scie à métaux de son clou.

Il retourna vers Tracy et évalua la distance entre le bord du quai et le plat-bord du bateau. S'il tentait de la rouler sur le bateau, il risquait de rater son coup et de la faire tomber à l'eau. Pas bon ça. Pas ici. Et, surtout, pas en un seul morceau.

Il fallait qu'il la soulève, au moins en partie. Il posa sa lampe en dirigeant le faisceau vers le corps de la jeune femme et la scie à métaux à côté. Il inspira profondément, s'agenouilla, passa ses mains autour des épaules de Tracy, serra sa poitrine contre la sienne, puis se redressa en partie de sorte à être accroupi. Qui aurait cru que cette petite mignonne pèserait aussi lourd ? Ross changea de prise et la rapprocha encore de lui. La tête de la jeune femme retomba sur son épaule, comme un poids mort.

C'est là qu'il entendit un léger bruit et vit la porte du hangar s'ouvrir.

51

L e cône de lumière de la lampe électrique illu-
minait le corps placé face contre terre sur
l'embarcadère en bois. Il fallut plusieurs secondes à
Megan pour se rendre compte que les poignets et les
chevilles de la femme étaient attachés et que la tête
était sacrément amochée. Puis elle vit, directement
derrière le corps, une paire de jambes, une silhouette
dans l'ombre tenant un objet métallique dont la
surface renvoya un éclair luisant.

— Lâchez ça !

Megan se laissa immédiatement tomber sur un genou
et pointa son Glock un peu au-dessus de la jambe illuminée. *S'il a un pistolet, je suis foutue.* Elle cria :

— Lâchez ça ! Police ! Mains en l'air !

La femme avait les yeux et la bouche recouverts
d'un ruban adhésif et son front était tâché de sang. La
silhouette au-dessus du corps n'avait pas bougé.

Megan vit que l'objet en question était une scie. Elle
sentit une vague de panique la traverser. Le Suédois !
Son arme trembla.

— Lâchez ça ! Tout de suite !

Les mots résonnèrent dans le hangar, comme si une
autre Megan chevauchait les fines poutres du plafond

et criait depuis là-haut. La silhouette se baissa lentement et posa la scie sur la hanche de la femme ligotée à ses pieds. La silhouette était celle d'un homme coiffé d'un chapeau en feutre qui lui mangeait en partie le visage. Au moment où il posa la scie, Megan entendit un léger raclement. L'homme n'était pas Albert Stenborg, bien entendu. Le Suédois était mort.

Pourtant, Megan cherchait de toutes ses forces à apercevoir la moustache blonde presque invisible de l'homme qu'elle avait tué. Il était resté debout, une jambe de chaque côté du cadavre d'Helen. Du haut de son mètre quatre-vingt-dix dégingandé, il s'était balancé doucement en suivant le mouvement de sa péniche fétide, caressant de manière obsessionnelle son imperceptible moustache.

— À terre ! ordonna Megan. Allongez-vous à côté du corps ! Sur le ventre, allez !

— J'aimerais plutôt pas. Le ton de la voix était aussi calme que celui de Megan était enflammé.

Maintenant que ses yeux s'habituaient à la pénombre Megan devinait un peu mieux son profil. Juste en face d'elle, l'étroit bateau à moteur oscillait sur l'eau. Les discrets clapotis faisaient penser à de légères claques. Le doigt de Megan serra un peu plus fort la gâchette. Il les avait tuées. Il les avait toutes tuées. C'était lui. Elle sentait le goût du sel sur ses lèvres, son visage était en feu.

— Allongez-vous par terre, calmement. Les mains devant vous.

— Vous êtes dans une propriété privée, fit l'homme. Vous êtes en infraction. Vous ne devriez pas être là. Ce qui se passe ici ne vous regarde pas.

Megan se redressa lentement, sans perdre sa cible, son arme pointée sur le torse de l'homme.

— Faites ce que je vous dis.

Ross se mit à ricaner.

— Et si je ne le fais pas ? Que se passera-t-il ? Que ferez-vous exactement, inspecteur ? Vous allez me tirer dessus ? De sang-froid ?

Megan prit une rapide inspiration, retint son souffle et appuya sur la gâchette. Le Glock décocha une ruade et une lueur saillit du canon. Dans cet espace confiné, le coup résonna tel un grondement de tonnerre. La balle frôla le torse de Ross, comme prévu. Il se baissa avec plusieurs secondes de retard.

— Mais vous êtes malade ?

Elle avait enfin réussi à capter son attention.

— Je vais parfaitement bien, merci, répondit Megan. Maintenant, terminons cette petite histoire calmement. Et, dans votre intérêt, j'espère que votre victime est encore en vie.

La vision de Megan s'était suffisamment habituée à la pénombre et lui permettait de deviner les contours du hangar à bateaux. Il y avait deux cales de halage : l'une où se trouvait le Boston Whaler, et l'autre située derrière Ross avec un bateau plus grand qui se balançait doucement sur les eaux noires.

L'homme était pris au piège.

Les seules issues possibles étaient la porte dans le dos de Megan ou alors l'océan tout au bout de l'embarcadère. En supposant que Ross ne soit pas assez fou pour plonger dans l'eau glacée, s'il voulait sortir du hangar, il devrait lui passer sur le corps.

— Tout ceci ne mène absolument à rien, dit Megan en commençant à se décaler vers la droite. Vous êtes un homme intelligent, Ross. Je ne vois vraiment pas pourquoi vous avez fait tout ça, mais en tout cas, c'est terminé. Faites ce que je vous dis, d'accord ? Et qu'on en finisse. Si cette femme est encore en vie, il faut qu'on l'amène à l'hôpital.

Megan se décala encore un peu plus, l'arme toujours pointée sur Ross. Elle ne voulait pas baisser le regard vers le corps ensanglanté aux pieds de Ross, mais ne put pas s'en empêcher. Il devait forcément s'agir de Tracy Jacobs, bien que Megan n'ait aucune possibilité d'identifier à coup sûr le visage démoli de la jeune femme gisant sur le sol. Ross ne pouvait pas avoir causé de tels dégâts uniquement avec ses mains nues, se dit Megan. Ni avec la scie à métaux, pas assez lourde pour ça.

Ce salopard a une arme.

— Montrez-moi vos mains, Ross ! Tout de suite !

— Je ne crois pas que...

Elle leva son arme et tira de nouveau, cette fois en direction du plus grand bateau. Le pare-brise triangulaire explosa. Megan repointa immédiatement le canon de son arme en direction de Ross.

— *Maintenant !*

Il leva lentement les mains en l'air. Il tenait quelque chose de long, de fin et de noir dans sa main droite. Un pied-de-biche.

Megan avança d'un pas. « Je peux le tuer. Ce salopard a une arme. Il est venu vers moi, une arme à la main, je n'avais pas le choix. Règle numéro un : se défendre à tout prix. Je peux lui tirer dessus et l'envoyer dans la flotte ».

Mais Megan ne voulait pas tirer de là où elle se trouvait. Elle voulait pouvoir écraser le canon de son arme contre les narines de ce salopard.

— Lâchez le pied-de-biche, Ross.

Il s'exécuta et, d'un revers du poignet, le jeta dans l'eau, juste à côté du bateau. Mais, dans le même temps, il ramassa sa torche et dirigea son faisceau en plein dans les yeux de Megan. Elle ne vit plus que des éclats blancs.

Tire ! Maintenant ! Il va se précipiter sur toi, tire !

Ross déplaça le faisceau de la lampe vers Tracy. Megan, était encore aveuglée et le corps de la jeune femme lui apparut scintillant, bleuté et flou. Ross mit l'un de ses pieds sur le dos de Tracy et donna de petits coups. Tracy laissa échapper un grognement.

— Vous avez entendu ? Elle est vivante.

— Écartez-vous !

Ross braqua à nouveau sa lampe sur Megan pendant quelques secondes, puis de nouveau sur le corps gisant à ses pieds.

— Elle est vivante, inspecteur. Je suis certain qu'elle vous serait reconnaissante que vous veniez lui porter secours.

Il reposa son pied sur le dos de la jeune femme qui geignit de nouveau. Une légère poussée du pied fit osciller le corps. Encore une et la jeune femme bascula brusquement dans les eaux noires au bord du quai. Ross braqua la lumière sur les jambes attachées qui disparurent dans un éclaboussement. Ses cheveux s'étalèrent à la surface de l'eau. Dans la lueur crue de la lampe, la tête ressemblait à un ballon de volley. Ross détourna le faisceau d'un coup sec.

— La balle est maintenant dans votre camp, ma chère.

52

Megan coula à pic. Même sans son manteau et ses chaussures qu'elle avait enlevés frénétiquement, ses vêtements gorgés d'eau l'entraînèrent immédiatement vers le fond. Elle ne s'y était pas préparée. Elle chercha à tâtons le corps en train de sombrer, mais ne trouva rien. Elle n'était même pas certaine d'avoir les yeux ouverts. Elle ne voyait absolument rien. L'obscurité totale. Megan agita les bras.

Elle volait.

Elle flottait.

Elle nageait.

Elle coulait.

Sombre, telle une tombe, pensa Megan, en agitant frénétiquement les bras devant elle. Sombre, telles les entrailles maternelles. Elle était déjà perdue.

Ou est le haut ? Le bas ? Ses poumons tenaient le coup, mais le choc de la température glacée de l'eau – retardé au début – fondit sur elle et l'attaqua tels des centaines de petits couteaux déchiquetant sa peau.

Ses membres commençaient à perdre leur sensibilité. Était-elle en train de plier les doigts ? Peut-être, pensa-t-elle. Tous ses sens commençaient à s'engourdir. Megan n'aurait jamais imaginé quelque chose d'aussi froid. Elle donna des coups de pieds et chercha à tâtons. Ses poumons commencèrent à lui faire mal et elle savait ce qu'il était en train d'arriver.

Josh.

Le visage de son frère apparut devant ses yeux, plus vrai que nature, comme s'il était dans une bulle illuminée. Pendant des semaines et des semaines, il l'avait fait sortir d'elle-même, il l'avait ramenée dans la lumière, il s'était assis à côté d'elle, lui avait caressé le dos. Patiemment. Affectueusement. Fidèlement. Oh, Josh. Ne me regarde pas maintenant. Tous tes efforts… Tes tendres efforts…

Elle se sentit honteuse.

La défaite est froide et noire.

Les bras de Megan se croisaient au-dessus de sa tête. Ils étaient devenus invisibles. On ne les verrait plus. Megan donna des coups violents de ses pieds gelés mais pour aller où ? Jusqu'à l'océan ? Et pour quoi faire ? Elle s'imagina en train d'attraper des poignées d'algues au fond de la mer, d'y rester accrochée et de s'enrouler dedans.

Ses poumons lui faisaient maintenant terriblement mal. Comme si un tire-bouchon se frayait lentement un passage à travers sa poitrine. C'était la fin d'une idiote. Elle battit des jambes une dernière fois, donnant des coups avec toute la force qu'il lui restait encore. Les bras écartés. Les doigts écartés. Megan ouvrit la bouche aussi grand qu'elle le put.

53

Alan Ross traversa l'étendue de neige en courant. La pauvre femme ! Elle avait eu l'air si lamentable en enlevant son pardessus, se débattant comme si les manches étaient soudain devenues trois fois trop longues. Elle était tellement frêle qu'elle n'aurait sans doute pas assez de force pour sortir Tracy hors de l'eau… si tant est qu'elle-même s'en sorte !

Ross entra dans la maison par la porte principale. Ses doigts trouvèrent par automatisme le boîtier d'alarme de la maison et il commença à taper le code, mais se rendit brusquement compte que la sécurité n'était pas enclenchée. Il fronça les sourcils. Il ne se souvenait pas si c'était lui ou Gloria qui avait quitté en dernier la maison lors de leur dernier séjour. De toute façon, aucun d'eux n'était du genre à oublier de mettre l'alarme en partant.

Ross mourait de soif. Il se dirigea vers la cuisine puis changea de direction pour aller chercher une bouteille de Dewar's dans le bar de la salle à manger. Il ramena la bouteille de whisky dans la cuisine, jeta quelques glaçons dans un grand verre droit qu'il remplit au trois quarts.

Il avala presque tout en une seule gorgée.

Un millier de questions se bousculaient dans sa tête, mais il n'avait pas le temps de trouver les réponses. Si l'inspecteur n'était pas morte de froid ou noyée à l'heure actuelle, elle pouvait revenir à n'importe quel moment, avec ou sans Tracy. Franchement, il espérait que ce soit avec. Il ne pouvait pas se permettre de voir le cadavre de Tracy Jacobs rejeté sur le rivage Dieu sait où... Il fallait qu'il retourne à son plan initial et, s'il le fallait, il s'occuperait de l'inspecteur de la même façon. Tout était devenu tellement compliqué.

Ross fixa gravement son verre. Ce qu'il aurait aimé savoir, c'était si l'inspecteur Lamb était la seule à avoir résolu l'énigme des assassinats ou si d'autres personnes étaient au courant. Mais, apparemment elle était venue là toute seule, ce qui laissait supposer une mission kamikaze. Cette idiote avait dû foncer tête baissée, sans réfléchir. Ross espéra de toutes ses forces avoir vu juste. Si Lamb était la seule à savoir, il arriverait sans doute à garder le contrôle des événements et à assurer sa sécurité. Sinon... Il n'était pas prêt à penser à cette éventualité. Il serait obligé de disparaître. Comment ferait-il ? Il n'en avait aucune idée. Mais il trouverait bien une solution. Problème. Panification. Exécution. L'histoire de sa vie.

Ross vida son verre qu'il reposa bruyamment sur la table. Que le diable t'emporte, Marshall Fox ! Il se versa encore un demi-verre. Dans son bureau, il récupéra une clé cachée dans le tiroir du haut de son secrétaire et ouvrit l'étroit placard du mur de droite où il cachait ce que Gloria appelait sournoisement son « fusil à pigeons ». Une vieille Winchester à pompe de calibre.22, moins pour les ratons laveurs que pour les écureuils et les marmottes, qui ne manquaient pas dans la région. Ross était loin d'être un chasseur expérimenté. Parfois, il aimait tout simplement s'asseoir sur le patio, son fusil posé contre la rambarde. Viser et tirer. Appuyer et tuer. C'était tellement facile. De toute façon, il y avait bien trop d'écureuils et de marmottes sur cette planète, bien plus que nécessaire. Ross aimait son fusil à pompe. Quel gars normalement constitué n'aime pas les fusils à pompe ?

Ross jeta un regard vers le hangar à bateaux. Aucun mouvement perceptible. Il fallait qu'il retourne là-bas. Si l'inspecteur était sorti de l'eau, il fallait qu'il aille s'occuper d'elle. Appuyer et tuer. Ross retourna dans le salon. Ce qu'il vit le fit stopper net.

Rosemary Fox descendait les marches. Elle portait une minerve et une des robes de chambre de Ross, la ceinture à peine serrée. Ses cheveux encore un peu humides retombaient sur sa poitrine à moitié découverte. Son visage était terriblement tuméfié, mais son expression était rêveuse, sereine. Les commissures de sa bouche se relevèrent dans un sourire.

— Alan ?

C'est à ce moment là que la porte d'entrée s'ouvrit brusquement. Un homme se tenait debout dans l'embrasure, pistolet à la main. Ross pivota, fusil levé, et tira.

54

Le bois de la porte explosa et je reçus quelques éclats au visage. Je fis un bond sur ma gauche, à l'intérieur de la maison, et enchaînai avec une première roulade – quelque peu maladroite – puis une deuxième. J'étais une cible, mais en mouvement. Enfin, je m'arrêtai sur les coudes.

Au bas de la volée d'escaliers, Alan Ross réarmait son fusil.

Derrière lui, debout sur les marches, vêtue d'une robe de chambre verte, la main droite délicatement posée sur la rampe, se tenait Rosemary Fox. Un énorme hématome lui mangeait le visage. Je levai mon arme, mais Ross tira le premier. Le coup passa au-dessus de ma tête. Je visai Fox et Rosemary cria :

— Attention, Alan !

Je retins mon doigt sur la détente. Ross fonça et disparut dans la pièce la plus proche. Je sautai sur mes pieds. Rosemary trébucha, dévala les marches et s'étala de tout son long au bas des escaliers.

Je passai à côté d'elle.

Je traversai la première pièce à toute vitesse et reçus la porte de la cuisine en pleine face. Ross connaissait bien la maison.

Pas moi. Il n'aurait jamais risqué de se laisser prendre au piège. La cuisine devait forcément mener quelque part. Au pif ? Dehors.

Ou alors dans le garage.

Je revins sur mes pas en courant comme un dératé. Rosemary Fox était assise sur les fesses, au pied de l'escalier. Sa robe de chambre s'était ouverte. On aurait dit une poivrote.

Je fonçai jusqu'à la porte d'entrée, sortis et tournai vers l'allée menant au garage. Là, je m'agenouillai dans la neige au bord de l'allée et me tins prêt. La porte du garage s'ouvrit.

Pendant un instant, il ne se passa rien. Puis, la Cadillac couleur crème bondit.

Retenant mon souffle, je suivis sa progression, mon arme pointée sur le pneu avant droit et tirai. La Cadillac fit une embardée dans ma direction puis reprit son cap.

Je pivotai, immobilisai mes bras, visai et tirai deux autres fois : la deuxième balle toucha le pneu arrière droit. La voiture dérapa dans la neige et termina sa course contre un lampadaire de jardin.

Je me mis à courir. Ross mit les gaz mais les roues patinèrent dans l'allée enneigée. J'attrapai la poignée côté conducteur, mais la portière était verrouillée. À travers la vitre en verre fumé, j'aperçus Ross. Il fallut deux coups de crosse de mon revolver pour réussir à briser la vitre. Ross saisit le fusil posé sur le siège à côté de lui, mais le canon de mon arme se logea confortablement contre la tempe de Ross, comme si les deux éléments étaient faits pour s'imbriquer.

— Lâche ça !

Il hésita.

Pas moi.

Je pris mon élan et lui décochai un coup sur l'arcade sourcilière gauche. Sa tête bascula vers l'avant. Je cherchai à tâtons la commande de déverrouillage de la portière et l'ouvris d'un coup sec. Je tirai Ross par le col et le balançai sur la neige.

— Où est Lamb ?

Puisqu'il ne répondit pas, je lui fis tâter encore une fois de ma crosse.

— Où est-elle ?

Du sang coulait de ses yeux. Il cligna des paupières puis me regarda comme si j'étais un étrange artefact. Je lâchai mon arme et attrapai le revers de son manteau.

— *Elle est où, bordel ?*

Plus tard, ma gorge me ferait mal d'avoir tant forcé sur ma voix.

Il se passa la langue sur les lèvres.

— Au fond de l'eau… Qu'est-ce que j'en sais ?

L'espace d'un instant, je ne fus pas certain de comprendre ce que je voyais. Deux corps sombres et luisants, l'un étendu à plat sur le dos, l'autre courbé sur lui en donnant l'impression d'y puiser sa nourriture. Il faisait sombre, mais je finis par comprendre. J'étais dans le hangar à bateaux et j'avais devant moi Megan et Tracy Jacobs.

Megan faisait un bouche-à-bouche frénétique à l'actrice tout en appuyant plusieurs fois sur son torse de ses deux mains. Souffler, appuyer… Elle leva les yeux vers moi.

Son visage faisait peur à voir et ses dents claquaient si fort que je les entendais s'entrechoquer de là où je me trouvais.

— Aide-moi.

Sa voix résonna comme une plainte rauque. J'ôtai ma veste et la posai sur ses épaules. Elle secoua violemment la tête.

— Pas moi. Elle.

Megan tourna la tête et recracha de l'eau sur les lattes de l'embarcadère. Je m'agenouillai près de Tracy. En dépit de l'obscurité dans laquelle était plongé le hangar, la pâleur de son visage ressortait telle une lune pleine.

Je pris le relais de Megan et recommençai le bouche-à-bouche, recrachant de l'eau saumâtre et salée toutes les deux expirations. Je posai mes mains sur son sternum et poussai.

— Elle est vivante, fit faiblement Megan dans mon dos. Son cœur bat.

Je continuai d'un rythme régulier ; au bout d'une bonne minute, Tracy tressaillit. Son dos se cambra involontairement, puis un jet d'eau noire jaillit de sa bouche. La toux sembla venir des profondeurs de l'au-delà. Elle fut suivie d'un grognement qui grandit lentement, jusqu'à devenir un cri perçant aussi aigu qu'une sirène d'alarme.

Megan pouvait marcher. Je traversai le jardin arrière et portai Tracy Jacobs jusque dans la villa. Son visage et son crâne avaient été roués de coups et se trouvaient dans un sale état. Je ne réalisai vraiment la gravité de ses blessures que lorsque je l'installai sur le canapé du salon. Rosemary était assise dans un fauteuil, l'air songeur et presque amusé.

Megan lui demanda d'aller faire bouillir de l'eau dans la cuisine.

— Tout de suite ! aboya Megan en voyant que Rosemary Fox hésitait.

Elle se leva et sortit lentement du salon, comme si ses pieds ne touchaient pas le sol.

— Faire bouillir de l'eau ? demandai-je.

Megan effleura une plaie sur la tête de Tracy en haussant les épaules.

— Il me fallait une excuse pour la faire sortir de la pièce.

Dans le hangar, j'avais appelé les urgences avec mon téléphone portable.

Les lèvres de Megan étaient bleues et sa respiration s'accélérait. Je lui frottai vigoureusement les joues, puis je lui pris les mains − glacées − et entrepris de les frotter à leur tour.

— Reste ici ! ordonnai-je avant de courir en haut des escaliers jusqu'à la chambre principale.

Je pris la couette en duvet posée sur le lit. Dans la deuxième chambre, une couverture. Je retournai dans le salon et enveloppai Megan avec la couette et posai la couverture sur Tracy. L'actrice ouvrit brièvement les yeux en clignant des paupières. Elle posa un regard sur moi sans me voir puis ferma les yeux.

Rosemary Fox revint de la cuisine.

— L'eau bout.

— Faites-nous un café, Mme Fox, dis-je.

— Qui êtes-vous ? demanda-t-elle.

— Je suis celui qui vous demande poliment de nous faire un café. Très fort.

— J'aimerais savoir ce qui se passe ici. Où est Alan ? Qui êtes-vous et qui est cette fille ?

Je me levai et approchai. Elle recula d'un pas mais réussit à me jeter un regard condescendant, malgré le vilain hématome qui lui mangeait le visage. Elle croisa les bras sur sa poitrine, dans une attitude défensive.

— Je me présente : Fritz Malone, fis-je. La jeune femme que vous voyez sur le canapé s'appelle Tracy Jacobs. Votre ami, Alan, a tenté de la tuer. J'ai besoin de votre aide, qui pourrait prendre la forme, en ce moment, d'une grande cafetière de café brûlant. Est-ce que je peux compter sur vous ?

— Vous êtes un emmerdeur de première classe, n'est-ce pas ?

— Dans mes meilleurs jours, absolument. Au fait, j'ai fait la connaissance de votre ami, Danny. Un emmerdeur de première classe lui aussi, n'est-ce pas ?

Elle plissa les yeux.

— Vous voulez du lait avec votre café ?

Dans le salon, Megan tremblait comme une feuille dans sa couette en duvet.

Elle avait tiré une chaise près du canapé, s'était assise et caressait la joue de Tracy. Elle leva les yeux en me voyant arriver.

— Et Ross… au fait, il est où ?

— Je l'ai enfermé.

— Enfermé ? Où ça ?

— Dans le coffre de sa bagnole.

— Dehors ?

— Voui mam'zelle.

— Il fait plutôt frisquet, dehors, non ?

— Voui mam'zelle.

Megan laissa échapper un rire. Trop fort. Beaucoup trop fort pour son état. Ses épaules se mirent à trembler et elle en eut le souffle coupé. Son sourire se figea et elle tira la couette autour de son cou. Ses yeux s'agrandirent et reflétèrent de la peur. De grosses larmes roulèrent sur ses joues. J'avançai d'un pas dans sa direction, mais elle secoua la tête.

— Non.

Elle se recroquevilla sur sa chaise et se mit à sangloter. Je m'avançai tout de même et posai tout doucement ma main sur sa tête. Ce fut comme si j'avais appuyé sur un bouton.

D'un bon, elle sauta de sa chaise, sortit de son cocon en duvet, passa ses bras fins autour de ma taille, enfouit sa tête dans ma poitrine et pleura à chaudes larmes.

Elle se raccrochait à la vie.

55

Après avoir étranglé Cynthia Blair, laissé son cadavre au pied de l'obélisque de Cléopâtre, et avoir eu à la dernière minute l'inspiration de lui clouer la main sur le cœur, Ross avait été convaincu que la police tournerait toute son attention vers Marshall Fox. Évidemment, Fox avait été interrogé, mais la police avait surtout voulu recueillir des informations sur le passé de Cynthia.

À aucun moment les questions posées par les forces de l'ordre n'avaient laissé supposer que Fox était suspect. Bien que Fox ait eu plus confiance en Ross qu'en n'importe qui d'autre, il avait choisi de ne pas lui parler de sa relation avec Cynthia. Ross était pourtant habituellement dans la confidence des aventures amoureuses de l'animateur, plus qu'il ne l'aurait voulu, d'ailleurs. Marshall aimait s'en vanter.

Ainsi, sans connaître l'identité de la jeune femme, Ross était au courant de son aventure avec Nicole Rossman. Fox n'avait pas pu se retenir de raconter quelques-unes de ses péripéties croustillantes avec la petite poupée docile rencontrée sur Internet.

Dans les jours suivant l'assassinat de Cynthia, il devint évident pour Ross que la police ne considérait pas Fox comme l'un des principaux suspects. Le directeur de KBS élabora alors un plan. Sous couvert de se préoccuper de la santé mentale de son protégé, Ross demanda au chauffeur de Marshall d'être tenu au courant de tous les faits et gestes de l'animateur-vedette. C'est ainsi que lorsque Nicole Rossman sortit de l'immeuble de Fox à trois heures du matin, dix jours après l'assassinat de Cynthia, elle croisa comme par hasard le chemin de Ross.

Gloria était alors à Los Angeles et il ne fut donc pas forcé de couvrir ses arrières sur ce coup-là. Faire entrer Nikki Rossman dans sa voiture fut même plus facile qu'il ne l'aurait cru.

Il lui avait suffi de se présenter, de lui montrer sa pièce d'identité et de lui dire qu'il avait désespérément besoin de lui parler de Marshall. Le dénouement avait eu lieu au nord de Central Park.

Ross avait garé son véhicule près de la statue de Duke Ellington et avait sorti un marteau. Trois coups rapides et Nikki s'était retrouvée écrasée contre la portière côté passager. Ross avait ensuite traversé le parc en voiture en sortant du chemin pour se garer à l'abri, derrière un renfoncement d'arbustes au Nord de l'Obélisque de Cléopâtre.

Les quarante secondes nécessaires au transport du cadavre de Nikki Rossman jusqu'au pied du monument s'étaient révélées être la partie la plus risquée de son plan. Mais Ross avait gagné son pari.

Avec un couteau dont il s'était débarrassé plus tard, il avait tranché la gorge de la jeune femme, puis lui avait cloué une main sur la poitrine. Un clou de dix centimètres. Enfoncé jusqu'à la tête.

Le lendemain, lorsque Fox ne fut pas arrêté, Ross crut qu'il allait devenir fou.

Tracy Jacobs fut opérée en urgence à l'hôpital de Easter Long Island, puis transférée dans le service de chirurgie de l'hôpital de Manhattan. Ma commotion cérébrale était une bagatelle comparée aux coups que Alan avait infligé à l'actrice.

Il était probable que les efforts des médecins et de la chirurgie esthétique ne réussiraient pas à éliminer toutes les traces du passage à tabac. Une rumeur courut aussitôt dans le petit monde de la télévision que l'on recherchait activement une actrice pour reprendre un rôle dans *Century City*.

Les enquêteurs qui passèrent au peigne fin le bureau de Ross dans l'immeuble de la télévision mirent la main sur ce que Joe Gallo appela en plaisantant « le petit monde de Nixon ». Le bureau était en effet entièrement équipé pour pouvoir enregistrer toutes les conversations qui s'y déroulaient.

Des micros étaient installés à des endroits stratégiques un peu partout dans la pièce. Un ingénieur du son de la chaîne confirma que Ross était un fanatique de l'enregistrement et qu'il insistait pour que toutes ses conversations soient, sans exception, enregistrées. Ses conversations téléphoniques comprises.

Tous les enregistrements étaient immédiatement téléchargés sur l'ordinateur du producteur. Rodrigo et son équipe technique se mirent au travail. Ma conversation avec Ross fut retrouvée, mais Gallo ne la trouva pas particulièrement captivante.

En revanche, ce qui l'intéressait beaucoup plus, c'était de retrouver les conversations entre Ross et Tracy Jacobs lorsqu'elle avait − soi-disant − menacé de révéler à la police les tendances violentes de Fox. Gallo était surtout curieux d'entendre l'enregistrement de l'audition que Tracy Jacobs avait passée pour

Century City et à la suite de laquelle le producteur lui avait confié le rôle.

Il s'avéra qu'en réalité aucun de ces enregistrements n'existait. Ce n'était pas véritablement une surprise.

Gallo convoqua plusieurs fois Gloria Ross pour l'interroger et l'asticota gentiment, comme un gentleman. Elle se montra généralement coopérative et admit avoir tenu compte de la « requête urgente » de son mari de faire signer un contrat chez *Argosy* à Tracy Jacobs. Elle n'avait cru qu'en partie l'histoire qu'il lui avait racontée… il affirmait que cette jeune actrice était l'une des récentes amantes de Fox qui menaçait de révéler au grand jour des vérités peu ragoûtantes sur l'animateur-vedette de la chaîne. Gloria n'avait pas compris la faiblesse de son mari de céder à un tel chantage, mais avait mis tout cela sur le compte des pressions sous lesquelles Ross ployait.

Pendant un long interrogatoire, Gallo réussit à arracher à Mme Fox qu'il lui semblait que son mari avait eu des « sentiments excessivement possessifs » envers la responsable de production de Marshall, Cynthia Blair.

Et lorsque Gallo lui avait demandé quel rôle son mari avait pu jouer dans l'assassinat de Cynthia, Gloria était restée calme et avait simplement déclaré :

— Tout ce que je peux vous dire, c'est que je n'étais pas là quand ça s'est passé.

Une semaine après la dernière intervention chirurgicale, Tracy Jacobs fut transférée au centre de rééducation de Briarcliff, à moins de huit kilomètres de la villa des Ross. Gallo fit le déplacement pour aller interroger la jeune femme. Les médecins l'avaient mis en garde contre d'éventuelles pertes de mémoires, mais les souvenirs de la jeune actrice sur les événements « qui avaient changé sa vie » s'étaient révélés intacts. Elle raconta qu'elle avait effectivement rencontré Alan Ross dans son bureau et lui avait confié ses craintes quand à Marshall Fox.

Ross l'avait traité avec un respect exceptionnel et, après l'avoir écoutée, lui avait demandé, gentiment mais fermement, de ne pas se rendre à la police. « Faites cela pour moi », voilà, selon Tracy, ce qu'il n'avait cessé de lui répéter. Finalement, il avait fait dévier la conversation vers un autre sujet et, plus précisément, la carrière de la jeune femme.

C'est là qu'il lui avait proposé de passer une audition et lui avait touché mot d'un éventuel entretien avec sa femme pour lui trouver un agent. Tracy raconta qu'elle avait trouvé étrange que son audition ait lieu le lendemain dans le bureau même du directeur des programmes et que personne n'était présent à part Ross lui-même. Il avait installé une caméra sur un trépied et lui avait donné une courte scène à lire.

Il l'avait fait recommencer une bonne dizaine de fois, en lui demandant d'accentuer un mot ou un autre d'une façon différente de la précédente.

Au bout d'un moment, Ross avait semblé énervé et lui avait demandé de relire la scène en détachant bien chaque mot. Pas de phrase, seulement un mot après l'autre pour, avait-il expliqué, pour l'aider à se détendre.

Elle avait cru avoir complètement loupé son audition. Mais dès le lendemain, elle partait pour Los Angeles.

Tracy avait conservé dans son appartement de West Hollywood le texte qu'il lui avait fait lire pour l'audition. Gallo contacta immédiatement le Département de police de Los Angeles et quelques heures plus tard le texte était faxé à New York.

Joe me le montra dans son bureau.

« Écoutez-moi bien attentivement et ne m'interrompez pas : on ne peut pas faire confiance à Kevin Daly. Il couche avec Missy Welch et je sais que c'est lui qui l'a mise enceinte. S'il se comporte en homme, il se rendra à la police et il racontera tout. Sinon, c'est moi qui le ferai. Ce n'est pas une blague : je vous jure que je le ferai. »

— Splendide, dis-je.
— Tu vois ce que je vois ? me demanda Gallo.
J'acquiesçai.
— Ross possédait déjà la cassette enregistrée le jour précédent, lors de la visite de Tracy. Elle y mentionne Fox plusieurs fois en l'accusant d'être violent. Ross la renvoie alors chez elle avec la promesse de lui faire passer une soi-disant audition. Entre-temps, il concocte ce petit texte débile, la fait revenir et le lui fait lire d'un tas de façons différentes avec toutes sortes d'intonations.

— Ensuite, il fait un magnifique travail de montage avec des mots enregistrés le jour précédent. Il réalise ainsi une cassette avec la voix de Tracy en lui faisant dire tout ce qu'il veut.

« Marshall Fox couche avec Cynthia Blair. Je sais que c'est lui qui l'a mise enceinte. S'il ne se rend pas à la police pour tout raconter, c'est moi qui le ferai. » Etc., etc., etc.

Joe opina du chef.

— Quand je me suis rendu à son appartement

avec Megan, Fox, Ross et Riddick ont tous les trois dit qu'ils préféraient annoncer eux-mêmes à la police que Fox et Cynthia avaient été amants plutôt que de laisser une source extérieure s'en charger. Marshall pensait donc réellement que cette source extérieure était crédible.

— Sauf que Tracy n'était absolument pas au courant.

— Exact.

— Alors, que faut-il penser de lui ? fis-je en ramassant la télécopie. Ross est-il un type brillant ou lamentable ?

— On a épluché tous les appels de Fox et de Riddick passés durant la semaine de la menace proférée soi-disant par Tracy. On a retrouvé plusieurs appels envoyés à chacun d'eux dans un intervalle de quelques minutes, depuis la même cabine téléphonique, à cinq pâtés de maisons du bureau de Ross. Tracy Jacobs n'était pas à New York à ce moment-là. On a vérifié également les appels passés depuis Los Angeles à l'attention de Fox et de Riddick : ils correspondent tous à des appels d'associés ou de clients bien connus. Rien de la part de Tracy.

— Tu es un sacré fouille-merde, hein ? Travailler pour toi, ça doit être la croix et la bannière.

— Je m'en souviendrai le jour où tu viendras ramper chez moi.

— Si un jour je venais ramper chez toi, tu ne voudrais pas de moi…

Moins de quarante minutes avant d'entrer chez Robin Burrell pour la tuer, Alan Ross avait été charmant avec moi dans la salle d'audience de Samuel Deveraux.

Calme, posé. Le salaud ! Des traces d'ADN avaient formellement identifié la présence de Ross dans l'appartement de Robin Burrell.

Outre des échantillons de ses cheveux, des fragments de peau prélevés sous les ongles de la victime l'identifiaient également clairement, sans oublier une tâche de sang essuyée sur le morceau de miroir que l'assassin de Robin avait planté dans son cou.

La goutte de sang se trouvait sur un bout du miroir que le tueur avait touché alors qu'il le plantait dans le cou de la victime.

Aucune empreinte ne fut retrouvée dans l'appartement de Robin : on supposa donc que Ross portait des gants mais que le caoutchouc s'était déchiré au contact du verre et qu'un doigt avait été légèrement coupé.

Un pied-de-biche retrouvé dans le garage de Ross portait également des traces de sang de Robin Burrell et de Nicole Rossman.

Le dossier contre Alan grossissait à vue d'œil.

Je pris le train avec Megan pour aller voir Tracy.

Elle arborait une boule de la taille d'une balle de golf sous l'œil gauche qu'elle n'arrivait pas à ouvrir complètement. Sa mâchoire était maintenue en place par une sorte de fil de fer et un moulage provisoire en latex avait été fixé sur ses gencives du bas à la place des dents perdues. Elle avait des problèmes moteurs du côté droit, surtout avec sa jambe qui se comportait comme une pâte molle.

Ce fut surtout Megan qui fit la conversation. Elle amena le plus possible la discussion sur des sujets neutres. La famille de Tracy. Son récent voyage à Paris. Ce qu'elle avait ressenti en embrassant Matt

Damon lors de la participation de l'acteur à *Century City* comme invité-vedette. Je dédiai en silence un Emmy à Megan pour sa prestation. À l'entendre, on l'aurait presque cru passionnée par ces sujets-là.

On s'installa dans le solarium surplombant une étendue gazonnée au bord de laquelle s'étendait un lac à moitié gelé peuplé de canards noirs. Tracy pleura quelques minutes au cours de notre visite. Heureusement, elle n'avait aucun souvenir des coups infligés par Alan. Les derniers de cette après-midi-là s'arrêtaient au moment où Ross rentrait la voiture dans le garage. Pour son propre bien, personne ne lui avait dit qu'il avait jeté son corps pieds et poings liés dans l'eau et elle n'avait aucune idée du rôle que Megan avait joué dans son sauvetage.

Au cours de l'heure et demie passée en sa compagnie, Tracy me remercia une dizaine de fois de lui avoir sauvé la vie. Un regard appuyé de Megan m'avait convaincu de ne pas rectifier le tir en lui racontant la vérité. Je n'aimais pas ça, mais ce n'était pas à moi de décider.

Avant de prendre congé, Tracy nous livra une information clé.

Trois jours avant de partir pour Paris, elle était tombée sur Zachary Riddick lors d'une soirée organisée par les studios DreamWorks au cœur de Manhattan. Elle n'avait pas été préparée à la réaction de Riddick. Il lui était tombé dessus à bras raccourcis à propos d'appels que Marshall et lui auraient reçus de sa part, et de soi-disant menaces de révéler que Marshall entretiendrait une relation avec Cynthia Blair…

Bien entendu, Tracy Jacobs n'avait jamais passé ces coups de fil et elle s'évertua à lui dire qu'elle n'avait aucune idée de ce qu'il lui racontait. Elle jura que Danny Lyles n'avait jamais soufflé mot d'une quelconque histoire entre Marshall et Cynthia.

Tracy nous dit que Riddick avait tout d'abord semblé dérouté, puis perturbé par son insistance à jurer qu'elle n'avait jamais, au grand jamais, passé les fameux appels. Elle lui raconta avoir simplement parlé à Lyles de ses inquiétudes au sujet de Fox et que le chauffeur avait alors pris contact avec Ross.

Elle lui décrivit aussi son entretien avec Alan Ross en soulignant combien il avait été merveilleux de la prendre ainsi sous son aile.

— Je croyais que Alan était un Dieu, nous dit la jeune femme, le regard perdu vers l'étendue d'eau. Alan était un Dieu, et j'étais l'un de ses anges préférés.

Elle tourna son visage brisé vers nous. Les larmes accrochées à sa paupière gauche ne semblaient pas pouvoir se déverser.

— Pourquoi me déteste-t-il autant ? Qu'est-ce que j'ai fait ?

Au moment où nous nous apprêtions à partir, la mère et le frère de Tracy arrivèrent et je dus me plier, une fois de plus, au jeu du héros. Megan s'écarta du groupe pour regarder par la fenêtre pendant que je récoltai les louanges.

— Tu sais, ton jeu de fausse modestie vieillit mal, lui dis-je plus tard alors que nous marchions vers la gare.

Elle me lança un regard auquel je ne m'étais pas préparé.

— J'ai eu mon heure de gloire. Et j'ai détesté.

Dans le train, nous avons récapitulé le scénario.

Riddick avait dû réaliser que ça sentait le roussi. Il

croyait Tracy Jacob lorsqu'elle affirmait n'être pour rien dans les menaces téléphoniques proférées contre lui et Fox. L'avocat avait dû commencer à suspecter qui tirait réellement les ficelles.

Il avait dû contacter Ross et laisser deviner ses soupçons. Ou, du moins, il avait dû poser quelques questions dérangeantes à Alan.

— Ross ne pouvait pas se permettre de voir Riddick fourrer son nez dans cette histoire, dit Megan alors que le train dépassait Valhalla. Le boulot de Riddick, en tant qu'avocat, c'était de défendre Fox.

J'étais tout à fait d'accord. L'avocat n'incarnait que des soucis pour Ross.

— Mais que vient faire l'assassinat de Robin Burrell dans tout ça ? demandai-je.

Je n'avais pas plus tôt posé la question que je connaissais déjà la réponse. Et Megan aussi.

— Erreur de jugement.

— Parfaitement.

— Ross cible une autre conquête de Fox et met en scène son assassinat afin qu'il ressemble à ceux de Cynthia Blair et Nikki Rossman. Mais Ross aurait dû savoir que c'était une erreur de procéder de la sorte. Résultat ? Tumulte et confusion. Les gros titres. Et si, après tout, Fox était innocent ? Et s'il s'agissait d'un plagiaire ? Ross en a trop fait.

— Le lendemain, c'était Riddick qui y passait. Ross avait dû lui donner rendez-vous au café-restaurant Boathouse et l'entraîner ensuite sur la promenade.

— Mais, cette fois-ci, pas de clou planté dans le cœur, précisa Megan.

— Pas assez de temps. Trop risqué. Mais ça s'était produit à Central Park et Riddick était associé de très près à Fox. Pas la peine de protéger ses arrières trop soigneusement sur ce coup-là : il savait que personne ne viendrait lui poser de questions. Et personne n'en a posé.

— Pourquoi est-ce que Ross voulait t'embaucher ? me demanda soudain Megan. Tu crois vraiment qu'il cherchait à savoir où en était l'enquête ?

— Il faut que ce gars ait la mainmise sur tout, c'est son obsession. C'est un manipulateur, le genre de type qui veut tout savoir et tout contrôler.

Megan se retourna et regarda défiler le cimetière de Hawthorne. Un petit groupe était rassemblé près du sommet de la colline. Deux secondes plus tard, tout avait disparu.

Elle se détourna. Sa peau était tellement pâle qu'on aurait dit un fantôme.

— Si je comprends bien, l'assassinat de Robin Burrell n'était rien d'autre que le stratagème d'un maniaque destiné à camoufler le vrai mobile qu'il avait pour tuer Riddick ?

— En substance, c'est ça.

Elle pencha la tête, la posa contre la vitre et murmura quelque chose que je ne compris pas.

— Quoi ?

— J'ai dit, *j'aurais dû le tuer.*

Elle continua de fixer un point invisible de l'autre côté de la vitre.

— Pour de bon, Fritz. C'est pas une blague. J'aurais dû lui exploser la tête et le foutre à l'eau.

Arrivés à Grand Central, nous allâmes nous installer à l'Oyster Bar. Megan joua avec un verre de vin blanc. Je pris deux doigts de Maker's, puis encore deux. J'aurais pu continuer comme ça longtemps. L'Oyster est un endroit parfait pour ça, on a l'impression d'être dans une caverne profonde, isolé du monde extérieur. Disparu. Évaporé dans un éclair. Les seuls chagrins et les seuls problèmes restant sont ces idiots qui sirotent leurs boissons idiotes.

Quand on y pense, il doit y avoir un brin d'espoir caché dans une notion telle que celle-là. Je suppose que cela doit être vrai, du moins certains jours.

Après son verre de vin, Megan se mit à l'eau. On parla peu. On regarda un couple se disputer au bar. Le genre cadres dynamiques, engoncés gentiment dans leurs costards. À vue d'œil, le type ne faisait que chercher la femme, et elle mordait à l'hameçon. Je fus tenté d'aller les voir et de leur dire d'arrêter leur cirque, puis je me rendis compte qu'il était temps de laisser le glaçon fondre dans mon verre vide.

— Tu devrais rejoindre ta copine, dit finalement Megan. Si j'en avais une, c'est ce que je ferai.

Elle leva les yeux au plafond.

— Je ne sais pas ce qu'il en est pour toi, mais moi, j'ai la tête remplie de questions et je sais pertinemment que je n'en trouverai pas les réponses.

— Quelles sortes de questions ?

— Des questions sérieuses. Des questions bêtes. Genre existentielles.

Je fis glisser mon verre sur la table.

— Désolé, je peux pas t'aider.

— Je ne te le demande pas. Allez, viens, on s'en va.

Je jetai quelques billets sur la table.

Sur le chemin de la sortie, on passa à côté du couple de jeunes cadres dynamiques : ils avaient cessé de se disputer et s'amusaient à se faire des bisous d'Esquimaux. Je t'en ficherais, moi, des questions existentielles ! Dans la rue, il faisait presque nuit. La 42e rue passait en mode noir et blanc. Des grappes de silhouettes traversaient la rue des deux côtés. Taxis, taxis, taxis… partout des taxis. Dieu seul sait pourquoi ils klaxonnaient.

Sur la 5ᵉ avenue, je dis bonsoir à Megan. En réalité, je ne dis pas bonsoir à Megan : elle me serra la main, et moins d'une minute plus tard, elle avait déjà dépassé les lions de la bibliothèque. J'envisageai un instant de traverser Bryant Park pour aller à mon bureau, puis me félicitai de n'être pas un parfait idiot. Megan avait raison. Le mieux que j'avais à faire, c'était d'aller voir ma copine. J'avais du pain sur la planche dans ce domaine.

Je jetai un œil dans la 5ᵉ avenue dans le but d'apercevoir l'inspecteur Lamb, mais la pénombre l'avait déjà engloutie. J'espérai pour elle que ses stupides questions existentielles ne l'avaient pas accompagnée. Une femme comme elle, ça me fait faire du souci.

Scoop de dernière minute

Par James Puck

Il est de retour ! Des langues bien pendues ont raconté à votre serviteur que Marshall Fox et KBS Television se sont réconciliés et qu'ils sont prêts à renouveler pour une durée de trois ans, l'émission de nuit tant appréciée du célèbre animateur-vedette, Minuit avec Marshall Fox. Alan Ross − ancien patron de Fox et ancien directeur de la programmation chez KBS − est désormais derrière les barreaux. Il attend ce qui s'annonce comme le premier d'un long chapelet de procès − procès qui durera sans doute plus longtemps que certaines émissions que Ross avait annoncées à KBS. Dans un communiqué, l'animateur-vedette s'est dit « satisfait de constater que le désinfectant utilisé dans les studios de KBS semblait fonctionner parfaitement ».

Depuis que toutes les accusations portées contre lui ont été retirées il y a maintenant cinq mois, Fox partage son temps entre son ranch de Jackson Hole et sa propriété de bord de mer à Maui, il travaille à l'écriture d'un livre sur ses récentes aventures et sa relation en dents de scie avec le public.

Suite à l'appel de votre serviteur, inquiet de l'attitude toujours plus fantasque de l'ancienne épouse de Fox, Rosemary Boggs Fox (qui donc, à ce stade, n'a pas encore vu les photographies ?), Fox a répondu, je le cite : « Qu'est-ce que tu veux que je te dise, Jimmy ? Elle est cinglée. Folle à lier. » Eh bien, eh bien. Voilà qui laisse songeur.

En attendant, puisqu'on parle de ça... vous ne connaissez pas la dernière ?

La peau du diable

New York. La parade de Thanksgiving bat son plein quand des spectateurs s'effondrent, touchés par les balles d'un sniper.

Depuis plusieurs semaines, un terroriste a pris New York en otage. Les plus hautes personnalités politiques de la ville, déjà engluées dans une série de scandales, sont impuissantes.

Le détective Fritz Malone, impliqué dans l'affaire, n'a pas d'autre choix que de se lancer sur les traces d'un tueur particulièrement diabolique. Une course poursuite effrénée qui le conduit d'un couvent du Bronx aux recoins de Brooklyn, entre politiciens corrompus et flics véreux.

Jusqu'au dénouement final, inattendu…?

> « *De la première à la dernière page,*
> La peau du diable *mélange action, intrigue*
> *et intensité. Impossible à lâcher !* »
>
> (Michael CONNELLY)

ISBN : 978-2-35288-192-6

Teddy est revenu

GILBERT GALLERNE

En ouvrant le colis qu'elle vient de recevoir, Laura n'en croit pas ses yeux : Teddy est revenu. Teddy, c'est l'ours en peluche que sa fille avait dans ses bras lors de son enlèvement. C'était il y a cinq ans… Qui peut avoir envoyé Teddy, et pourquoi ? Impossible pour Laura de s'adresser à la police qui, à l'époque, l'a soupçonnée d'avoir assassiné son enfant pour reconquérir son mari. Impossible également de se tourner vers ce mari qui l'a abandonnée pour refaire sa vie.

Pleine d'un espoir nouveau, elle décide de reprendre l'enquête, seule. Même si cela signifie franchir certaines frontières et affronter un tueur sans pitié… Mais Laura n'hésite pas : sa fille est quelque part. Sans doute vivante. Et elle veut à tout prix la retrouver...

**Le nouveau thriller du lauréat
du Prix du Quai des Orfèvres 2010.**

ISBN : 978-2-35288-474-3

www.city-editions.com